JN097099

資格取得スピード王の【でる順】衛生管理者 第1種 過去問題徹底研究

ツボを押さえて
ラクラク合格
実践型問題集です!

2025年版

高島徹治
立石周志 著

ナツメ社

◇受験ガイド―衛生管理者試験はこんな試験です◇

出題形式　マークシート記入による5肢択一式（全44問）

試験時間　3時間（13:30～16:30）

試験科目と配点

試験科目（範囲）	問題数	配点（1問）	科目計
関係法令（有害業務に係るもの）	10問	8点	80点
労働衛生（有害業務に係るもの）	10問	8点	80点
関係法令（有害業務に係るもの以外のもの）	7問	10点	70点
労働衛生（有害業務に係るもの以外のもの）	7問	10点	70点
労働生理	10問	10点	100点
合　計	44問	―	400点

合格基準　科目ごとに40％以上の得点、かつ、全科目の合計点が60％以上

受験資格　以下の条件を満たす者（条件は最終学歴によって異なる）

最終学歴	経験年数
大学（短大を含む）または高等専門学校（専修学校・各種学校は含まれない）	1年以上労働衛生の実務に従事した経験
高等学校または中等教育学校	3年以上労働衛生の実務に従事した経験
上記以外	10年以上労働衛生の実務に従事した経験など　下記HP参照

合格通知　合否の通知は試験日から1週間程度で郵送されます。

受験料　8,800円　※令和6年12月現在

試験日程　全国7地域の安全衛生技術センターで毎月各2～8回実施する。その他、年に1回ほど最寄りの都市で受験できる出張特別試験が全国各地で行われる。令和6年に「東京試験場（東京都港区海岸）が新設され、毎月10回近くの試験日が設けられている。

申込方法　①受験申請書、②事業者証明書、③学校の卒業証明書、これらを受験する安全衛生技術センターに郵送あるいは直接持参する。

※会場や試験日程、申請書類の書き方、その他試験の詳細については、下記に問い合わせください。

（公財）安全衛生技術試験協会
〒101-0065　東京都千代田区西神田3-8-1　千代田ファーストビル東館9階
TEL 03-5275-1088　公式HP https://www.exam.or.jp/index.htm

使い方ガイド

本書を賢く利用していただくために

出る順予想ランキング

各項の順番は、試験に出る各科目について、出題頻度の高い順で順位を付けています。

血液・免疫

多様と思われる肢の中から、①血液の「凝固」と「凝集」、②血液成分について、的を絞って勉強すれば、点がいちだんと取りやすくなります。これはチャンスです。

1 どこが出るか、どんな出方をするか

このように、一見多様に見えますが、よく問題を分析してみると、正解となる知識は、数点に絞られていることがわかります。それを、まず紹介します。

1）免疫に関する問題。まず血漿中の蛋白質にはアルブミン、グロブリン、フィブリノーゲン（繊維素源）があり、このうちγ-グロブリンは免疫体の抗体です（アルブミンは毛細血管における水のろ過量や血液の浸透圧の維持に関与しています）。

また白血球の30%を占めるリンパ球には体液性免疫の役割（抗体が抗原に得意的に結合して抗原の働きを抑制する）があり、抗体を産生する**Bリンパ球**と、抗原を認識する**Tリンパ球**があります。白血球の60%を占める**好中球**は、感染した炎症部位に遊走して集まり偽足を出してアメーバ様運動を行い、細菌を貪食・殺菌します（細胞性免疫…リンパ球が直接に病原体などの異物を攻撃する免疫反応）。

※抗原は病原性のウイルスや細菌、花粉、卵などの生体に免疫応答を引き起こす物質（攻撃されるもの）。抗体（抗A・抗B）は体内に入った抗原を排除するために作られる、免疫グロブリンという蛋白質やペプチド、多糖類（攻撃するもの）。

2）ヘマトクリットとは、血液の容積に対する赤血球の相対的割合のことで、貧血になるとその値は低くなります。

この2つの知識で、1点とれる可能性は、極めて高いです。さらに1つの知識を加えましょう。血液の凝固と凝集。**凝固**は出血した際にフィブリノーゲンがフィブリンに変化して血液が固まること。**凝集**は輸血などの際に赤血球が寄り集まることです。

18

どこが出るか、どんな出方をするか

解答のコツ！

試験の各科目について、出題の傾向、出題頻度、覚えるべき事柄を解説し、それぞれについての解答のコツを指南しています。

第1章 労働生理

7割ゲットできるポイント集！

●呼吸とは、酸素を取り入れ、二酸化炭素（炭酸ガス）をはき出すガス交換のことです。内呼吸と外呼吸があります。

●呼吸は、呼吸器で行われます。

呼吸器は、「気道」と「肺」から成り立ち、気道は鼻腔、口腔、咽頭、喉頭、気管、気管支からなります。

●肺自体には、運動能力がなく胸郭の容積の増減によって、活動を行います（肋間筋や横隔膜などの呼吸筋によって行われる）。

呼吸器の仕組み

鼻腔　口腔　咽頭　喉頭　気管　食道　気管支　肺　横隔膜

●**異常呼吸**

・**チェーンストークス呼吸**

呼吸をしていない状態から徐々に呼吸が深まり、やがて浅くなって呼吸が止まる状態を繰り返します。呼吸中枢である延髄の機能が衰え、脳への酸素の供給が不十分になることで生じます。喫煙が原因ではありません。

・**睡眠時無呼吸症候群**

睡眠中に上気道が閉塞するなどして断続的な呼吸停止を繰り返す症状です。呼吸量が低下することにより血中酸素量が少なくなり、高血圧など循環器疾患を誘発しやすくなります。他に日中に激しい眠気が起きたり、集中力や作業効率の低下が生じたりします。

・**窒息**

血液中のガス交換が阻害されて酸素濃度が低下（二酸化炭素濃度が上昇）し、組織・臓器が機能不全を起こす状態です。体内では赤血球中のヘモグロビンが酸素を各組織に運びますが、酸素と結合していないヘモグロビンが増加するとチアノーゼ（皮膚や粘膜が青紫色になる）を発症します。

43

7割ゲットできるポイント集！

左ページより範囲を広げて、ポイントを図や表などで、簡潔にまとめています。

重要語句などは、赤い太字で表示しています。

左のページには過去問(公表された年期を表示。第２種衛生管理者と共通の出題には(第２種)と表示)、右ページはそれに対応する解答を載せています。対応する問題と解答の間は、ラインで結ばれています。

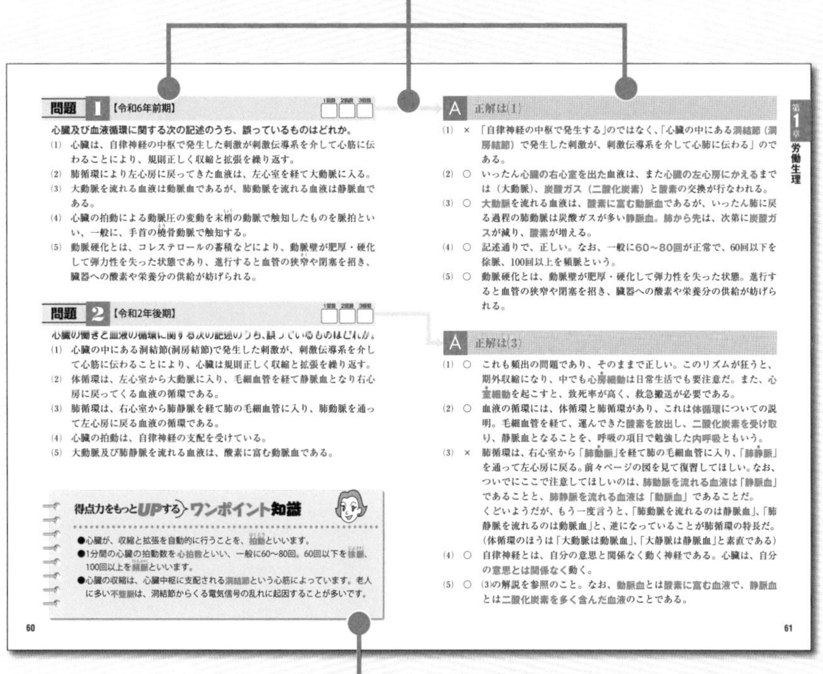

問題 1 【令和6年前期】 1回目 2回目 3回目

心臓及び血液循環に関する次の記述のうち、誤っているものはどれか。

(1) 心臓は、自律神経の中枢で発生した刺激が刺激伝導系を介して心筋に伝わることにより、規則正しく収縮と拡張を繰り返す。
(2) 肺循環により左心房に戻ってきた血液は、左心室を経て大動脈に入る。
(3) 大動脈を流れる血液は動脈血であるが、肺動脈を流れる血液は静脈血である。
(4) 心臓の拍動による動脈圧の変動を末梢の動脈で触知したものを脈拍といい、一般に、手首の橈骨動脈で触知する。
(5) 動脈硬化とは、コレステロールの蓄積などにより、動脈壁が肥厚・硬化して弾力性を失った状態であり、進行すると血管の狭窄や閉塞を招き、臓器への酸素や栄養分の供給が妨げられる。

問題 2 【令和2年後期】 1回目 2回目 3回目

心臓の働きと血液の循環に関する次の記述のうち、誤っているものはどれか。

(1) 心臓の中にある洞結節(洞房結節)で発生した刺激が、刺激伝導系を介して心筋に伝わることにより、心臓は規則正しく収縮と拡張を繰り返す。
(2) 体循環は、左心室から大動脈に入り、毛細血管を経て静脈血となり右心房に戻ってくる血液の循環である。
(3) 肺循環は、右心室から肺静脈を経て肺の毛細血管に入り、肺動脈を通って左心房に戻る血液の循環である。
(4) 心臓の拍動は、自律神経の支配を受けている。
(5) 大動脈及び肺静脈を流れる血液は、酸素に富む動脈血である。

得点力をもっとUPする ワンポイント知識

- 心臓が、収縮と拡張を自動的に行うことを、拍動といいます。
- 1分間の心臓の拍動数を心拍数といい、一般に60〜80回。60回以下を徐脈、100回以上を頻脈といいます。
- 心臓の収縮は、心臓中枢に支配される洞結節という心筋によっています。老人に多い不整脈は、洞結節からくる電気信号の乱れに起因することが多いです。

60

A 正解は(1)

(1) × 「自律神経の中枢で発生する」のではなく、「心臓の中にある洞結節（洞房結節）で発生した刺激が、刺激伝導系を介して心肺に伝わる」のである。
(2) ○ いったん心臓の右心室を出た血液は、また心臓の左心房にかえるまでは（大動脈）、炭酸ガス（二酸化炭素）と酸素の交換が行なわれる。
(3) ○ 大動脈を流れる血液は、酸素に富む動脈血であるが、いったん肺に戻る過程の肺動脈は炭酸ガスが多い静脈血。肺から先は、次第に炭酸ガスが減り、酸素が増える。
(4) ○ 記述通りで、正しい。なお、一般に60〜80回が正常で、60回以下を徐脈、100回以上を頻脈という。
(5) ○ 動脈硬化とは、動脈壁が肥厚・硬化して弾力性を失った状態。進行すると血管の狭窄や閉塞を招き、臓器への酸素や栄養分の供給が妨げられる。

A 正解は(3)

(1) ○ これも頻出の問題であり、そのままで正しい。このリズムが狂うと、期外収縮になり、中でも心房細動は日常生活でも要注意だ。また、心室細動を起こすと、致死率が高く、救急搬送が必要である。
(2) ○ 血液の循環には、体循環と肺循環があり、これは体循環についての説明。毛細血管を経て、運んできた酸素を放出し、二酸化炭素を受け取り、静脈血となることを、呼吸の項目で勉強した内呼吸ともいう。
(3) × 肺循環は、右心室から「肺動脈」を経て肺の毛細血管に入り、「肺静脈」を通って左心房に戻る。前々ページの図を見て復習してほしい。なお、ついでにここで注意してほしいのは、肺動脈を流れる血液は「静脈血」であることと、肺静脈を流れる血液は「動脈血」であることだ。
くどいようだが、もう一度言うと、「肺動脈を流れるのは静脈血」、「肺静脈を流れるのは動脈血」と、逆になっていることが肺循環の特長だ。(体循環のほうは「大動脈は動脈血」、「大静脈は静脈血」と素直である)
(4) ○ 自律神経とは、自分の意思と関係なく動く神経である。心臓は、自分の意思とは関係なく動く。
(5) ○ (3)の解説を参照のこと。なお、動脈血とは酸素に富む血液で、静脈血とは二酸化炭素を多く含んだ血液のことである。

61

第1章 労働生理

得点力をもっとUPするワンポイント知識

さらに得点をゲットするための知識について解説。難しい語句や記号などは「高島式記憶術」で伝授します。

特徴①　試験の頻出度で順位を付ける
本書は、過去10回分の試験問題を分析し、頻出度の高いものから順位を付けて紹介していますので、優先的に何を勉強すべきかが一目瞭然です。

特徴②　学習のポイントと問題解答のコツ
「どこが出るか、どんな出方をするか」では、その試験項目の出題傾向の分析、「解答のコツ！」でその問題の解決方法の紹介をしています。

特徴③　過去問を掲載、解答ページで問題の分析
試験項目別に過去問を掲載、解答ページではその問題の解説･分析をして、確実な知識になるようにしています。問題の取捨は、バランスをとるため、頻出でないものも一部だけ、あえて含めました。

特徴④　模擬試験問題を掲載
本書の最後には、第1種衛生管理者試験の模擬問題を2回分掲載しています。本番前の総仕上げとして利用してください。

特徴⑤　得点力をもっとUPするワンポイント知識
要所要所で、その項目を攻略するための知識を掲載しています。

CONTENTS

これが対策決定版！過去10回出題を徹底分析する

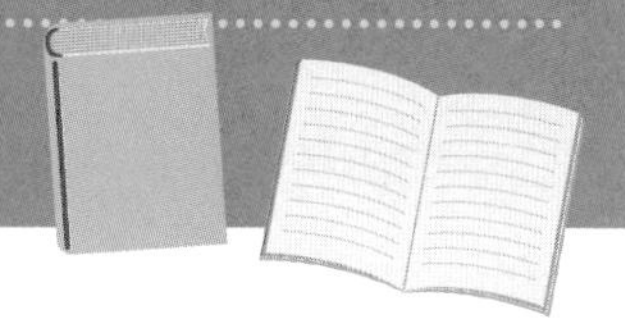

「2段階戦略」で、真に頼れる衛生管理者になる

試験に合格するには、2つの方法があります。1つは、求められている知識をじっくりと勉強し、内容を理解し、咀嚼（そしゃく）し、単に合格するだけでなく、合格した後にも役立つ知識を身につけることです。

たしかに、これは理想です。しかし、少しばかり理想論に過ぎるといわざるを得ません。なぜなら、限られた準備期間の間に、そこまで完璧な学習をすることは、現実には不可能だからです。

そこで私は、以前から、2段階戦略を唱えています。

どういうことかというと、第1段階の目標と第2段階の目標を、別なものとして、設定するのです。

第1段階の目標は、ズバリいって、とにかく早く合格することだけに置きます。合格しなければ、法律上、衛生管理者として選任される資格が生まれませんし、職場の仲間の信頼をかち得ることもできません。

では、合格すれば、それだけでいいのでしょうか。実は、これも違うのです。「合格証を持っている衛生管理者の私が言うのだから、間違いないよ」といっても、現場の問題は、複雑多様です。そこでは、問題が、試験のテキストに書いてある通りに発生するわけではありません。

そもそも、**テキストに書いてないことが、しばしば起こる**のが現場というものですから。

したがって、ズバリいえば、職場の安全衛生を守るためには、試験に合格した知識だけでは足りません。**合格後も、日々、研鑽しながら、応用力、現場力を身につけていかなければならない**のです。

むしろ、こちらの方が大変で、これこそ本物の勉強といえるでしょう。私が「合格した後にも役立つ知識が必要」といっているのは、そういう意味です。

これが、**第2の目標**です。つまり、単なるペーパー上の衛生管理者ではなく、知識力も現場力も備えた、本物の衛生管理者になることです。

本書の目的は「合格」というただ一語

前置きがだいぶ長くなりました。さて、本書の性格と、役割をはっきりさせておきましょう。

この本は、いま述べたうちの、第1の目標だけに対応するものです。それ以上でも、それ以下でもありません。**目的は、「合格」という一語**に限定されています。

ちなみに、著者は、第2の目標の大切さは、十二分に承知しています。著者自身が、社会保険労務士や行政書士として、実際に開業した経験から、それは痛いほどわかっています。つまり、単に試験に合格しただけの人は、現場では、単なる"ひよっこ"です。

しかし、反面、試験に合格しなければ、"ひよっこ"にもなれないという現実があります。そこで、合格以後のことは、第2の目標にまかせ、まずは合格のためだけに、まっしぐらに進みましょう。

さらに、受験するあなたが置かれている、もう1つの事情があります。受験者のあなたは、日々仕事にいそしむ**会社勤務の方**が、ほとんどでしょう。勉強するにも、時間的に余裕があるわけではありません。となると、**できるだけ少ない時間の勉強で、合格を勝ち得たい**ものです。

そのためには、「最小の努力で最大の効果」を得ることが必要になります。それを、追求するために、私はこの本を書きました。

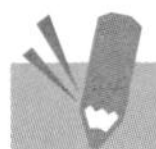

出題に類似問題が多いのが、衛生管理者試験の特徴

以上を、現実化するために、私は**過去10回の公表問題を徹底的に分析し、「どこが出るのか」「どんな形で出るのか」**を辿ってみました。

その結果、わかったことは、衛生管理者の試験には、大きな特徴があるということです。その特徴は、**出る問題のパターンが、ある程度、というか、かなり一定しているということにほかなりません。**

しかも、ときには、**同じ問題が出されることさえあります。**

なぜ、そうなるのか。最大の理由は、**衛生管理者試験の実施回数が多い、**という事情があります。試験は、7つのブロックごとに行われますが、最も多い関東（東京を含む）などでは、年に約40回も実施されます。最も少ないブロックでも、年に約15回実施されています。それらすべてを合計すると、年間約170回もの試験が、行われているのです（通常年の場合）。

この1回1回に、まったく新しい問題を作成していたのでは、予算がいくらあっても足りません。そこで、あらかじめ大量の問題を作成しておき、それらをいくつかの組合せのパターンに分類して出題されていると、推測されます。そうなると、類似の問題や、ときには同一の問題が出ることも、不思議ではありません。

実は、受験する側の立場でいえば、**ここがチャンス**なのです。

ここに見られる「**傾向**」**をしっかりつかみ、その傾向に間違いなく対応する**「**対策**」**を立てれば、合格の可能性は、段違いに大きくなります。**傾向を分析し、出る問題がわかったら、そこだけを勉強したり、記憶したりすればいいのです。

頻度数に応じて「出る順」をランキング

その「よすが」となるのが、公表問題です。**公表問題は、１年に２回、試験の実施団体から発表されます。**これは、いわゆる過去問（過去問題）そのものではありませんが、実際に出題された問題の代表例です。

実際の受験者の体験をはじめ、（私も含めた）多くの関係者の見方を総合すると、実際の試験問題は、公表問題そのものと同一的な問題、および類問（類似の問題）を合わせて、約8割といわれます。

であってみれば、**公表問題を過去問とみなして、対策を立てても、大きく外れることはありません。**事実、衛生管理者の**ほとんどの参考書は、公表問題を過去問として扱っています。**

本書も、この前提に立って、作業を進めました。そして、**最新10回の出題項目を分析し**ました。その結果が、**12ページから16ページに記載したテーブル**（表）です。ここで、私たち（著者と読者）は、最近は「どの項目」が、「どういう頻度で」出題されたのかを知ることができます。

⑴関係法令（有害業務に係るもの）　10回分の出題傾向

前期：4月公表　後期：10月公表

項目名	6年後期	6年前期	5年後期	5年前期	4年後期	4年前期	3年後期	3年前期	2年後期	2年前期
安全衛生管理体制	○	○	○	○	○	○	○	○	○	○
作業主任者の選任		○	○	○		○	○	○	○	○
作業主任者の資格	○									
機械の譲渡制限等		○			○	○	○	○	○	○
定期自主検査		○		○			○			
特定化学物質（大臣許可ほか）	○	○	○		○	○	○		○	○
作業環境測定	○	○	○	○	○			○	○	○
特別教育	○		○	○	○		○	○	○	○
特殊健康診断						○				
歯科医師の健康診断										
健康管理手帳										
衛生基準（有害業務）	○		○	○		○			○	
石綿障害予防規則					○	○				
酸素欠乏症等防止規則		○		○	○			○	○	○
有機溶剤中毒予防規則	○	○	○	○	○	○	○	○	○	○
電離放射線障害防止規則	○		○			○				○
粉じん障害防止規則	○		○				○	○		
じん肺法				○	○					
女性労働者の保護（就業制限）				◗			○		○	○
年少者の保護（就業制限）	○		○	◗		○				
時間外労働1日2時間の制限		○						○		
労働基準監督署長への報告							○	○		
有害物質の関係規則		○								

※ ◗は混合問題（問題の肢が、複数の項目から出題されているもの）、◉は2問出題という意味

本書では、その出題頻度数に応じて、ランクづけをしました（ただ、編集の都合で、別項目を一緒にした場合もありますが、なるべく類似の分野を統一するようにし、そうでない場合は、断りを入れています）。

ですから、読者の皆さんは、この**ランキングの高い方から勉強を進めていくのが**、**得策**です（ただ、この順番自体は、実際の試験問題の順番とは違いますから、それは頭に入れておいてください）。

⑵関係法令（有害業務に係るもの以外のもの）　10回分の出題傾向　　前期：4月公表　後期：10月公表

項目名	6年後期	6年前期	5年後期	5年前期	4年後期	4年前期	3年後期	3年前期	2年後期	2年前期
衛生管理者・衛生推進者		○						○	○	
総括安全衛生管理者		○		○	○	◗	○			○
産業医	○	○	○		○	◗	○	○		
衛生委員会	○		○	○		○			○	○
安全衛生教育										
健康診断（定期・雇入れ時ほか）	○	○		○	○	○	○	○	○	○
医師による面接指導			○	○	○					
ストレスチェック	○	○	○	○		○	○	○	○	○
事務所衛生基準	○		○		○	○	○	○	○	○
変形労働時間制										
労働時間等		○		○			○	○	○	
年次有給休暇	○	○	○	○	○	○	○			
就業規則										
妊産婦・女性労働者の保護	○		○		○	○		○	○	◉
労働契約（解雇制限等）										

※　◗は混合問題（問題の肢が、複数の項目から出題されているもの）、◉は2問出題という意味

ツボを心得て勉強すれば、見かけより取り組みやすい

さて、勉強の順番は、わかりましたが、しかし出題された項目や問い掛けられている点（論点ともいいます）がわかっただけでは、まだ道のりは半分です。

もっと必要なことは、その項目の中で、どんな知識が、どういう形で出題されるのか。その分析が必要なのです。それがなければ、その項目全体を勉強しなければなりません。「最短最速」「合格第一」を掲げた参考書としては、ゆるいといわざるを得ないでしょう。

本書は、その壁を乗り越えて、執筆・編集しました。すなわち、**その項目の問題が、実際にどういう形で出題されているのかを、そのままの形で、10回にわたって点検した**のです。すると、次のことがわかりました。

1）**かなりの程度で、同一の問題**が出ている。

2）**前の回では、誤りの肢**だったものが、**次の回では、正しい肢**として

⑶労働衛生(有害業務に係るもの)　10回分の出題傾向

前期:4月公表　後期:10月公表

項目名	6年後期	6年前期	5年後期	5年前期	4年後期	4年前期	3年後期	3年前期	2年後期	2年前期
有害物質の空気中の状態	○	○	○	○	○		○	○	○	○
特殊健康診断		○		○		○	○			
生物学的モニタリング	○		○					○	○	○
有機溶剤(性質・障害)		○		○		○		○	○	○
熱中症・高温対策										
金属による健康障害	○		○		○		○		○	
化学物質の健康障害等	○	○	○	○	◉	◉		○	○	○
化学物質のリスクアセスメント	○	○	○	○	○	○	○	○	○	○
SDS										
作業管理	○		○			○	○			
作業環境測定と評価		○				○	○	○	○	○
作業環境改善	○		○							
局所排気装置		○		○	○			○	○	○
労働衛生保護具					○					○
呼吸用保護具		○		○		○	○	○		
有害因子による健康障害	◉	○	◉	◉	◉	◉	○	◉	◉	◉
放射線による障害		○			○		○			○
騒音による健康障害	○		○	○			○			

※ ◉は2問出題という意味

出題されている（ある意味で、同一問題に近い）。

3）同一性はそれより低いが、**5肢のうち2〜3肢が**、**過去の出題と同じ肢**である。

4）初めて顔を出す、**新規の問題が**、**2割**ほどある。

5）問い掛けの形式としては、「**誤っているものはどれか**」という問い掛けが、「正しいものはどれか」よりも、やや多い。

総じてみて、受験者側から見れば、ツボを心得て勉強すれば、最初の見かけよりもかなり取り組みやすい試験である、ということがわかります。

同一問題や類似問題が多いということは、その周辺を勉強すれば、ある程度の点は取れるということです。また、問い掛け方が、「誤っているものはどれか」が多いということは、「正しいものはどれか」よりも勉強する範囲が少なくてすむ、というケースが多いのです。

⑷労働衛生（有害業務に係るもの以外のもの） 10回分の出題傾向

前期：4月公表　後期：10月公表

項目名	6年後期	6年前期	5年後期	5年前期	4年後期	4年前期	3年後期	3年前期	2年後期	2年前期
メンタルヘルスケア		○	○	○				○	○	○
情報技術作業のガイドライン							○	○		
腰痛予防対策	○		○		○	○	○	○	○	○
快適な職場環境の形成					○					
労働安全衛生マネジメントシステム						○	○			
受動喫煙対策	○		○	○	○	○				
健康保持増進計画・健康測定	○	○	○	○				○		○
脳血管障害・心臓疾患	○	○	○	○	○		○		○	○
労働衛生統計	○	○		○	○	○	○			
一次救命処置								○	○	○
食中毒・感染症	○	○	○	◉	○	◉	○	○	○	○
止血法							○	○	○	
熱傷										
骨折		○								
メタボリック・シンドローム、BMI	○	○	○		○	○			○	○
温熱条件・必要換気量										

※ ◉は2問出題という意味

そして、**中には、ほとんど同一問題が、毎回のように出題されている項目さえあります**。それらを、過去10回にわたって分析したのが、「どこが出るか、どんな出方をするか」のページです。ここでは、紙幅がある場合には、よく出る問題の**覚え方**、**記憶の仕方**、**解答の仕方**にまで言及しています。他の問題集などでは絶対に見られない、本書のハイライト部分です。

ただ、このページは、かなり大胆に頻出の肢を絞って紹介しています。ですので、**それだけでは不安だという方のために、次のページの「7割ゲットできるポイント集！」**を設けました。

このページでは、念のため、もっと幅広い知識を収録してあります。

時間のない方は、「どこが出るか、どんな出方をするか」のページだけを、少しゆとりがある方は、「7割ゲットできるポイント集！」まで、勉強の

(5)労働生理　10回分の出題傾向

前期：4月公表　後期：10月公表

項目名	6年後期	6年前期	5年後期	5年前期	4年後期	4年前期	3年後期	3年前期	2年後期	2年前期
呼吸	○	○	○	○	○	○	○		○	○
心臓・血液循環	○	○	○	○	○	○	○		○	
肝臓	○		○		○	○		○		
栄養素の消化	○	○	○	○	○	○	○	○	○	○
腎臓・尿		○		○	○	○	○	○	○	○
神経系・脳		○		○	○		○	○		○
血液	○		○	○	○	○		○	○	○
免疫		○		○			○	○		○
感覚または感覚器	○	○	○	○	○	○	○	○	○	○
内分泌	○	○	○		○	○			○	
筋肉・運動	○		○	○				○	○	○
体温		○			○	○	○		○	○
代謝	○		○			○	○	○		○
ストレス	○	○	○							
睡眠				○			○	○	○	
疲労										

※ ◉は2問出題という意味

領域を広げてください。

そんなわけで、本書は、**本全体が「これが対策決定版！　過去10回出題を徹底分析する」**になっています。

わずか330ページほどですが、最初から最後まで、これを勉強していただければ、「最短最速」での合格を実現していただけると思います。

> 該当ページの文字数の都合上、用語の一部を改変している問題が、ごく少数ですがあります。大意に変更はありません。

第1章

労働生理

出る順予想ランキング

出る順予想ランキング 第1位

ポイントを絞り込んで覚えましょう!

血液・免疫

多様と思われる肢の中から、①血液の「凝固（ぎょうこ）」と「凝集（ぎょうしゅう）」、②血液成分について、的を絞って勉強すれば、点がいちだんと取りやすくなります。これはチャンスです。

1 どこが出るか、どんな出方をするか

このように、一見多様に見えますが、よく問題を分析してみると、正解となる知識は、数点に絞られていることがわかります。それを、まず紹介します。

1）免疫に関する問題。まず血漿中の蛋白質にはアルブミン、グロブリン、フィブリノーゲン（繊維素源）があり、このうち**γ-グロブリンは免疫体の抗体**です（アルブミンは毛細血管における水のろ過量や血液の浸透圧の維持に関与しています）。

また白血球の30%を占めるリンパ球には**体液性免疫**の役割（抗体が抗原に得意的に結合して抗原の働きを抑制する）があり、抗体を産生する**Bリンパ球**と、抗原を認識する**Tリンパ球**があります。白血球の60%を占める**好中球**は、感染した炎症部位に遊走して集まり偽足を出してアメーバ様運動を行い、細菌を貪食・殺菌します（**細胞性免疫**…リンパ球が直接に病原体などの異物を攻撃する免疫反応）。

※抗原は病原性のウイルスや細菌、花粉、卵などの生体に免疫応答を引き起こす物質（攻撃されるもの）。抗体（抗A・抗B）は体内に入った抗原を排除するために作られる、免疫グロブリンという蛋白質やペプチド、多糖類（攻撃するもの）。

2）ヘマトクリットとは、血液の容積に対する赤血球の相対的割合のことで、貧血になるとその値は低くなります。

この2つの知識で、1点とれる可能性は、極めて高いです。さらにもう1つの知識を加えましょう。血液の凝固と凝集。**凝固**は出血した際にフィブリノーゲンがフィブリンに変化して血液が固まること。**凝集**は輸血などの際に赤血球が寄り集まることです。

7割ゲットできるポイント集！

● 血液の働きは、以下の通りです。

❶消化・吸収された栄養の運搬
❷酸素の運搬、二酸化炭素（炭酸ガス）の収集と体外への排出
❸体温調整
❹老廃物の腎臓への運搬
❺外傷を負った際の、血液の凝固
❻生体の防御（免疫反応）、ほか

● 血液は、液体成分（血漿といいます）と有形成分（赤血球、白血球、血小板です）から成り立っています。

● 血液成分のうち、その数に男女差があるのは赤血球だけです。

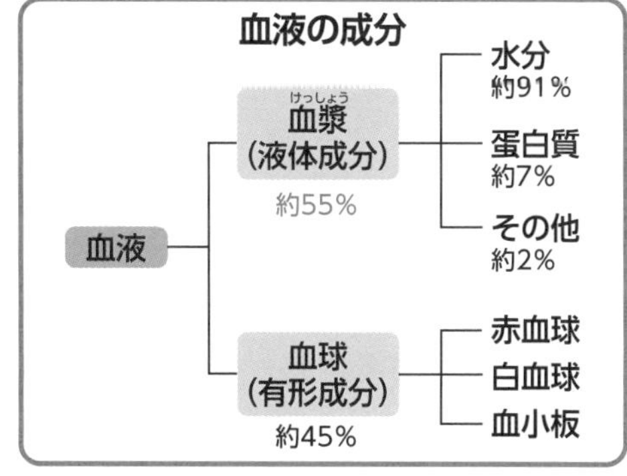

赤血球	円盤状の細胞で、寿命はおよそ120日。骨髄でつくられたヘモグロビンによって、酸素を運搬する。血液中の赤血球の容積をヘマトクリット値といい、1mm³に男性500万個（45%）、女性450万個（40%）ある。
白血球	骨髄でつくられ、寿命は3～4日。血液1mm³中に4,000～8,000個あり、細菌貪食作用がある。
血小板	血液1mm³中に通常15万～35万個あり、寿命は4日ほど。ケガなどの際に、血管外に出て壊れ、血液を一時的に凝固させる。
リンパ球	リンパ節で生成される。Bリンパ球（抗体をつくる）、Tリンパ球（抗原を認識する）がある。ともに免疫作用がある。
血漿	水分91%、蛋白質7%、脂質1%。蛋白質はアルブミン54%、グロブリン38%、線維素原（フィブリノーゲン）8%。水溶性のフィブリノーゲンは、水に溶けないフィブリン（線維素）になることで、血液を凝固させる。

● 血液の種類には、動脈血と静脈血があります。

動脈血	心臓の左心室から体の組織に送り出された酸素や栄養素を多く含んだ血液。鮮やかな赤色をしている。また、肺静脈を流れるのも動脈血。
静脈血	各器官の細胞からでる老廃物や炭酸ガスを含んだ血液。暗赤色。また、肺動脈を流れるのも静脈血。

問題 1 【令和6年後期】

1回目 2回目 3回目

次のうち、正常値に男女による差がないとされているものはどれか。

(1) 赤血球数

(2) ヘモグロビン濃度

(3) ヘマトクリット値

(4) 白血球数

(5) 基礎代謝量

問題 2 【令和6年前期】

1回目 2回目 3回目

免疫に関する次の記述のうち、誤っているものはどれか。

(1) 抗原とは、免疫に関係する細胞によって異物として認識される物質のことである。

(2) 抗原となる物質には、蛋白質、糖質などがある。

(3) 抗体とは、体内に入ってきた抗原に対して体液性免疫において作られる免疫グロブリンと呼ばれる蛋白質のことである。

(4) 好中球は白血球の一種であり、偽足を出してアメーバ様運動を行い、体内に侵入してきた細菌などを貪食する。

(5) リンパ球には、血液中の抗体を作るＴリンパ球と、細胞性免疫の作用を持つＢリンパ球がある。

問題 3 【令和5年前期（第2種）】

1回目 2回目 3回目

血液に関する次の記述のうち、誤っているものはどれか。

(1) 血液は、血漿と有形成分から成り、有形成分は赤血球、白血球及び血小板から成る。

(2) 血漿中の蛋白質のうち、グロブリンは血液浸透圧の維持に関与し、アルブミンは免疫物質の抗体を含む。

(3) 血液中に占める血球（主に赤血球）の容積の割合をヘマトクリットといい、男性で約45%、女性で約40%である。

(4) 血液の凝固は、血漿中のフィブリノーゲンがフィブリンに変化し、赤血球などが絡みついて固まる現象である。

(5) ＡＢＯ式血液型は、赤血球の血液型分類の一つで、Ａ型の血清は抗Ｂ抗体を持つ。

A 正解は(4)

血液のうち、その数に**性差があるのは赤血球だけ**。白血球にその差はない。ヘモグロビンは赤血球内の物質。ヘマトクリット値は血液の容量に対する赤血球の相対的割合。

A 正解は(5)

(1) ○ 抗原はウイルスや細菌、花粉など、**免疫応答を引き起こす異物**。
(2) ○ 抗原は蛋白質や**多糖類（単糖類／単糖の鎖）**などである。
(3) ○ 抗体は、体液性免疫において作られる**免疫グロブリン**と呼ばれる蛋白質。
(4) ○ 好中球は**白血球の60%**を占め、感染した炎症部位に遊走して集まり、偽足を出してアメーバ様運動を行い、細菌を貪食殺菌する。
(5) × Tリンパ球とBリンパ球の役割が逆。**細胞性免疫の作用を持つ**のがTリンパ球、**抗体を作る**のがBリンパ球。

A 正解は(2)

(1) ○ 血液は液状成分の**血漿**（血液容積の**約55%**）と、有形成分の赤血球、白血球、血小板から成る。
(2) × アルブミンとグロブリンの説明が逆になっている。
(3) ○ 血液中に占める血球（主に）赤血球の容積の割合が**ヘマトクリット**。男性**約45%**、女性**約40%**。
(4) ○ 血液の凝固は、血漿中の蛋白質のうち**フィブリノーゲン**が血管外で酸素に触れて**フィブリン**に変化して凝固する。
(5) ○ ＡＢＯ式血液型で、**A型**は抗原Ａおよび抗体の抗Ｂを持ち、**B型**は抗原Ｂおよび抗Ａを持ち、**AB型**は抗原Ａと抗原Ｂを持つが抗体は持たず、**O型**は抗原を持たないが抗Ａと抗Ｂを持つ。

得点力をもっとUPする ワンポイント知識

血液凝固における血小板と、フィブリン（線維素）の役割

まず、血液が血管外に流れ出ると、出血を止めるために血小板の膜が壊れて、凝固を起こす。これが**一次止血**。次に、フィブリノーゲンがフィブリンに変化し、フィブリンの網の膜がそこを覆って、**二次止血**が完了する。

問題 4 【令和2年前期(第2種)】

1回目 2回目 3回目

免疫についての次の文中の［　　］内に入れるAからEの語句の組合せとして、正しいものは(1)～(5)のうちどれか。

「体内に侵入した病原体などの異物を、［ A ］が、［ B ］と認識し、その［ B ］に対してだけ反応する［ C ］を血漿(しょう)中に放出する。この［ C ］が［ B ］に特異的に結合し［ B ］の働きを抑制して体を防御するしくみを［ D ］免疫と呼ぶ。これに対し、［ A ］が直接、病原体などの異物を攻撃する免疫反応もあり、これを［ E ］免疫と呼ぶ。」

	A	B	C	D	E
(1)	リンパ球	抗原	抗体	細胞性	体液性
(2)	リンパ球	抗原	抗体	体液性	細胞性
(3)	リンパ球	抗体	抗原	体液性	細胞性
(4)	血小板	抗原	抗体	細胞性	体液性
(5)	血小板	抗体	抗原	細胞性	体液性

問題 5 【平成29年前期】

1回目 2回目 3回目

血液に関する次の記述のうち、誤っているものはどれか。

(1) 赤血球は、骨髄で産生され、寿命は約120日であり、血球の中で最も多い。

(2) 血液中に占める赤血球の容積の割合をヘマトクリットといい、貧血になるとその値は高くなる。

(3) 好中球は、白血球の約60％を占め、偽足を出してアメーバ様運動を行い、体内に侵入してきた細菌などを貪食する。

(4) 血小板は、直径２～３μmの不定形細胞で、止血作用をもつ。

(5) ＡＢＯ式血液型は、赤血球の血液型分類の一つで、Ａ型の血清は抗Ｂ抗体をもつ。

A　正解は(2)

「体内に侵入した病原体などの異物を、［A. リンパ球］が、［B.抗原］と認識し、その［B. 抗原］に対してだけ反応する［C. 抗体］を血漿(しょう)中に放出する。この［C. 抗体］が［B. 抗原］に特異的に結合し［B. 抗原］の働きを抑制して体を防御するしくみを［D. **体液性**］**免疫**と呼ぶ。これに対し、［A. リンパ球］が直接、病原体などの異物を攻撃する免疫反応もあり、これを［E. **細胞性**］**免疫**と呼ぶ。」

A　正解は(2)

新しく出た肢が多く、難問ともいえるが、正解肢の(2)は、勉強している人にとってはわりあい容易にわかるので、正答率は小さくないと思える。

(1)　○　骨髄中で産生される**赤血球の寿命**は**約120日**で、血球の中で最も多い。一方、**白血球の寿命**は、一般に**3〜4日**で、長くても14日以内といわれる。「**赤は白より強し**」と覚えると、間違わないですむ。

(2)　×　**貧血になると**その値は**低く**なる。貧血は、赤血球が少ないのだから、**ヘマトクリットの値も、当然低く**なる。

(3)　○　白血球の60%を占める好中球は、細菌などが感染した炎症部に遊走して集まり、偽足を出してアメーバ様運動を行い、細菌を貪食・殺菌する。

(4)　○　**血小板**が**止血作用**を持つことは基本知識。ただ、「**直径2〜3μmの不定形細胞**」かどうか迷う人もいるだろうが、(2)を正解とする人が多いだろうから、これも正しいと判断できる。

(5)　○　細部にわたった**新知識**だが、あまりこだわる必要もないだろう。

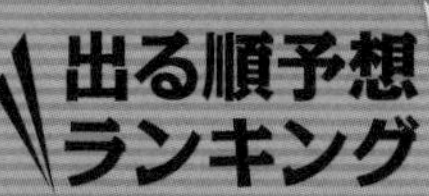

ポイントを絞り込んで覚えましょう！

代謝・体温

代謝？　なにそれ、というあなた。でも、BMIは知ってますよね。そう、肥満の度合いを示す指標のこと。ここでは、エネルギー代謝率、基礎代謝量、BMIを学びましょう。

1 どこが出るか、どんな出方をするか

代謝では、基礎代謝量に注意しましょう。基礎代謝量は、**安静**（あんせい）、**横臥**（おうが）、**覚醒**（かくせい）の**3条件**をみたすときの代謝量ですが、単に**安静時**のエネルギー量ではありません。**意識がはたらいていて**、**横になっている**ときの代謝量であることに、注意してください。

次に体温について。「体温調節は、脳のどこで調節されていると思いますか？」
延髄（えんずい）？ブー　小脳？ブー　間脳（かんのう）？ピンポーン　視床下部（ししょうかぶ）？ピンポーン。

そう、**間脳の視床下部**に、**体温調節中枢**（ちゅうすう）があるのです。これが選ぶべき**正しい肢**として、出題されます。確実に覚えきりましょう。

もう1つ、簡単な知識を紹介します。熱中症の1つとして、筋肉が痙攣（けいれん）する**熱痙攣**という症状があります。発汗量が多く、体内の水分が減少するとともに、**血液中の塩分濃度**も変化するために起こります。

BMIの式は、最近はめっきり出題が減りましたが、一応押さえておきましょう。**体重÷（身長^2）**が正式の計算法。これは、体重÷(身長×身長)のことですが、体重÷身長÷身長で計算しても、結果は同じです。式自体も出題されるので、正式な式(前者)は覚えるとしても、計算は、自分の好みの方法でよいでしょう。試験では、式自体よりも、計算の答えが出題されます。

2 解答のコツ！

エネルギー代謝量は、まず、計算式は出ません。**基礎代謝量**は、先に述べた3条件のほか、横臥でなく座位なら、1.2倍になることに厳重注意！　**BMI**は、計算式を覚えれば、それでOKです（254ページも参照）。

7割ゲットできるポイント集！

●代謝とは、栄養を取り入れて、エネルギーを生み出す、生命維持に必須の作業のことです。

●体温の調節は、間脳の視床下部にある体温調節中枢が担います。

●**産熱**は、体内の栄養素の化学変化（酸化、燃焼、分解）によって体温を上昇、**放熱**は、物理的作用（放射、伝導、蒸泄（じょうせつ））によって体温を下向。

産　熱	・栄養素の化学変化によって、産生される。 ・骨格筋で2/3、肝臓などで1/3が発生する。
放　熱	・放射　接触を経ずに、体温が熱線として、体表から放出される（全放熱の80〜90%）。 ・伝導　身体と接触している物質への熱の移動。皮膚や気道に接している空気による。 ・蒸泄　液体の蒸発による体温の放散。体に感じない不感蒸泄は全放熱量の25%。

●BMI（Body Mass Index（ボディ マス インデックス））は、肥満の度合いを表す指標です。

BMI＝体重(kg)÷身長²(m)

● 体重(kg)を身長(m)の２乗で除して得た値⇒ $\frac{W}{H^2}$

(例)身長160cmの人の標準体重は、1.6×1.6×2.2＝56.32kg

● 体値22(18.5以上〜 25未満)が標準体重
…18.5未満はやせ型、25以上は肥満傾向。

18.5未満	やせ型
18.5以上 25　未満	適正
25以上	肥満

問題 1 【令和6年後期】

1回目 2回目 3回目

体温調節に関する次の記述のうち、正しいものはどれか。

(1) 寒冷な環境においては、皮膚の血管が拡張して血流量を増し、皮膚温を上昇させる。

(2) 暑熱な環境においては、内臓の血流量が増加し体内の代謝活動が亢(こう)進することにより、人体からの熱の放散が促進される。

(3) 体温調節のように、外部環境が変化しても身体内部の状態を一定に保つ生体の仕組みを同調性といい、筋肉と神経系により調整されている。

(4) 体温調節中枢は、小脳にあり、熱の産生と放散のバランスを維持し体温を一定に保つよう機能している。

(5) 甲状腺ホルモンの分泌により、代謝が亢(こう)進し、体温は上昇する。

問題 2 【令和3年後期】

1回目 2回目 3回目

代謝に関する次の記述のうち、正しいものはどれか。

(1) 代謝において、細胞に取り入れられた体脂肪、グリコーゲンなどが分解されてエネルギーを発生し、ＡＴＰが合成されることを同化という。

(2) 代謝において、体内に摂取された栄養素が、種々の化学反応によって、ＡＴＰに蓄えられたエネルギーを用いて、細胞を構成する蛋(たん)白質などの生体に必要な物質に合成されることを異化という。

(3) 基礎代謝量は、安静時における心臓の拍動、呼吸、体温保持などに必要な代謝量で、睡眠中の測定値で表される。

(4) エネルギー代謝率は、一定時間中に体内で消費された酸素と排出された二酸化炭素の容積比で表される。

(5) エネルギー代謝率は、動的筋作業の強度を表すことができるが、精神的作業や静的筋作業には適用できない。

A　正解は(5)

(1)　×　寒冷な環境では、皮膚の血管を収縮させることにより体表面の血流を減らし、熱の放射を**減少**させる。

(2)　×　暑熱な環境においては、内臓の血流量を減少させて体内の代謝活動を抑制することにより、熱の産生量を**抑制**する。

(3)　×　生体内の状態を一定に保つ仕組みをホメオスタシス（**恒常性**）という。

(4)　×　体温調節中枢は間脳の**視床下部**にある。

(5)　○　甲状腺機能が亢進すると物質代謝や基礎代謝量が**増大**し、体温の上昇や発汗の**増加**などがみられる。甲状腺ホルモンにはサイロキシンやトリヨードサイロニンがある。

A　正解は(5)

(1)と(2)は、定義が逆である。これ以上踏み込むと、かなりの知識が必要なので、暗記するしかないかもしれない。**グリコーゲン**が**分解**されてＡＴＰが合成されるほうを**異化**という。逆に、ＡＴＰが分解されるほうを同化という。

(3)は×。**安静・横臥・覚醒**の3条件が必要で、睡眠中は、横臥より使うエネルギーが少ないので、当たらない。**睡眠中**は、**基礎代謝量の90～95%**しか消費しない。

(4)も×。複雑な式を使い、これほど単純ではない。この答えは呼吸商と呼ぶ。

(5)は正しく、○。身体がどれほどエネルギーを使ったかを測るもので、**静的筋作業の強度**には関係しない。

問題 3 【令和元年後期】

1回目 2回目 3回目

代謝に関する次の記述のうち、正しいものはどれか。

(1) 代謝において、細胞に取り入れられた体脂肪やグリコーゲンなどが分解されてエネルギーを発生し、ATPが生産されることを同化という。

(2) 代謝において、体内に摂取された栄養素が、種々の化学反応によって、ATPに蓄えられたエネルギーを用いて、細胞を構成する蛋(たん)白質などの生体に必要な物質に合成されることを異化という。

(3) 基礎代謝は、心臓の拍動、呼吸運動、体温保持などに必要な代謝で、基礎代謝量は、覚醒・横臥(が)・安静時の測定値で表される。

(4) エネルギー代謝率は、一定時間中に体内で消費された酸素と排出された二酸化炭素の容積比で表される。

(5) エネルギー代謝率は、生理的負担だけでなく、精神的作業や静的筋作業の強度を表す指標としても用いられる。

問題 4 【平成29年前期】

1回目 2回目 3回目

体温調節に関する次の記述のうち、誤っているものはどれか。

(1) 寒冷にさらされ体温が正常以下になると、皮膚の血管が収縮して血流量が減って、放熱が減少する。

(2) 高温にさらされ体温が正常以上に上昇すると、内臓の血流量が増加し体内の代謝活動が亢(こう)進することにより、人体からの放熱が促進される。

(3) 体温調節にみられるように、外部環境などが変化しても身体内部の状態を一定に保とうとする性質を恒常性（ホメオスタシス）という。

(4) 計算上、100gの水分が体重70kgの人の体表面から蒸発すると、気化熱が奪われ、体温を約1℃下げることができる。

(5) 放熱は、ふく射（放射）、伝導、蒸発などの物理的な過程で行われ、蒸発には、発汗と不感蒸泄(せつ)によるものがある。

問題 5 【平成22年前期】

1回目 2回目 3回目

代謝に関する次の記述のうち、正しいものはどれか。

(1) 基礎代謝量は、睡眠中の測定値で表される。

(2) 基礎代謝量は、同性、同年齢であれば体表面積の2乗にほぼ正比例する。

(3) エネルギー代謝率は、体内で一定時間中に消費された酸素と排出された二酸化炭素の容積比である。

(4) エネルギー代謝率は、動的筋作業の強度を表す指標として有用である。

(5) 作業は何もせず、ただじっと座って安静にしているときのエネルギー代謝率は、1.2である。

A 正解は(3)

(1)(2) × **「同化」と「異化」という二つの反対語**がでてきている。こうした問題に出会ったら、まずこの二つは反対ではないかと疑ってみることをお薦めしたい。その確率は、極めて高い。事実、この二つの肢は、**それぞれを取り違えて説明**している。つまり、(1)は「異化」、(2)は「同化」の説明である。したがって、両方とも×。

(3) ○ 全体の説明は正しい。**基礎代謝は「覚醒」つまり起きているときが条件**であり、ここが間違えやすいので注意！　睡眠状態のときではない。

(4) × この肢もよく出題されるが、**エネルギー代謝率の定義**をしっかり把握していれば、自ずと誤りとわかる。エネルギー代謝率とは、**ある作業に要したエネルギーが、基礎代謝量の何倍にあたるか**を示す数値のことである。ちなみに、問題文は、「呼吸商」のことである。

(5) × (4)の解説にある通りで、精神的・静的筋作業には適用できない。

A 正解は(2)

(1) ○ 寒冷な環境では、脳が皮膚の**血管を収縮**させて、体表面の血流を減らし、**熱の放散を減らす**。

(2) × 高温な環境では、体内の代謝活動が抑制される一方、皮膚の血管は拡張し、皮膚からの発汗を増加させることで体内の熱を放散する。

(3) ○ **恒常性＝ホメオスタシス**は、生物にとって極めて重要な体のシステム。問題としても、よく出題されるので、しっかり記憶しよう。

(4) ○ 計算問題として出題されることはない。そのかわり、「**体重70kg、100gの発汗、体温1℃低下**」をしっかり記憶しよう。

(5) ○ 記述の通り。蒸発には、**自分でも気づかない**（感覚的に意識しない）**不感蒸泄**があるので、注意しよう。

A 正解は(4)

(1) × 基礎代謝量は、睡眠時の測定値ではない。**安静、横臥(おうが)、覚醒(かくせい)を3条件としたときの代謝量**のことである。睡眠時の代謝量は、基礎代謝量の**0.9～0.95倍**である。

(2) × 同性、同年齢の場合は、**体表面積にほぼ比例**するとされており、2乗とは異なる。BMIとの混同をねらった出題と思われる。

(3) × これは、「呼吸商」を算出する場合である。

(4) ○ 正解である。意外に簡単な正解肢の出題も、しばしば見られる。

(5) × 作業を行わず、ただじっと座って安静にしているときの、作業にかかわる消費エネルギーは、**0**であり、エネルギー代謝率は**成立**しない。

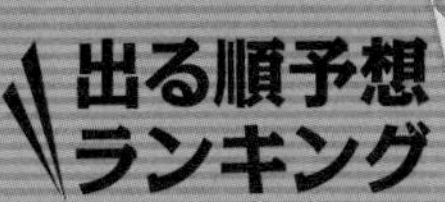

ポイントを絞り込んで覚えましょう!

消化器系（栄養素の消化および肝臓）

「栄養素の消化と吸収」「肝臓の働き」が主な出題分野です。以前は肝臓の方の出題が目立ちましたが、最近は逆転しました。次ページの上段の表は必ず記憶しましょう。

1 どこが出るか、どんな出方をするか

この分野の出題は、2つに分けられます。1つは、**栄養素の消化と吸収**について。もう1つは、**肝臓の働き**について。

まず、前者ですが、**リパーゼ、ペプシン、アミラーゼ**・・・こんな物質名、知っていましたか。みな、栄養素を分解する酵素の名前です。**3大栄養素**（糖質、蛋白質（たんぱくしつ）、脂肪）は、体の中に入れても、**そのままでは吸収できません**。

先の酵素の働きに助けられて、吸収できる形に変えられるのです。

しかし、**ビタミン類、無機塩類**などの微量栄養素は**例外**。分解されずにそのまま**小腸から吸収**されるのです。この例外がしばしば出題されます。

2 解答のコツ！

無視できないのが、**肝臓の働き**についてです。

肝臓の機能で正解を得るには、残念ながら、ショートカット（近道）はないようです。かなり、**細部の知識も出題**されるため、本格的に、しっかり勉強する必要があります。機能の数は、**約10**ほどあり、たしかにすべて記憶するのは厄介です。しかし、これだけは、**真面目に覚えるほかはありません**。

右ページに、詳しい表をつくりましたので、これで勉強してください。

ただ、肝臓の働きの中でも、代表的なものはあまり出題されません。むしろ、**副次的な、細かい働き**から出題されますので、そこをマークしましょう。とくに肝臓の働きでない**赤血球の産生および分解**が、**誤りの肢**として出題されます。

7割ゲットできるポイント集！

●消化とは、3大栄養素（糖質、蛋白質、脂質）を分解することをいい、消化酵素の働きによって行われます。

糖質	唾液に含まれる消化酵素アミラーゼやマルターゼにより、ブドウ糖、果糖に分解されて、小腸の毛細血管から吸収される。
蛋白質	胃液に含まれる消化酵素ペプシンによってペプトンになり、十二指腸でトリプシンにより（蛋白質を分解する消化酵素はペプシンとトリプシン）分解されてアミノ酸になる。その後、小腸で吸収される。
脂質	十二指腸で胆汁（たんじゅう）と混ざり、（膵）リパーゼという酵素で、脂肪酸とグリセリンに分解された後、小腸のリンパ管から吸収される。

●小腸で吸収された栄養素は、門脈（もんみゃく）により肝臓に運ばれます。

●肝臓の働きは多岐にわたりますが、代表的なものを以下に記します。

血糖値の調整	血液中のブドウ糖をグリコーゲンに変えて肝臓内に貯め込む。ブドウ糖が少なくなったら、グリコーゲンをブドウ糖に戻す。さらにブドウ糖が不足したら、アミノ酸からブドウ糖を生成する（糖新生（とうしんせい））。
蛋白質の代謝	血液凝固（ぎょうこ）物質（フィブリノーゲンやフィブリン）、それを阻止するヘパリン等、そのほかアルブミンやグロブリンをつくる。
脂肪酸の分解	コレステロールを生成（合成）する。
胆汁の生成	胆汁は、脂肪を乳化し、消化吸収を助ける（胆のうで貯留）。
解毒作用	人体に有害な物質を無害化し、生成物を胆汁の中や尿中に排出する。
血液量の調節	古い赤血球を破壊する。分解された鉄分は、次の造血のために肝臓内に蓄えられる。また、体を循環する血液量を調節する。
尿素・尿酸の生成	血液中の蛋白質の分解でつくられるアンモニアを、尿素や尿酸に合成し、腎臓に送り出し、そこから排出させる。
体温の維持	体内の熱のほとんどは、筋肉および肝臓から発生する熱で、熱発生（産熱）の調節を行っている。

※赤血球の産生は、肝臓では行われません。骨髄で行われます。よく出題されるので注意！

●肝機能検査でチェックする代表的な酵素GOT、GPT、γGTPは、一般健康診断の必須項目になっています。

GOT（AST）	この数値が高いと、肝疾患の疑いがある。
GPT（ALT）	この数値が高いと、肝疾患の疑いがある。
γGTP	肝臓や胆道に病気があると、異常値を示す。特にアルコールを多量に常飲していると、数値が上昇する。

問題 1 【令和5年前期(第2種)】

1回目 2回目 3回目

摂取した食物中の炭水化物(糖質)、脂質及び蛋白質を分解する消化酵素の組合せとして、正しいものは次のうちどれか。

	炭水化物(糖質)	脂質	蛋白質
(1)	マルターゼ	リパーゼ	トリプシン
(2)	トリプシン	アミラーゼ	ペプシン
(3)	ペプシン	マルターゼ	トリプシン
(4)	ペプシン	リパーゼ	マルターゼ
(5)	アミラーゼ	トリプシン	リパーゼ

問題 2 【令和4年後期(第2種)】

1回目 2回目 3回目

肝臓の機能として、誤っているものは次のうちどれか。

(1) コレステロールを合成する。

(2) 尿素を合成する。

(3) ビリルビンを分解する。

(4) 胆汁を生成する。

(5) 血液凝固物質や血液凝固阻止物質を合成する。

問題 3 【令和3年後期】

1回目 2回目 3回目

消化器系に関する次の記述のうち、誤っているものはどれか。

(1) 三大栄養素のうち糖質はブドウ糖などに、蛋白質はアミノ酸に、脂肪は脂肪酸とグリセリンに、酵素により分解されて吸収される。

(2) 無機塩及びビタミン類は、酵素による分解を受けないでそのまま吸収される。

(3) 膵臓から十二指腸に分泌される膵液には、消化酵素は含まれていないが、血糖値を調節するホルモンが含まれている。

(4) ペプシノーゲンは、胃酸によってペプシンという消化酵素になり、蛋白質を分解する。

(5) 小腸の表面は、ビロード状の絨毛という小突起で覆われており、栄養素の吸収の効率を上げるために役立っている。

A 正解は(1)

ホルモンは下記をしっかり覚える。

・炭水化物（糖質）の消化酵素：**アミラーゼ、マルターゼ**
・脂質（脂肪）の消化酵素　　：**リパーゼ**
・蛋白質の消化酵素　　　　　：**ペプシン、トリプシン**

A 正解は(3)

ビリルビンは肝臓で分解される物質ではなく、古くなった赤血球が約120日の寿命を終え、ヘモグロビンが壊れてできる。

胆汁には胆汁酸、ビリルビン、コレステロールが含まれている。

A 正解は(3)

ほとんどが基礎的な知識である。

すなわち、①**糖質**は、**アミラーゼ**により**ブドウ糖**と**果糖**に分解される、

②**蛋白質**は、**ペプシン**によって**ペプトン**になり、十二指腸で**トリプシン**などに分解されて**アミノ酸**になる、

③**無機塩類**及び**ビタミン類**は、酵素により分解を受けないで、**そのまま吸収**される。その際、**小腸**はビロード状の**絨毛という小突起物**に覆われており、吸収の効率を上げる、などだ。

少しややこしいのは**脂質**の分解で、**膵液**（**膵リパーゼ**ともいう）によって**脂肪酸**と**グリセリン**に分解される。したがって、**膵液**には、**消化酵素**が含まれている。また、糖を上昇させるならグルカゴンというホルモンも、含んでいる。

問題 4 【平成28年後期（第2種）】

1回目 2回目 3回目

摂取した食物中の炭水化物（糖質）は消化管において主にブドウ糖に、同じく脂肪は脂肪酸とグリセリンに、同じく蛋白質はアミノ酸に分解されるが、これらの分解されたものの小腸における吸収に関する次の文中の□内に入れるAからDの語句の組合せとして正しいものは(1)～(5)のうちどれか。

「・［A］及び［B］は、絨毛から吸収されて毛細血管に入る。

・［C］は、絨毛から吸収された後、大部分は［D］となってリンパ管に入る。」

	A	B	C	D
(1)	ブドウ糖	脂肪酸とグリセリン	アミノ酸	脂肪
(2)	ブドウ糖	脂肪酸とグリセリン	アミノ酸	蛋白質
(3)	ブドウ糖	アミノ酸	脂肪酸とグリセリン	脂肪
(4)	脂肪酸とグリセリン	アミノ酸	ブドウ糖	蛋白質
(5)	脂肪酸とグリセリン	アミノ酸	ブドウ糖	脂肪

問題 5 【平成27年後期】

1回目 2回目 3回目

成人の肝臓の機能として、誤っているものは次のうちどれか。

(1) 脂肪酸の分解及びコレステロールの合成

(2) 胆汁の生成

(3) 赤血球の産生及び分解

(4) アルコールなどの身体に有害な物質の分解

(5) グリコーゲンの合成及び分解

得点力をもっとUPする ワンポイント知識

頭出し法と九九方式を活用して、以下のように覚えよう！

トウ・ア・ブ

（**糖**質は、**ア**ミラーゼで**ブ**ドウ糖に）

タン・ペ・ト・ア

（**蛋**白質は、**ペ**プシンと**ト**リプシンで**ア**ミノ酸に）

シボ・リ・シ・グ

（**脂肪**は、**リ**パーゼで**脂**肪酸と**グ**リセリンに）

A 正解は(3)

炭水化物（糖質）は**ブドウ糖（と果糖）**に消化酵素である**アミラーゼ**によって分解され、小腸の絨毛の毛細血管から吸収される。

脂肪（脂質）は**膵液（リパーゼ）**により**脂肪酸とグリセリン**に分解され、小腸の絨毛のリンパ管から吸収される。

蛋白質は**ペプシンとトリプシン**によって**アミノ酸**に分解され、小腸の絨毛の毛細血管から吸収される。

A 正解は(3)

(1)　○　肝臓の基本的な機能の1つである。

(2)　○　よく見られるのは、**胆汁だから胆嚢で生成されるのではないか、という誤解**。ここをしっかり記憶しよう。生成された**胆汁は**、**脂肪を乳化**して、その消化吸収を助ける。

(3)　×　**赤血球の生成及び分解**は肝臓では行われない。赤血球は、**骨髄で産生**される。**誤りの肢**として**よく出題される**ので、とくに注意しよう。

(4)　○　有名な肝臓の**解毒作用**である。薬やアルコールなども、対象になる。分解されたものは、**胆汁（たんじゅう）や尿の中に排出**される。

(5)　○　これも基本的な機能の一つ。血液中の**ブドウ糖**を**グリコーゲン**に変えて、肝臓内に貯蔵。ブドウ糖が不足したら元に戻す。

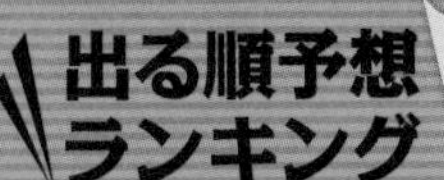

第4位

ポイントを絞り込んで覚えましょう！

感覚または感覚器

文章題は、頻出ポイントが決まっているので、下記を反復学習すれば得点は容易。ただ最近、図による耳の出題もありました。目の構造図も、過去に出題されています。

1 どこが出るか、どんな出方をするか

この分野は、細かい知識が出題されます。大意をくみ取るための「読み」中心だけでは、点数が取れません。意識して「**記憶**」する勉強が必要。ただ、正解となる知識は限定されています。時間がなければ、そこだけ勉強を！

1）感覚全般についての問い（この分野の問題は、幸いおおまかです）

- いろいろな感覚の中では、「**痛覚**」がいちばん鋭敏で、感覚点の**密度**はいちばん「**大きい**」（密集している）。
- 次に「**冷覚**」の方が、温覚よりも鋭敏である。つまり、冷覚点の方が温覚点よりも、**密度が大きい**（ただし、**痛覚ほどではない**）。

2）視覚についての問い（ここから以下の分野は、細かい知識が出る）

- 網膜の**錐状体**は**色**を感じ、**杆状体**は**明暗**を感じる。
- 目の**水晶体**は、見る対象が、**近いか遠いか**で厚さが変わる。近い所を見るときに厚さを増し、遠いところなら薄くなる。問題にはよく出るが、この水晶体は、**明るい所、暗い所には、関係しない**。

3）耳についての問い（ここも細かい知識が出る）

- 内耳には、**前庭**、**半規管**、**蝸牛**の3つがあり、音は**蝸牛**が聞き取る。
- 他の2つは、平衡感覚を受け持ち、**前庭**は体の**傾き**（方向や大きさ）を感じ、**半規管**は体の**回転**（方向や速度）を感じる。

2 解答のコツ！

上の記述をカードに記し（縮小したコピーでもいい）、何回も取り出して読むのが最も効果的。また、「**スイ**（錐）**シキ**（色）**カン**（杆）**メイ**（明）」（**スシカメ**）などと、頭文字を略して、何回も口ずさんで覚えるのもよい方法です。

7割ゲットできるポイント集！

- 眼の構造は、右図の通りです。
- 網膜上には、錐状体（色を感知する）と、杆状体（明暗を感知する）という視細胞があります（この問題は、よく出ます。スシカメ、もう覚えましたか）。
- 遠近を調節するのは水晶体。よく間違えて**硝子体（×）**と出題されるので注意のこと。

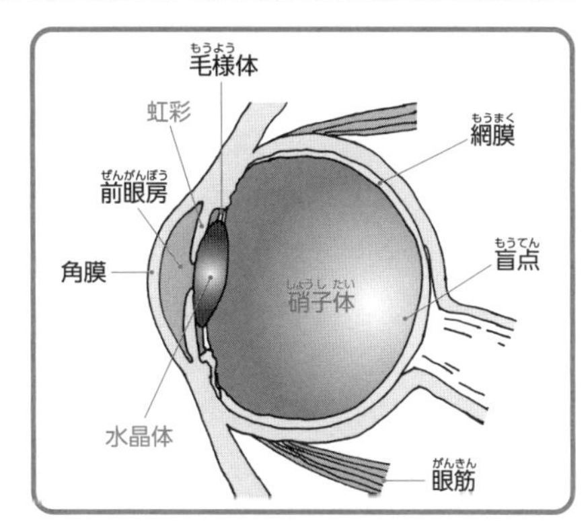

- 耳の構造は、右図の通りです。
- 音は、外耳に集められ鼓膜を振動させ、耳小骨で振動が増幅されたのち、内耳の蝸牛を経て、大脳中枢に伝えられます（つまり、聴覚は蝸牛）。

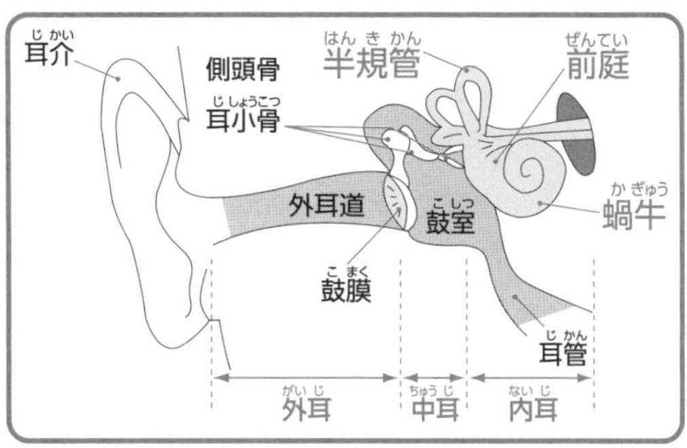

- 嗅覚は、鼻腔にある嗅神経細胞で、臭いを感じます。非常に敏感な感覚ですが、同一の臭気には、疲れる＝“慣れ現象”が起こります。
- 皮膚感覚には、触覚、痛覚、温度感覚（温覚、冷覚）があり、各々の感覚点で感知します。特に痛覚点は、皮膚に広く、濃密に分布しています。
- 味覚には、甘味、酸味、塩味、苦味があり、舌での感覚分布は、以下の通りです。それぞれ、舌粘膜上皮の味蕾で感知します。辛味は、口腔内全体で感知します（ただし、出題例はほとんどありません）。

〈トピックス〉
2021年のノーベル医学生理学賞は、米国の科学者2名が受賞しました。温度やカプサイシンに反応するセンサーを発見した功績によります。

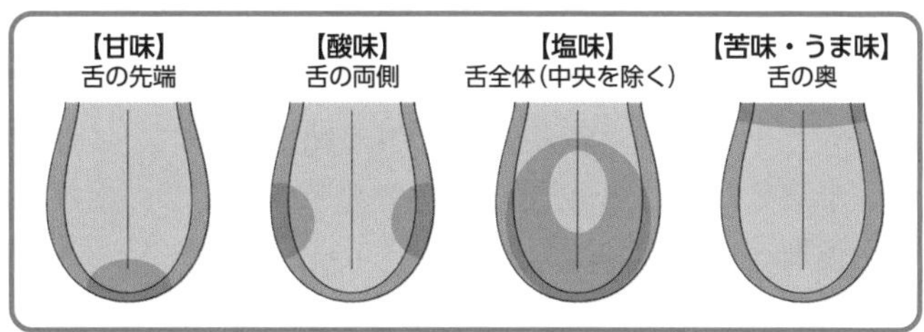

問題 1 【令和5年後期】

1回目 2回目 3回目

感覚又は感覚器に関する次の記述のうち、誤っているものはどれか。

(1) 眼軸が短過ぎるため、平行光線が網膜の後方で像を結ぶものは遠視。

(2) 嗅覚と味覚は化学感覚。物質の化学的性質を認知する感覚である。

(3) 温度感覚は、皮膚のほか口腔（くう）などの粘膜にも存在し、一般に冷覚の方が温覚よりも鋭敏である。

(4) 深部感覚は、筋肉や腱にある受容器から得られる身体各部の位置、運動などを認識する感覚である。

(5) 平衡感覚に関係する器官である前庭及び半規管は、中耳にあって、体の傾きや回転の方向を知覚する。

問題 2 【令和4年前期（第2種）】

1回目 2回目 3回目

視覚に関する次の記述のうち、誤っているものはどれか。

(1) 眼は、周りの明るさによって瞳孔の大きさが変化して眼に入る光量が調節され、暗い場合には瞳孔が広がる。

(2) 眼軸が短すぎることで、平行光線が網膜の後方で像を結ぶものは遠視。

(3) 角膜が歪（ゆが）んでいたり、表面に凹凸があるために、眼軸などに異常がなくても、物体の像が網膜上に正しく結ばれないものを乱視という。

(4) 網膜には、明るい所で働き色を感じる錐（すい）状体と、暗い所で働き弱い光を感じる杆（かん）状体の２種類の視細胞がある。

(5) 明るいところから急に暗いところに入ると、初めは見えにくいが徐々に見えやすくなることを明順応という。

問題 3 【令和3年後期】

1回目 2回目 3回目

耳とその機能に関する次の記述のうち、誤っているものはどれか。

(1) 耳は、聴覚、平衡感覚などをつかさどる器官で、外耳、中耳、内耳の三つの部位に分けられる。

(2) 耳介で集められた音は、鼓膜を振動させ、その振動は耳小骨によって増幅され、内耳に伝えられる。

(3) 内耳は、前庭、半規管、蝸（か）牛（うずまき管）の三つの部位からなり、前庭と半規管が平衡感覚、蝸牛が聴覚を分担している。

(4) 半規管は、体の傾きの方向や大きさを感じ、前庭は、体の回転の方向や速度を感じる。

(5) 鼓室は、耳管によって咽頭に通じており、その内圧は外気圧と等しく保たれている。

A 正解は(5)

(1) ○ 眼軸が長すぎるために平行光線が網膜の前方で像を結ぶものは**近視**。

(2) ○ 物質の化学的性質を認知する**嗅覚**と**味覚**は化学感覚で、物理的信号を受容するものには**視覚**や**聴覚**がある。

(3) ○ 冷覚が皮膚1cm²あたり**15**個ほどなのに対し、温覚は**2**個ほどである。

(4) ○ **深部感覚**とは身体の部位などの状態を感ずるもの。運動覚、重量覚、関節位置覚などがある。

(5) × 前庭および半規管は**内耳**にある（**中耳**ではない）。

A 正解は(5)

(1) ○ 眼は周りの明るさによって**瞳孔の大きさが変化（虹彩が広がったり縮んだり）**して光量を調節する。

(2) ○ **眼軸が短すぎる** —— 平行光線が網膜の後方で像を結ぶ…**遠視**
眼軸が長すぎる —— 平行光線が網膜の前方で像を結ぶ…近視

(3) ○ 乱視とは角膜や水晶体がいびつなため、網膜上に正しく像を結ばないもの。

(4) ○ 網膜の視細胞には**錐状体（色を感じる）**と**杆状体（明暗を感じる）**がある。

(5) × 明るいところから暗いところの順応は暗順応という。瞳孔を広げて多くの光量を得ようとする。

A 正解は(4)

問題集をあたっている人には、正解を見つけやすい問題だろう。いずれも、既出の問題が多い。

(1) ○ **耳の働き**は、聞く（聴く）ばかりではない。**平衡感覚**もつかさどることは、メヌエル（メニエール）病が関係していることからもわかる。

(2) ○ 記述の通りである。**振動**は、**耳小骨**によって**増幅**され、**内耳の蝸牛**に伝えられる。

(3) ○ 記述の通りである。**蝸牛**が**聴覚**を分担していることは知られているが、**前庭**と**半規管**という部位があり、**平衡感覚**を担っていることは、案外知られていない。

(4) × 半規管と前庭の働きが逆である。**半規管**は、**体の回転**の方向や**速度**を感じ、**前庭**は、**体の傾き**の方向や**大きさ**を感じる。

(5) ○ 内圧と外圧は等しいと覚えよう。

問題 4 【令和2年後期】

1回目 2回目 3回目

耳とその機能に関する次の記述のうち、誤っているものはどれか。

(1) 耳は、聴覚と平衡感覚をつかさどる器官で、外耳、中耳及び内耳の三つの部位に分けられる。

(2) 耳介で集められた音は、鼓膜を振動させ、その振動は耳小骨によって増幅され、内耳に伝えられる。

(3) 内耳は、前庭、半規管及び蝸(か)牛の三つの部位からなり、前庭と半規管が平衡感覚、蝸牛が聴覚を分担している。

(4) 前庭は、体の回転の方向や速度を感じ、半規管は、体の傾きの方向や大きさを感じる。

(5) 鼓室は、耳管によって咽頭に通じており、その内圧は外気圧と等しく保たれている。

問題 5 【令和元年後期】

1回目 2回目 3回目

視覚に関する次の記述のうち、誤っているものはどれか。

(1) 眼をカメラに例えると、虹(こう)彩は、しぼりの働きをする。

(2) 眼は、硝子体の厚さを変えることにより焦点距離を調節して網膜の上に像を結ぶようにしている。

(3) 角膜が歪(ゆが)んでいたり、表面に凹凸があるために、眼軸などに異常がなくても、物体の像が網膜上に正しく結ばないものを乱視という。

(4) 網膜には、明るい所で働き色を感じる錐(すい)状体と、暗い所で働き弱い光を感じる杆(かん)状体の2種類の視細胞がある。

(5) 明るいところから急に暗いところに入ると、初めは見えにくいが暗順応によって徐々に見えるようになる。

得点力をもっとUPする ワンポイント知識

●目の**長軸**(ちょうじく)（表面から奥の網膜までの長さ、**眼軸**(がんじく)ともいう）が長過ぎて、平行光線が網膜より手前で像を結ぶのが、**近視**。その反対が遠視。

⇒「**タンエン（軸が短いと遠視）チョウキン（長いと近視）**」などと、何回も口ずさんで覚えるのがよい。これも、高島流九九式記憶術のひとつである。

A 正解は(4)

(1) ○ 基本的な知識と言えよう。これを細かく分けて問うたのが(3)である。

(2) ○ やや細かい知識である。前々ページの図を見ながら、理解するとよいだろう。

(3) ○ 三つの部位から成り立っている。**前庭**と**半規管**は**平衡感覚**を、**蝸牛**は**聴覚**を分担している。いずれも、正しい。

(4) × 前庭と半規管の役割が逆である。正しくは、**前庭**は**体の傾きの方向**や**大きさ**を感じ、**半規管**は**体の回転の方向**や**速度**を感じる。しばしば出題されるので、語呂合わせを作って覚え切ろう。
例：「前は体の傾き、半は体の回転」。略して「**前傾半回**」でもよいだろう。

(5) ○ この問題で初めて出題された。新しい項目である。ただ、(4)が明らかに間違いなので、この知識がなくても正解は出せる。

A 正解は(2)

(1) ○ 虹彩は、水晶体の上下前面にあり、**瞳孔の大きさを調節**することで、網膜に入る光量を調節する。

(2) × 出題頻度の極めて大きい肢であるが、答えを見つけるのは簡単である。正解は×で、この働きは**水晶体**がになっており、硝子体ではない。
人の眼球の断面図を見ると、硝子体が大部分を占めていて印象に残るが、硝子体は形を整えるためのもの。その前に、比較的小さく位置する水晶体が、**焦点距離を調節**する役割を果たしている。間違いやすいので、「**焦点距離は水晶体**」と何回も口ずさんで覚えこもう。

(3) ○ ふつう何気なく乱視という言葉を使っているが、実は、原因はこういうことなのだ、と覚えよう。なお、角膜は眼の前面にある。(網膜は後部)

(4) ○ これも出題頻度の大きい肢であり、**錐状体**と**杆状体**を逆にして出されることが多い。36〜37ページの該当箇所をもう一度参照のこと。「**スシカメ**」は必須。

(5) ○ 明るいところから急に暗いところに入ると、徐々に見えやすくなることを**暗順応**という。暗いところから急に明るいところに出たとき、徐々にまぶしさを感じなくなることを、**明順応**という。

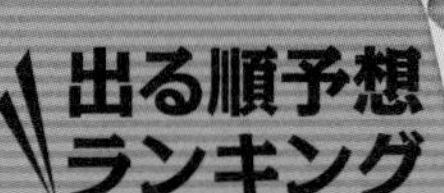

ポイントを絞り込んで
覚えましょう！

呼吸

ズバリ、5つの頻出項目について、答えを含めて解説します。これだけで、呼吸問題は、完全マスターも同然。なぜ、そうなるのか、理由とともに学習すれば、万全です。

1 どこが出るか、どんな出方をするか

この分野の出題は、「誤っているものはどれか」と問われることが多いです。そこで、ここでは誤りを中心にみてみますが、その誤りも、ポイントは、ほとんど決まっています。次の5つです。

1）肺胞内の空気と肺胞を取り巻く毛細血管の中の血液との間で行われるガス交換を内呼吸という⇒×　正しくは「**外呼吸**」。

2）呼吸中枢がその興奮性を維持するためには、常に一定量以上の窒素が血液中に含まれていることが必要である⇒×　正しくは、窒素ではなく「**二酸化炭素（炭酸ガス）**」。

3）呼吸運動は、気管と胸膜の協調運動によって、胸郭内容積を周期的に増減させて行われる⇒×　気管と胸膜の協調運動ではなく、「**肋間筋や横隔膜などの呼吸筋によって**」行われる。

4）胸郭内容積が増すと、その内圧が高くなるため、肺はその弾性により収縮する⇒×　胸郭内容積が増すと、その内圧が高くなるのではなく「**低くなる**」。また、収縮ではなく、「**拡張**」する。

5）呼吸に関与する筋肉は、間脳の視床下部にある呼吸中枢によって支配されている⇒×「**延髄**」にある**呼吸中枢**（**エンコ**と覚えることをおすすめ）。

2 解答のコツ！

即効性を重んじる人は、**この5つを丸暗記**するだけでOKです。ただ、理解こそが記憶を強める王道、と唱えている私としては「なぜそうなのか」も、問題の解説を読んで理解してほしいと思います。その方が、記憶も長持ちします。

7割ゲットできるポイント集！

●呼吸とは、酸素を取り入れ、二酸化炭素（炭酸ガス）をはき出すガス交換のことです。内呼吸と外呼吸があります。

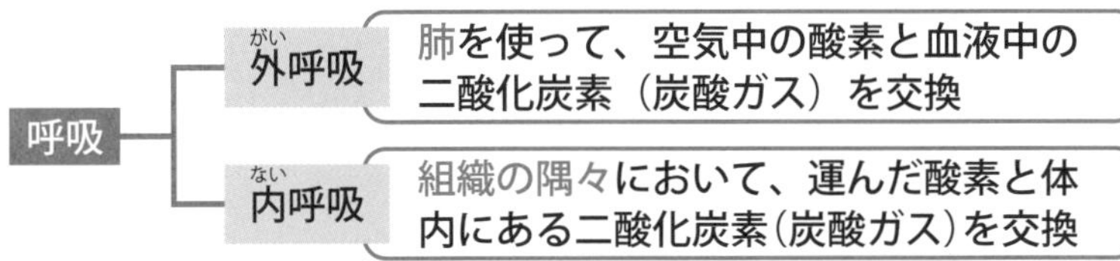

●呼吸は、呼吸器で行われます。
呼吸器は、「気道」と「肺」から成り立ち、気道は鼻腔、口腔、咽頭、喉頭、気管、気管支からなります。

●肺自体には、運動能力がなく胸郭の容積の増減によって、活動を行います（肋間筋や横隔膜などの呼吸筋によって行われる）。

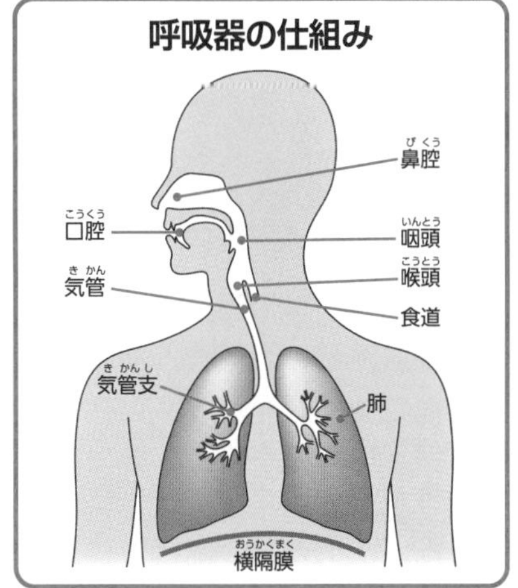

●**異常呼吸**

・**チェーンストークス呼吸**

呼吸をしていない状態から徐々に呼吸が深まり、やがて浅くなって呼吸が止まる状態を繰り返します。呼吸中枢である**延髄**の機能が衰え、**脳への酸素の供給**が不十分になることで生じます。喫煙が原因ではありません。

・**睡眠時無呼吸症候群**

睡眠中に**上気道**が閉塞するなどして**断続的**な呼吸停止を繰り返す症状です。呼吸量が低下することにより血中酸素量が少なくなり、**高血圧など循環器疾患**を誘発しやすくなります。他に日中に激しい眠気が起きたり、集中力や作業効率の低下が生じたりします。

・**窒息**

血液中の**ガス交換が阻害**されて酸素濃度が低下（二酸化炭素濃度が上昇）し、組織・臓器が**機能不全**を起こす状態です。体内では赤血球中のヘモグロビンが酸素を各組織に運びますが、酸素と結合していないヘモグロビンが増加するとチアノーゼ（皮膚や粘膜が青紫色になる）を発症します。

問題 1 【令和6年後期】

1回目 2回目 3回目

呼吸に関する次の記述のうち、正しいものはどれか。

(1) 横隔膜が下がり、胸郭内の内圧が低くなるにつれ、気道を経て肺内へ流れ込む空気が呼気である。

(2) 呼吸に関与する筋肉は、間脳の視床下部にある呼吸中枢によって支配されている。

(3) 肺胞内の空気と肺胞を取り巻く毛細血管中の血液との間で行われるガス交換は、外呼吸である。

(4) 身体活動時には、血液中の窒素分圧の上昇により呼吸中枢が刺激され、１回換気量及び呼吸数が増加する。

(5) チェーンストークス呼吸とは、肺機能の低下により呼吸数が増加した状態をいい、喫煙が原因となることが多い。

問題 2 【令和3年後期】

1回目 2回目 3回目

呼吸に関する次の記述のうち、誤っているものはどれか。

(1) 呼吸運動は、気管と胸膜の協調運動によって、胸郭内容積を周期的に増減させて行われる。

(2) 胸郭内容積が増し、その内圧が低くなるにつれ、鼻腔（くう）、気管などの気道を経て肺内へ流れ込む空気が吸気である。

(3) 肺胞内の空気と肺胞を取り巻く毛細血管中の血液との間で行われる酸素と二酸化炭素のガス交換を、肺呼吸又は外呼吸という。

(4) 全身の毛細血管中の血液が各組織細胞に酸素を渡して二酸化炭素を受け取るガス交換を、組織呼吸又は内呼吸という。

(5) 血液中の二酸化炭素濃度が増加すると、呼吸中枢が刺激され、肺でのガス交換の量が多くなる。

A 正解は(3)

(1) × 胸郭の内圧が下がり、肺が拡がって空気が肺に流れ込んでくるのは**吸気**。

(2) × 呼吸のリズムをコントロールしているのは、**脳幹**の**延髄**にある呼吸中枢。

(3) ○ 外呼吸は**肺呼吸**。肺が酸素を取り入れて二酸化炭素を排出すること。肺胞内の空気と肺胞を取り巻く毛細血管中の血液との間で行われるガス交換。

(4) × 呼吸に影響するのは血液中の**窒素**分圧の上昇ではなく、**二酸化炭素**分圧（量）。

(5) × チェーンストークス呼吸の原因は**喫煙**ではない。15〜20秒の無呼吸から深く早い呼吸となり、また浅くゆっくりした呼吸が起こるのが繰り返されるのがチェーンストークス呼吸。脳の呼吸中枢である延髄の機能が衰えることにより発症する。重症心不全や脳疾患、また薬物中毒でみられる。

A 正解は(1)

呼吸の問題は、全体に、基礎的な知識ばかりと言えよう。

まず、(1)は、「気管と胸膜の協調運動」ではなく、「**横隔膜**や**肋間筋**の**収縮**と**弛緩**によって」呼吸運動は行われる。

(2)は、吸気のしくみをよく理解すること。

(3)と(4)は、ともにその通りだが、**「内」と「外」**をとり違えないようにしたい。

(5)も、その通りだが、「**二酸化炭素**」を「**窒素**」と誤って出されることがあるので注意したい。

このように、呼吸の問題は、すべて基本の問題ばかりと言っていい。これらをしっかり勉強すれば、一問は間違いなくゲットできる。

問題 3 【令和2年後期】

1回目 2回目 3回目

呼吸に関する次の記述のうち、誤っているものはどれか。

(1) 呼吸運動は、横隔膜、肋(ろっ)間筋などの呼吸筋が収縮と弛(し)緩をすることにより行われる。

(2) 胸腔(くう)の容積が増し、内圧が低くなるにつれ、鼻腔、気管などの気道を経て肺内へ流れ込む空気が吸気である。

(3) 肺胞内の空気と肺胞を取り巻く毛細血管中の血液との間で行われるガス交換を外呼吸という。

(4) 通常の呼吸の場合の呼気には、酸素が約16%、二酸化炭素が約4%含まれる。

(5) 身体活動時には、血液中の窒素分圧の上昇により呼吸中枢が刺激され、1回換気量及び呼吸数が増加する。

問題 4 【平成28年後期】

1回目 2回目 3回目

呼吸に関する次の記述のうち、誤っているものはどれか。

(1) 呼吸運動は、横隔膜や肋(ろっ)間筋などの呼吸筋が収縮と弛(し)緩をすることで胸腔(くう)内の圧力を変化させ、肺を受動的に伸縮させることにより行われる。

(2) 横隔膜が下がり、胸腔の内圧が低くなるにつれ、鼻腔や気管などの気道を経て肺内へ流れ込む空気が吸気である。

(3) 肺胞内の空気と肺胞を取り巻く毛細血管中の血液との間で行われるガス交換は、外呼吸である。

(4) 呼吸に関与する筋肉は、間脳の視床下部にある呼吸中枢によって支配されている。

(5) 身体活動時には、血液中の二酸化炭素分圧の上昇などにより呼吸中枢が刺激され、1回換気量及び呼吸数が増加する。

得点力をもっとUPする ワンポイント知識

●成人の呼吸の回数は、通常、1分間に16回前後。
呼吸の回数＝**イチロー（16）**は**成人だ**。

●1分間のガス交換量は、普通6〜7L。
ガス交換量＝**ムナ（6、7）**苦しさ消える。

●ガス交換量は、**最大50L**まで増える。

●肺活量は、成人男性で3〜4L、女性で2〜3L。
（桂）三枝（3、4）は寄席へ日参**（2、3）**する。

A 正解は(5)

(1) ○ 絶対に覚えておくべき頻出する問題である。肺自体には運動能力がないので、**横隔膜**や**肋間筋**などの**呼吸筋**が**収縮と弛緩**をすることで、胸腔内の圧力を変化させ、**肺を受動的に伸縮**させて呼吸運動を行っている。

(2) ○ 胸郭内容積が増せば、**空気が肺内に流れ込む**が、息を吸い込むわけだから、これを**吸気**という。

(3) ○ 肺（正式には肺胞）の中の**酸素**と、肺を取り巻く毛細血管の中に溶け込んだ**二酸化炭素**（炭酸ガス）を**交換**することを、一般には呼吸と呼んでいるが、これは正式には**外呼吸**という。つまり、これと対になる内呼吸という作用もあるわけだが、これについては（問題２の(4)を参照してほしい）。

(4) ○ 少し迷う人もいるだろうが**(5)の肢が誤り**だということは、少し勉強した人ならわかるはずなので、**○をつけられる**だろう。

(5) × この設問の場合、窒素という答えはない。**呼吸**で問題になるのは、**一方で酸素、他方で二酸化炭素**である。（なお、血液中の窒素が問題になるのは、高圧環境下で、ガスを発生し、減圧症を起こす場合等である。この両者を取り違えないこと）

A 正解は(4)

(1) ○ この肢は、よく出題される。ポイントは、**肺自体には運動能力がない**ということ。そのため、**呼吸筋（肋間筋や横隔膜など）の運動**によって、肺を伸縮させているということである。

(2) ○ 呼吸筋の運動が、どうして吸気（空気を吸い込む活動）になるかは、問題文の説明の通り。反対に呼気（空気を吐き出す活動）は、胸郭内の容積が減り内圧が高くなるにつれて起こる。

(3) ○ 問題文の通りだが、ここで**体の内部（各組織）でのガス交換**を**組織呼吸**、**内呼吸**ということも、一緒に押さえておこう。

(4) × 呼吸を支配するのは、**延髄にある呼吸中枢**である。「**エンコ**」などと頭文字をとって覚え込もう。（よく混乱するのは、間脳（かんのう）の視床下部（ししょうかぶ）にある体温調節中枢や、小脳にある運動・平衡感覚のこと。要注意！）

(5) ○ 呼吸においては、酸素の反対は、**二酸化炭素**である。なお、これを窒素として、誤った肢として出題されることがあるので、注意したい。

出る順予想ランキング 第6位

ポイントを絞り込んで覚えましょう!

腎臓・尿

「腎臓」は入り組んでいますが、出題される項目はある程度限られています。そこにピントを当てて学習しましょう。また、基礎知識も出題されますのでしっかりマスターを。

1 どこが出るか、どんな出方をするか

腎臓は、なかなか難しい分野です。なぜかといえば、腎臓の仕組み自体が複雑なのです。そして、はじめて聞くような器官の医学用語が、いやというほど出てきます。これを真面目に勉強すると、かなりの時間を取られます。

そこで、次のことくらいを覚え切りましょう。①**糸球体とボウマン嚢**のこと、②そしてボウマン嚢に濾(こ)し出される物質は何で、**濾し出されない物質**は何か、③次の**尿細管**では、身体に必要な成分が**血液中に再吸収**されること。

詳しく述べれば、

①栄養成分等を含んだ血液は、**毛細血管のかたまりである糸球体**に運ばれてきます。この糸球体は、**周りをボウマン嚢で囲まれて**います(右下の図参照)。

②大部分の栄養成分等は、ここで**糸球体からボウマン嚢に濾(こ)し出されます**。

濾し出されないのが、**大部分の蛋白質**と血球です。

この問題が頻出しますので厳重に注意！　蛋白質を糖（グルコース）に変えて出題されることがありますが、**糖分**（グルコース他）は、**濾し出され**ます。

③その他のいったん濾し出された成分は、やがて次に位置する**尿細管で血液中に再吸収**されます。

2 解答のコツ！

中には、栄養成分等は、尿細管からボウマン嚢に濾し出されるなどという、血液の流れを逆流させるような問題もあり、これにはすぐさま×をつけましょう。血液の流れる順序を覚えるには、**シ**（**糸球体**）、**ボ**（**ボウマン嚢**）、**ニ**（**尿細管**）と、50回以上口に出して覚えるとよいでしょう。

7割ゲットできるポイント集！

- 腎臓は、体内の老廃物をろ過し、尿にするところです。老廃物は、尿管・膀胱（ぼうこう）を経て、体外へ排出されます。
- 腎臓は、腰のやや上の高さに、左右1対ずつあります。

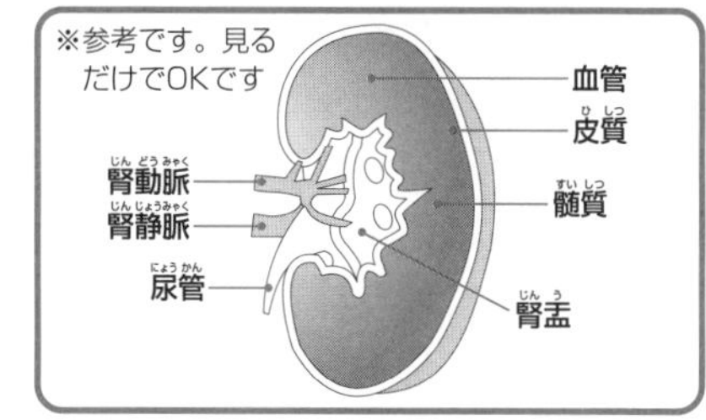

- 腎臓には、ネフロン（腎単位）が約100万個（左右で200万）あります。ネフロンは、腎小体（ボウマン嚢（のう）＋糸球体（しきゅうたい））と尿細管（にょうさいかん）を1単位とした組織です。
- 尿の成分は、95%が水分、残りが固形物です。性質は弱酸性、1日の尿量は約1.5リットルです。

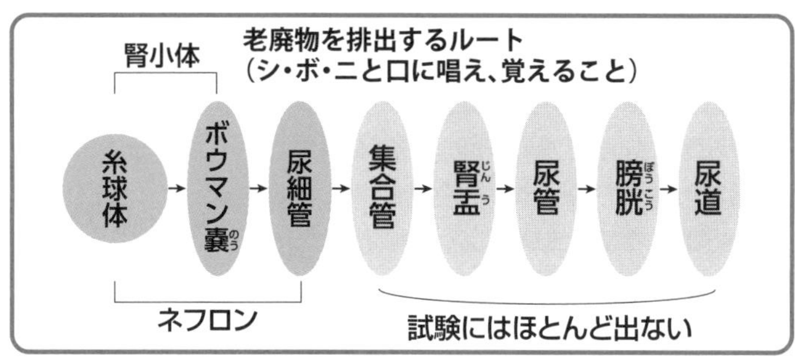

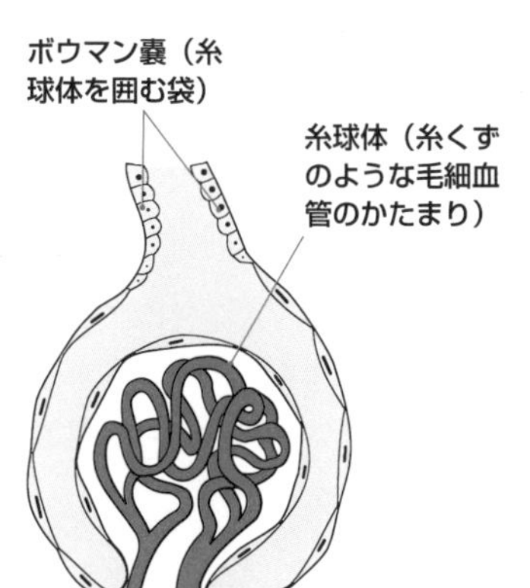

- ボウマン嚢の嚢とは、袋という意味です。毛細血管のかたまりで、糸くずのような形をした糸球体を中に包みこんでいます。この2つを合わせて腎小体と呼びます（なお、ボウマンとはイギリスの外科医の名前）。
- 各種の栄養成分等を含んだ血液は、糸球体に運ばれてきますが、ここからほとんどの成分はボウマン嚢に濾し出されます。ただし、血球と主な蛋白質は濾し出されません。
- ボウマン嚢に濾し出された糖（グルコース等）や、水（80%以上）、塩、尿素等は尿細管で再吸収され、わずかに残った水分と固形物が尿となります。

問題 1 【令和6年前期】

1回目 2回目 3回目

腎臓又は尿に関する次のAからDの記述について、誤っているものの組合せは(1)～(5)のうちどれか。

A　腎臓の皮質にある腎小体では、糸球体から血液中の糖以外の血漿成分がボウマン嚢に濾し出され、原尿が生成される。

B　腎臓の尿細管では、原尿に含まれる大部分の水分及び身体に必要な成分が血液中に再吸収され、残りが尿として生成される。

C　尿は淡黄色の液体で、固有の臭気を有し、通常、弱酸性である。

D　尿酸は、体内のプリン体と呼ばれる物質の代謝物で、健康診断において尿中の尿酸の量の検査が広く行われている。

(1)A，B　(2)A，C　(3)A，D　(4)B，C　(5)C，D

問題 2 【令和4年前期(第2種)】

1回目 2回目 3回目

腎臓・泌尿器系に関する次の記述のうち、誤っているものはどれか。

(1)　腎臓の皮質にある腎小体では、糸球体から蛋白質以外の血漿成分がボウマン嚢に濾し出され、原尿が生成される。

(2)　腎臓の尿細管では、原尿に含まれる大部分の水分及び身体に必要な成分が血液中に再吸収され、残りが尿として生成される。

(3)　尿は淡黄色の液体で、固有の臭気を有し、通常、弱酸性である。

(4)　尿の生成・排出により、体内の水分の量やナトリウムなどの電解質の濃度を調節するとともに、生命活動によって生じた不要な物質を排出する。

(5)　血液中の尿素窒素（ＢＵＮ）の値が低くなる場合は、腎臓の機能の低下が考えられる。

得点力をもっとUPする ワンポイント知識

糸球体からボウマン嚢に濾し出される物質と濾し出されない物質はよく出題されるので、最後にもう一度確認しておこう。

●**濾し出されない物質**…大部分の**蛋白質、血球**

●濾し出される物質…それ以外の成分。例えば、糖（グルコース等）、水、塩、尿素など。これらは、ほとんど尿細管で再吸収される。

A 正解は(3)

A × ボウマン嚢に濾し出されるのは、**血球や蛋白質以外**の血漿。**糖**は漉し出される。

B ○ 腎臓の尿細管で、原尿中の大部分の**水分**および**身体に必要な成分**が血液中に再吸収される。尿はその残りから生成される。

C ○ 尿は通常、**弱酸性**で、固有の**臭気**がある。

D × 尿酸値とは**血中**の血清尿酸値のこと。**尿中**の尿酸の量ではない（尿酸＝**プリン体**の代謝物ではある）。

A 正解は(5)

(1) ○ **糸球体からボウマン嚢に「血球と蛋白質以外の成分」が濾し出される。** この選択肢は「蛋白質以外の血漿成分」とあるので、血球は濾し出されてしまうのかと勘違いしやすいが、血液は「血漿と蛋白質」から成るので、「蛋白質以外の血漿成分」が濾し出されるということは血球と蛋白質以外は濾し出されることになり、正しい。

(2) ○ **尿細管**で水分や電解質（ナトリウム、カリウムなど）、グルコース（血糖、ブドウ糖など）、アミノ酸は再吸収される。

(3) ○ 尿は淡黄色の液体で、通常は弱酸性である。

(4) ○ 尿は体内水分量や電解質濃度を調節している。

(5) × 腎臓機能が低下すると、尿素窒素（ＢＵＮ）の値は高くなる。

問題 3 【令和3年（改題）】

1回目 2回目 3回目

腎臓・泌尿器系に関する次の記述のうち、誤っているものはどれか。

(1) 腎小体では、糸球体から蛋(たん)白質以外の血漿(しょう)成分がボウマン嚢(のう)に濾(こ)し出される。

(2) 腎臓の尿細管では、原尿に含まれる大部分の水分及び身体に必要な成分が血液中に再吸収され、残りが尿として生成される。

(3) 尿は淡黄色の液体で、固有の臭気を有し、通常、弱酸性である。

(4) 尿の生成・排出により、体内の水分の量やナトリウムなどの電解質の濃度を調節するとともに、生命活動によって生じた不要な物質を排出する。

(5) 尿の約95％は水分で、約５％が固形物であるが、その成分が全身の健康状態をよく反映するので、尿を採取して尿素窒素の検査が広く行われている。

問題 4 【令和2年後期】

1回目 2回目 3回目

腎臓又は尿に関する次のAからDの記述について、誤っているものの組合せは(1)～(5)のうちどれか。

A　ネフロン(腎単位)は、尿を生成する単位構造で、1個の腎小体とそれに続く1本の尿細管から成り、1個の腎臓中に約100万個ある。

B　尿の約95％は水分で、約5％が固形物であるが、その成分は全身の健康状態をよく反映するので、尿検査は健康診断などで広く行われている。

C　腎機能が正常な場合、糖はボウマン嚢(のう)中に濾(こ)し出されないので尿中には排出されない。

D　腎機能が正常な場合、大部分の蛋(たん)白質はボウマン嚢中に濾し出されるが、尿細管でほぼ100％再吸収されるので、尿中にはほとんど排出されない。

(1)　A，B　　(2)　A，C　　(3)　A，D　　(4)　B，C　　(5)　C，D

得点力をもっとUPする ワンポイント知識

基本の知識が正解肢として出題されることもあるので、ここでもう一度整理しておこう。

- ●尿の約**95％は水分**で、残り約5％が固形物である。
- ●尿は通常**弱酸性**である（弱アルカリ性ではない！）。
- ●尿は**淡黄色**の液体で、**固有の臭気**をもっている。
- ●尿中に残った成分は、全身の健康状態をよく反映するので、**尿検査**は**健康診断**などで広く行われている（なお、法定の健康診断では、医師の判断でこれを省略することはできない。労働衛生の科目で出題されるので覚えておこう）。

A　正解は(5)

「**シボニ、シボニ**」と50回は繰り返して、しかも声を出して叫ぼう。「シ」とは「糸球体」の略称、「ボ」はボウマン嚢、「ニ」は「尿細管」のことである。これは食べ物の流れでもある。

すると、(1)と(2)は正しいことがわかる。(1)は、糸球体➡ボウマン嚢、(2)は尿細管➡尿と、正しい順序になっているからだ。

(3)は、尿についての基本知識である。

(4)は、「**生命活動**によって生じた**不要な物質**を排出する」とあるので、なんとなく正しい気がする。

さて、問題は(5)である。初めて出題された難問だ。これは、よく知っていないと答えられないかもしれない。実は、**尿素窒素**の値は採尿ではなく、採血で測るのだ。これさえ知っていれば、何なく誤りとわかる。

尿の成分の約95%が水分で、**残り約5%が固形物**だということは、基本知識である。

A　正解は(5)

この問題、難しそうに見えるが、正解は意外に簡単に見つけ出すことができる。理由は、AとBが基本知識なので、真面目に勉強してきた人なら、この二つが正しいことを見つけるのは容易なはず。したがって、AとBを除いた肢を探すと、(5)しか残らない。

なお、各肢について、解説しておくと……。

A　○　前々ページにも書いてあるが、基本知識である。しっかり、頭に入れたい。

B　○　これも、基本知識である。ぜひ、押さえておきたい項目だ。

C　×　腎機能が正常な場合、**糖**は、一旦は**ボウマン嚢**に濾し出される。しかし、その後、**尿細管**で再吸収されるので、尿中にはほとんど排出されない。

D　×　腎機能が正常な場合、大部分の**蛋白質**は**ボウマン嚢**には濾し出されない。したがって、**尿細管**で再吸収されることもない。

ポイントを絞り込んで覚えましょう!

ストレス・睡眠・疲労

労働者の生理にかかわる分野からの出題です。ストレスは適度であれば心身を活性化する、睡眠中は副交感神経がはたらく、などが頻出です。この2つは絶対に記憶!

1 どこが出るか、どんな出方をするか

体の構造や器官には直接かかわらないが、全体として、労働者の生理にかかわる3つの事柄をまとめた分野です。中でも圧倒的に出題の多いのは、**睡眠**と**ストレス**です。

睡眠で、頻出するのは、睡眠中は交感神経がはたらくのか、副交感神経がはたらくのか、という問題。神経系や内分泌の項目で学んだように、人間の心身活動を**活性化させるのは交感神経**で、反対に**副交感神経はそれを鎮め**、なだらかにします。「睡眠中に交感神経系の働きが活発になり…」は×です。

他に、**レム睡眠**と**ノンレム睡眠**。睡眠に関するホルモンの分泌も出題されます。**コルチゾール**は血糖量の増加を促し、一日の活動リズムを整える役割。**メラトニン**は光の影響を受けて日中は分泌が抑制され、夜に暗くなると分泌されて眠気を感じるようになることから「睡眠ホルモン」と呼ばれます。

ストレスの分野で、いちばん多い出題は、**ストレッサー**(ストレス反応を引き起こす外部刺激)についてで、強くても弱くても、常に心身の活動に有害なのか、という問い掛けです。答えは、×で、**ストレッサーは適度であれば、かえって精神や身体を活性化させる**のです。

2 解答のコツ!

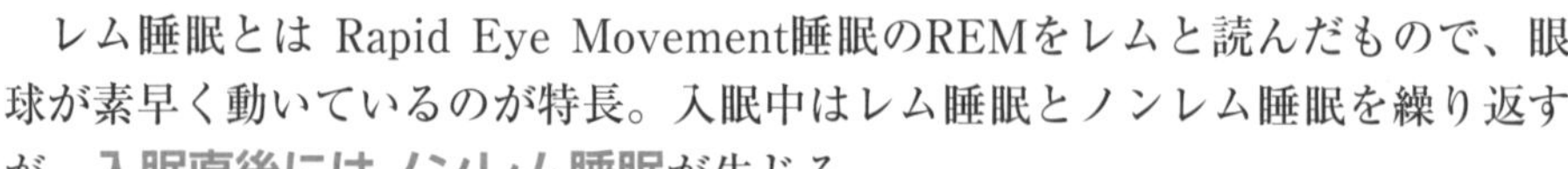
レム睡眠とは Rapid Eye Movement睡眠のREMをレムと読んだもので、眼球が素早く動いているのが特長。入眠中はレム睡眠とノンレム睡眠を繰り返すが、**入眠直後にはノンレム睡眠**が生じる。

7割ゲットできるポイント集！

- ストレスは、人間の持つ恒常性（ホメオスタシス）による心身の調整過程で、ストレッサー（外部刺激）から身を守ろうとして起こる反応です。
- 職場のストレスの要因には、❶仕事そのもの（質、量、適正度）、❷人間関係、❸職場での評価・待遇、❹職場の環境（騒音、空調、照明等）があります。

ストレスに関係あるホルモン

❶アドレナリン（副腎髄質から放出）
❷ノルアドレナリン（交感神経から放出）
❸副腎皮質ホルモン（副腎皮質から放出）

- 睡眠中は、体の活動を鎮める副交感神経の働きが活発になり、❶体温の低下、❷心拍数の減少、❸筋肉の弛緩、❹新陳代謝（しんちんたいしゃ）の低下、が起きます。
- 睡眠のリズムは、レム睡眠（浅い眠り。脳は働いている）とノンレム睡眠（深い眠り。脳も体も休息状態）の2つが1セット（平均90分）で、そのセットが何回か繰り返されます。

- **ホルモンの分泌**

コルチゾールは1日の活動のリズムを整えるホルモンです。朝方の起床の頃の分泌量が最も多く、夜にかけて少なくなります。メラトニンは睡眠ホルモン。朝方に分泌が止まり、日中は光刺激によって分泌が抑制されます。

- 疲労の調査法には、❶調査票を用いた自覚症状の検査と、❷他覚症状を捉える生理学的検査（フリッカーテスト、二点弁別閾（いき）検査）があります。

疲労の種類	留意点
精神疲労 身体疲労	この2つの疲労は相伴って起きるが、精神疲労の方が不快感は大きい。
動的疲労 静的疲労	作業環境のOA化の進展により、静的疲労が増えている。回復のポイントは、動的疲労への転換。
全身疲労 局所疲労	OA作業では、各部位の局所疲労とともに、精神疲労も起こる。
急性疲労 慢性疲労	慢性疲労は長時間にわたり蓄積されるため、一時的な休養では回復が難しい。

問題 1 【令和6年前期】

1回目 2回目 3回目

ストレスに関する次の記述のうち、誤っているものはどれか。

⑴ 外部からの刺激であるストレッサーは、その形態や程度にかかわらず、自律神経系と内分泌系を介して、心身の活動を抑圧する。

⑵ ストレスに伴う心身の反応には、ノルアドレナリン、アドレナリンなどのカテコールアミンや副腎皮質ホルモンが深く関与している。

⑶ 昇進、転勤、配置替えなどがストレスの原因となることがある。

⑷ 職場環境における騒音、気温、湿度、悪臭などがストレスの原因となることがある。

⑸ ストレスにより、高血圧症、狭心症、十二指腸潰瘍などの疾患が生じることがある。

問題 2 【令和5年前期】

1回目 2回目 3回目

睡眠に関する次の記述のうち、誤っているものはどれか。

⑴ 入眠の直後にはノンレム睡眠が生じ、これが不十分な時には、日中に眠気を催しやすい。

⑵ 副交感神経系は、身体の機能を回復に向けて働く神経系で、休息や睡眠状態で活動が高まり、心拍数を減少し、消化管の運動を亢(こう)進する。

⑶ 睡眠と覚醒のリズムは、体内時計により約1日の周期に調節されており、体内時計の周期を外界の24時間周期に適切に同調させることができないために生じる睡眠の障害を、概日リズム睡眠障害という。

⑷ 睡眠と食事は深く関係しているため、就寝直前の過食は、肥満のほか不眠を招くことになる。

⑸ 脳下垂体から分泌されるセクレチンは、夜間に分泌が上昇するホルモンで、睡眠と覚醒のリズムの調節に関与している。

問題 3 【令和3年後期】

1回目 2回目 3回目

睡眠に関する次の記述のうち、誤っているものはどれか。

⑴ 睡眠と覚醒のリズムのように、約1日の周期で繰り返される生物学的リズムをサーカディアンリズムといい、このリズムの乱れは、疲労や睡眠障害の原因となる。

⑵ 睡眠は、睡眠中の目の動きなどによって、レム睡眠とノンレム睡眠に分類される。

⑶ コルチゾールは、血糖値の調節などの働きをするホルモンで、通常、その分泌量は明け方から増加し始め、起床前後で最大となる。

⑷ レム睡眠は、安らかな眠りで、この間に脳は休んだ状態になっている。

⑸ メラトニンは、睡眠に関与しているホルモンである。

A 正解は(1)

(1) × ストレッサーは必ずしも心身の活動を**抑圧するものではない**。その形態や程度が過大あるいは恒常的でなければ、心身の活動を**活発化**させることもある（少しの**緊張感**はパフォーマンスを上げることもある）。
(2) ○ ストレスを受けると、ストレスホルモンの分泌が増える。**副腎皮質**から分泌されるコルチゾール、**副腎髄質**から分泌されるアドレナリン、ノルアドレナリン、**下垂体後葉**ホルモンのオキシトシンなどがある。
(3) ○ **環境**の変化がストレスの原因となることもある。
(4) ○ これも**環境**の一部。ストレス原因となりえる。
(5) ○ 精神的な影響が**身体**自体に及ぶことがある。

A 正解は(5)

(1) ○ **入眠直後から前半にはノンレム睡眠**が生じる。
(2) ○ **睡眠中は副交感神経**の働きが活発化する。
(3) ○ 時計や光の変化がなくても、人は24～25時間周期で活動する。体内時計を適切に同調できないために生じる睡眠障害が概日リズム睡眠障害。
(4) ○ 就寝直前の過食は肥満と不眠を招き、極度の空腹も不眠の原因となる。
(5) × 睡眠と覚醒のリズムの調節に関与するのは、**松果体**から分泌される**メラトニン**。セクレチンは消化管ホルモンで、胃酸の分泌を抑制する。

A 正解は(4)

(1) ○ 人間の**体内時計（約25時間）**と**実際の時間（24時間）**との間には、約1時間の差がある。25時間周期の時間を概日リズムと言う。概日とは、ラテン語でサーカディアン（約1日）という意味である。人間は、睡眠と覚醒のリズムを調整し、乱れを直している。
(2) ○ レム睡眠とは、**Rapid（速く）Eye（眼を）movement（動かす）**の頭文字を取った呼び名で、REM睡眠のことだ。眼は、脳の動きの反映なので、この時は、**意識**は眠っていない。しかし、**身体**は眠っている。**ノンレム**とは、そうじゃない眠りの状態のこと。つまり、眼も脳も完全に眠っており、もちろん身体も眠っている。深い眠りとも言われるのは、そのせいである。
(3) ○ コルチゾールは、血管を**収縮**させ、血糖値を**上昇**させる。分泌量は、**明け方**から増加し、起床前後で最も大きくなる。
(4) × (2)の解説に詳しい。
(5) ○ **メラトニン**は、睡眠に関与しているホルモンとして有名。

心臓・血液循環

近年は、体全体の循環を問う問題などがあり、良問が出題されます。心臓の構造と機能、血液循環とともに、「なぜ」を学ぶことで力を付けましょう。

1 どこが出るか、どんな出方をするか

心臓・血液循環では、図解問題がよく出題されていました。

この図解問題、5つの肢のうち、3つは心臓と肺の**血液循環**についてですが、ほかの2つは**肝臓**と**腎臓**を主とした循環の問題。その意味で、体全体のことをよく理解していないと答えられない総合問題で、なかなかの良問です。

この図解による総合問題をのぞけば、心臓・血液循環についての問題も、呼吸と同じように単純です。問い方の形式でいえば、同じように、「**誤っているものはどれか**」と問われます。

そして、誤っているものとして、問われる知識は、主に次のものです。

1）大動脈(だいどうみゃく)および肺動脈を流れる血液は、酸素に富む**動脈血**である⇒×　大動脈はその通りだが、肺動脈は「**二酸化炭素が多い静脈血**」

2）心筋(しんきん)は、不随意筋(ふずいいきん)である**平滑筋**(へいかつきん)から成り、自動的に収縮を繰り返す⇒×　平滑筋ではなく、横縞のある「**横紋筋**(おうもんきん)」(心筋は筋肉の"鬼っ子")である。なお、横紋筋は、骨格筋ともいう。

3）大（体）循環では**動脈**を流れているのは酸素に富む動脈血で、小（肺）循環では**静脈**を流れているのが動脈血。

2 解答のコツ！

呼吸の項目で述べたのと同じで、即効性を重んじる人や、忙しくて勉強時間のやり繰りが大変な人は、**この2点を丸暗記**すれば得点率が高くなります。

ただ、理解なしに丸暗記しても、忘れるのは早いもの。なぜそうなのか、関連する知識もテキストや問題解説で勉強すると、記憶が長持ちします。

7割ゲットできるポイント集！

- 循環には、体循環と肺循環があります。

- 体循環とは、心臓を中心に行う血液循環をいい、血液は左心室→大動脈→各組織の毛細血管→大静脈→右心房の流れで循環しています。

- 肺循環＝心臓と肺の間で行われる血液循環をいい、血液は右心室→肺動脈→肺→肺静脈→左心房の流れで循環します。

- 心臓が規則正しく収縮と拡張をするのは、右心房にある洞結節の働きによります。

- 心臓は、冠状動脈によって酸素や栄養素を供給されます。

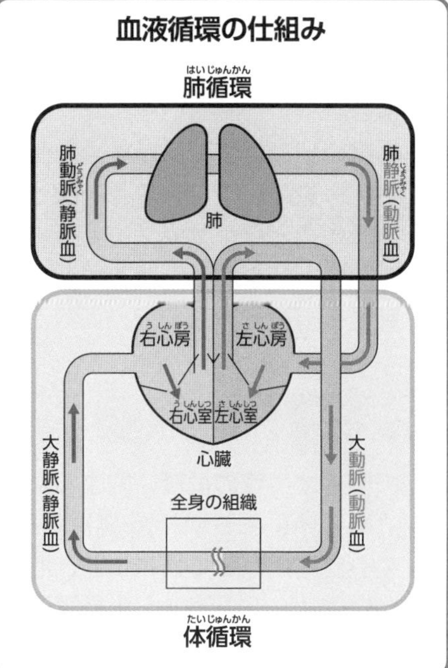

- 血圧には、収縮期血圧（最大血圧のこと）と拡張期血圧（最小血圧のこと）があります。標準的な血圧値（mmHg）は、以下の通りです。

分類	診察室血圧（mmHg）			家庭血圧（mmHg）		
	収縮期血圧		拡張期血圧	収縮期血圧		拡張期血圧
正常血圧	120未満	かつ	80未満	115未満	かつ	75未満
正常高値血圧	120～129	かつ	80未満	115～124	かつ	75未満
高値血圧	130～139	かつ/または	80～89	125～134	かつ/または	75～84
Ⅰ度高血圧	140～159	かつ/または	90～99	135～144	かつ/または	85～89
Ⅱ度高血圧	160～179	かつ/または	100～109	145～159	かつ/または	90～99
Ⅲ度高血圧	180以上	かつ/または	110以上	160以上	かつ/または	100以上
（孤立性）収縮期高血圧	140以上	かつ	90未満	135以上	かつ	85未満

「高血圧治療ガイドライン2019」（日本高血圧学会）

問題 1 【令和6年前期】

1回目 2回目 3回目

心臓及び血液循環に関する次の記述のうち、誤っているものはどれか。

(1) 心臓は、自律神経の中枢で発生した刺激が刺激伝導系を介して心筋に伝わることにより、規則正しく収縮と拡張を繰り返す。

(2) 肺循環により左心房に戻ってきた血液は、左心室を経て大動脈に入る。

(3) 大動脈を流れる血液は動脈血であるが、肺動脈を流れる血液は静脈血である。

(4) 心臓の拍動による動脈圧の変動を末梢(しょう)の動脈で触知したものを脈拍といい、一般に、手首の橈(とう)骨動脈で触知する。

(5) 動脈硬化とは、コレステロールの蓄積などにより、動脈壁が肥厚・硬化して弾力性を失った状態であり、進行すると血管の狭窄(さく)や閉塞を招き、臓器への酸素や栄養分の供給が妨げられる。

問題 2 【令和2年後期】

1回目 2回目 3回目

心臓の働きと血液の循環に関する次の記述のうち、誤っているものはどれか。

(1) 心臓の中にある洞結節(洞房結節)で発生した刺激が、刺激伝導系を介して心筋に伝わることにより、心臓は規則正しく収縮と拡張を繰り返す。

(2) 体循環は、左心室から大動脈に入り、毛細血管を経て静脈血となり右心房に戻ってくる血液の循環である。

(3) 肺循環は、右心室から肺静脈を経て肺の毛細血管に入り、肺動脈を通って左心房に戻る血液の循環である。

(4) 心臓の拍動は、自律神経の支配を受けている。

(5) 大動脈及び肺静脈を流れる血液は、酸素に富む動脈血である。

得点力をもっとUPする ワンポイント知識

- 心臓が、収縮と拡張を自動的に行うことを、**拍動**(はくどう)といいます。
- 1分間の心臓の拍動数を**心拍数**といい、一般に60～80回。60回以下を**徐脈**(じょみゃく)、100回以上を**頻脈**(ひんみゃく)といいます。
- 心臓の収縮は、心臓中枢に支配される**洞結節**という心筋によっています。老人に多い**不整脈**は、洞結節からくる電気信号の乱れに起因することが多いです。

A 正解は(1)

(1) × 「自律神経の中枢で発生する」のではなく、「心臓の中にある**洞結節（洞房結節）**で発生した刺激が、刺激伝導系を介して心肺に伝わる」のである。

(2) ○ いったん**心臓の右心室を出た**血液は、また**心臓の左心房にかえる**までは（大動脈）、**炭酸ガス（二酸化炭素）**と**酸素**の交換が行なわれる。

(3) ○ **大動脈**を流れる血液は、**酸素に富む動脈血**であるが、いったん肺に戻る過程の肺動脈は炭酸ガスが多い**静脈血**。**肺から先**は、次第に**炭酸ガス**が減り、**酸素**が増える。

(4) ○ 記述通りで、正しい。なお、一般に**60～80回**が正常で、60回以下を徐脈、100回以上を頻脈という。

(5) ○ 動脈硬化とは、動脈壁が肥厚・硬化して弾力性を失った状態。進行すると血管の狭窄や閉塞を招き、臓器への酸素や栄養分の供給が妨げられる。

A 正解は(3)

(1) ○ これも頻出の問題であり、そのままで正しい。このリズムが狂うと、期外収縮になり、中でも**心房細動**は日常生活でも要注意だ。また、**心室細動**を起こすと、致死率が高く、救急搬送が必要である。

(2) ○ 血液の循環には、体循環と肺循環があり、これは**体循環**についての説明。毛細血管を経て、運んできた**酸素を放出**し、**二酸化炭素を受け取り**、静脈血となることを、呼吸の項目で勉強した**内呼吸**ともいう。

(3) × 肺循環は、右心室から「**肺動脈**」を経て肺の毛細血管に入り、「**肺静脈**」を通って左心房に戻る。前々ページの図を見て復習してほしい。なお、ついでにここで注意してほしいのは、**肺動脈を流れる血液は「静脈血」**であることと、**肺静脈を流れる血液は「動脈血」**であることだ。
くどいようだが、もう一度言うと、「肺動脈を流れるのは静脈血」、「肺静脈を流れるのは動脈血」と、逆になっていることが肺循環の特長だ。
（体循環のほうは「大動脈は動脈血」、「大静脈は静脈血」と素直である）

(4) ○ 自律神経とは、自分の意思と関係なく動く神経である。心臓は、自分の**意思とは関係なく**動く。

(5) ○ (3)の解説を参照のこと。なお、**動脈血**とは**酸素に富む血液**で、**静脈血**とは**二酸化炭素を多く含んだ血液**のことである。

問題 3 【平成28年前期】

1回目 2回目 3回目

下図は、血液循環の経路を模式的に表したものであるが、図中の血管ア～カを流れる血液に関する⑴～⑸の記述のうち、誤っているものはどれか。

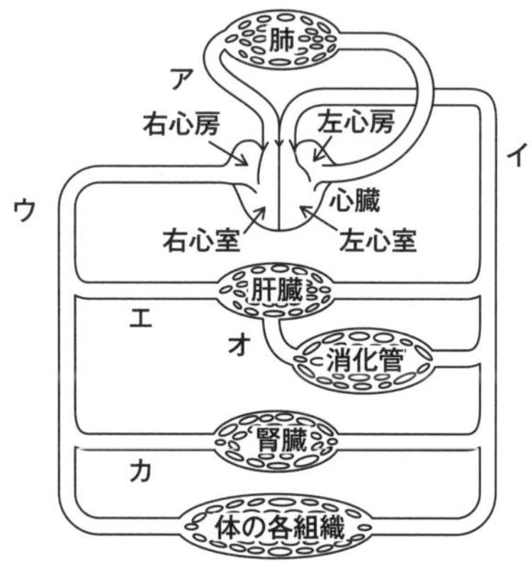

⑴　血管ア及び血管イはいずれも動脈であるが、血管アには静脈血が流れる。

⑵　血管ア～カを流れる血液のうち、酸素が最も多く含まれる血液は、血管イを流れる血液である。

⑶　血管ウを流れる血液には、血管イを流れる血液に比べて二酸化炭素が多く含まれる。

⑷　血管カを流れる血液には、血管エを流れる血液に比べて尿素が多く含まれる。

⑸　血管ア～カを流れる血液のうち、食後、ブドウ糖が最も多く含まれる血液は、血管オを流れる血液である。

問題 4 【平成22年後期】

1回目 2回目 3回目

心臓の働きと血液の循環に関する次の記述のうち、誤っているものはどれか。

⑴　心臓は、自律神経の中枢で発生した刺激が刺激伝導系を介して心筋に伝わることにより、規則正しく収縮と拡張を繰り返す。

⑵　体循環とは、左心室から大動脈に入り、静脈血となって右心房に戻ってくる血液の循環をいう。

⑶　肺循環とは、右心室から肺動脈を経て肺の毛細血管に入り、肺静脈を通って左心房に戻る血液の循環をいう。

⑷　大動脈及び肺静脈を流れる血液は、酸素に富む動脈血である。

⑸　心臓自体は、大動脈の起始部より出る冠状動脈によって酸素や栄養素の供給を受けている。

A 正解は(4)

58ページに書いた通り、このような**図解形式の出題**が見られるようになったので注意。よく理解せずに、なんとか暗記でこなしていると正解を得られないので、テキストを読むときは、じっくり読み込んで理解したい。

(1) ○ **ア**は、肺動脈(はいどうみゃく)であり、流れる血液は**静脈血(じょうみゃくけつ)**である。

(2) ○ **イ**は、**大動脈**であり、流れるのは肺でガス交換された、**酸素を最も多く含んだ**血液である。

(3) ○ **ウ**は、**大静脈**であり、全身の細胞組織で行われた内呼吸によって、**二酸化炭素を大量に含まされた静脈血**である。

(4) × **カ**は、**腎臓で尿素をろ過したあとの血液**が流れるので、**尿素**は**エ**よりも**少なく**しか含まれない。

(5) ○ 消化管から吸収された栄養成分は、**オ**を通って肝臓に運び込まれる。ブドウ糖の一部（余分なもの）は**肝臓でグリコーゲンに変えて貯め込まれる**。したがって**オ**が最もブドウ糖が多い。

A 正解は(1)

難問かもしれない。ただ、これまでの過去問の勉強で(2)〜(4)が正しいことはほぼわかるので、**消去法**で正解にたどりつけるのではなかろうか。

(1) × 心臓が規則正しく**収縮と拡張**を繰り返すのは、心臓中枢(ちゅうすう)に支配される**洞結節(どうけっせつ)（洞房結節）**という心筋によってである。自律神経の中枢ではない。

(2)(3)(4)は○で、勉強した人にとっては、基礎知識であり、いずれも正しい。

(5) ○ 心臓自体は、大動脈の起始部より出る**冠状動脈(かんじょうどうみゃく)**によって、酸素や栄養素の供給を受けている。これについては、書いてないテキストも多いので、この際に記憶してしまおう。また、冠状動脈を門脈と言い換えて、誤りとする出題もあるので、注意しよう。

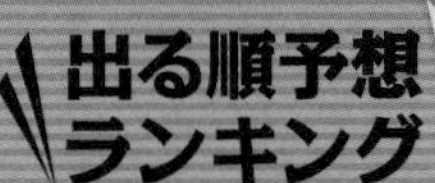

ポイントを絞り込んで覚えましょう!

神経系・脳

神経系は、大きく分けて、①神経の種類とはたらき、②大脳の大脳皮質と髄質の違い、の2つのポイントが頻出です。的を絞って、重点的に勉強しましょう。

1 どこが出るか、どんな出方をするか

正解肢は、ほぼ2つに分類できます。これを重点的に学習しましょう。

1）まずは、**体性神経**と**自律神経**の分野です（この2つは、まとめて**末梢神経**と称されます。右ページの図表参照）。なかでもポイントは、体性神経の方で、**感覚神経**と**運動神経**のことが問題にされます。

感覚神経とは、皮膚や感覚器官など体の末端が外界から受けた刺激（情報）を中枢に伝える役割です。「**感覚を伝える感覚神経**」（いわば上り列車）と覚えましょう。運動神経は、それを受け取った中枢が、どう「反応＝運動」するかを体の末端に命令する「**運動を命令する神経**」（いわば下り列車）と覚えましょう。これだけの知識で十分です。

2）大脳の問題も頻出します。大脳は、表面側の**大脳皮質**と、真ん中部分の**髄質**に分かれます。大脳皮質こそが最も人間らしい活動にかかわる部位で、「**感覚、運動、思考等の作用を支配**」しています（しかし、感覚、運動は人間でなくてもありますから、ここは順序を逆にして「**思考、感覚、運動を支配する大脳皮質**」、と覚えるのが高島流です）。また、**言語**、**記憶**、**意思**、**感情**なども、大脳皮質によって支配されています。

よく出題されるのは、**髄質がこの役割を担う、という誤った肢**です。それをみたら、即座に×をつけましょう。なお、**大脳皮質**の色は**灰色**で、**灰白質**です。**髄質**は、**白色**で**白質**です。これも取り違えて、よく出題されます。

2 解答のコツ！

上記「脳の役割」は、その場所も指せるよう覚えておきましょう。

7割ゲットできるポイント集！

- 神経系の仕組みは、大きく分けて中枢神経系（脳、脊髄）と末梢神経系（体性神経、自律神経）があります。この図を、理解しながら15分間、見続けましょう。

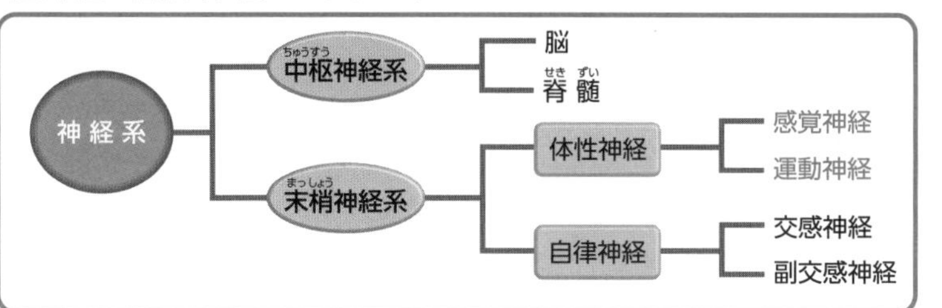

- 脳と脊髄の構造は、以下の通りです。

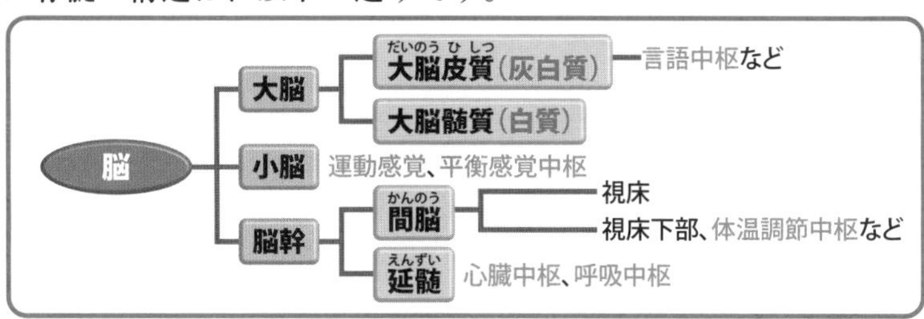

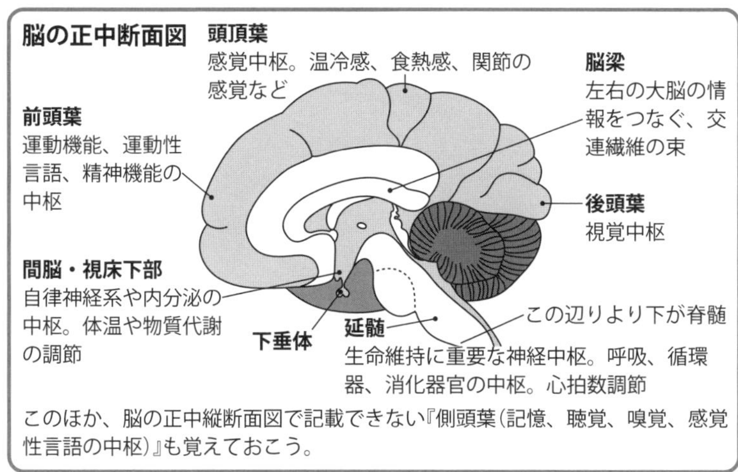

- ニューロンとは細胞体、樹状突起（複数）、軸索（1本）からなる1つの神経単位。樹状突起で受けた刺激を、軸索を介し他の神経細胞に伝えます（樹状突起と軸索の数についてはフクジュ・タンジクと覚える）。
- 神経細胞が多く集中する所は、灰白質。線維が集中する所は、白質です。

問題 1 【令和6年前期】

1回目 2回目 3回目

神経系に関する次の記述のうち、誤っているものはどれか。

(1) 神経細胞の細胞体が集合しているところを、中枢神経系では神経節といい、末梢神経系では神経核という。

(2) 大脳の外側の皮質は、神経細胞の細胞体が集合した灰白で、感覚、運動、思考などの作用を支配する中枢として機能する。

(3) 副交感神経系は、身体の機能を回復に向けて働く神経系で、休息や睡眠状態で活動が高まり、心拍数を減少し、消化管の運動を亢進する。

(4) 自律神経系は、交感神経系と副交感神経系とに分類され、各種臓器に対して両方の神経が支配している。

(5) 体性神経には感覚器官からの情報を中枢に伝える感覚神経と、中枢からの命令を運動器官に伝える運動神経がある。

問題 2 【令和5年前期(第2種)】

下の図は、脳などの正中縦断面であるが、図中に■で示すAからEの部位に関する次の記述のうち、誤っているものはどれか。

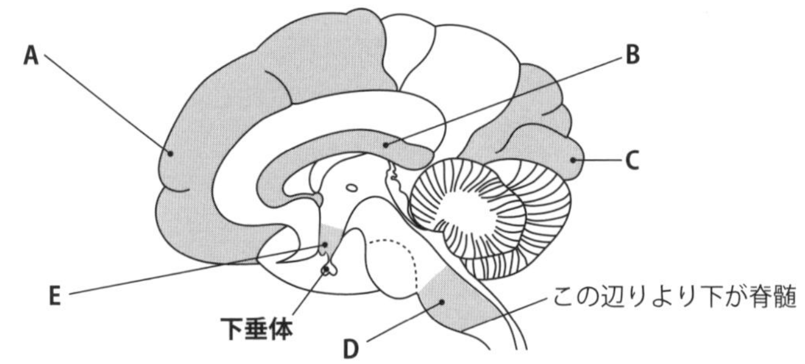

(1) Aは、大脳皮質の前頭葉で、運動機能中枢、運動性言語中枢及び精神機能中枢がある。

(2) Bは、小脳で、体の平衡を保つ中枢がある。

(3) Cは、大脳皮質の後頭葉で、視覚中枢がある。

(4) Dは、延髄で、呼吸運動、循環器官・消化器官の働きなど、生命維持に重要な機能の中枢がある。

(5) Eは、間脳の視床下部で、自律神経系の中枢がある。

A 正解は(1)

(1) × 中枢神経では神経核、末梢神経では神経節（選択肢では神経核と神経節が逆に書かれている）。

(2) ○ 大脳は外側の皮質（灰白質）と、内側の髄質（白質）からなる。神経細胞が多数集合した部分は灰白色（灰白質）で、感覚、運動、思考などの作用を支配する中枢として機能している。

(3) ○ 副交感神経は休息時や睡眠で働きが活発化し、心拍数を減少させ、消化管の運動を亢進させる。

(4) ○ 自律神経は交感神経と副交感神経に分類される。交感神経は身体の運動機能を活発化させ、副交感神経は身体の状況をリラックスさせる（消化管の働きは亢進させる）。

(5) ○ 体性神経は感覚神経（知覚神経）と運動神経に分類される。

A 正解は(2)

(1) ○ Aは**前頭葉**。運動機能、運動性言語、精神機能の中枢。

(2) × Bは**脳梁**。大脳の左右をつないでいる神経線維の束。**小脳**は図C（**後頭葉**）とD（**延髄**）の間にある。

(3) ○ **後頭葉**。視覚中枢がある。

(4) ○ **延髄**。呼吸中枢、循環器官や消化器官の中枢。心拍数調節など生命維持に重要。

(5) ○ **間脳**の視床下部。自律神経や内分泌の中枢。

得点力をもっとUPする ワンポイント知識

海馬（かいば）――記憶の司令塔

耳の裏側付近の脳にある、直径1cmほどの部位のこと。海馬とはタツノオトシゴの別名で、形が似ていることから、そうよばれた。見る・聞く・触るなどで得られた外界の情報は、脳の側頭葉を経て、海馬に送られる。ここで、長期記憶に値するかどうかが判断され、もう一度、側頭葉に送り出される。重要でない情報は、ここで削除される。このように、海馬は「**記憶の司令塔**」として働く。

問題 3 【令和4年後期(第2種)】

1回目 2回目 3回目

神経系に関する次の記述のうち、誤っているものはどれか。

(1) 神経細胞（ニューロン）は、神経系を構成する基本的な単位で、通常、１個の細胞体、１本の軸索及び複数の樹状突起から成る。

(2) 脊髄では、中心部が灰白質であり、その外側が白質である。

(3) 大脳では、内側の髄質が白質であり、外側の皮質が灰白質である。

(4) 体性神経には感覚器官からの情報を中枢に伝える感覚神経と、中枢からの命令を運動器官に伝える運動神経がある。

(5) 交感神経系は、心拍数を増加し、消化管の運動を亢進する。

問題 4 【平成23年前期】

1回目 2回目 3回目

神経系に関する次の文及び図中の［　　］内に入れるAからCの語句の組合せとして、正しいものは(1)～(5)のうちどれか。なお、図は、ヒトの体が刺激を受けて反応する時の、信号が伝わる経路を模式的に表したものである。

「神経系は中枢神経系と末梢神経系に大別されるが、末梢神経系のうち［　A　］神経系は［　B　］神経と［　C　］神経から成り、図のような経路で刺激が伝えられ反応が引き起こされる。」

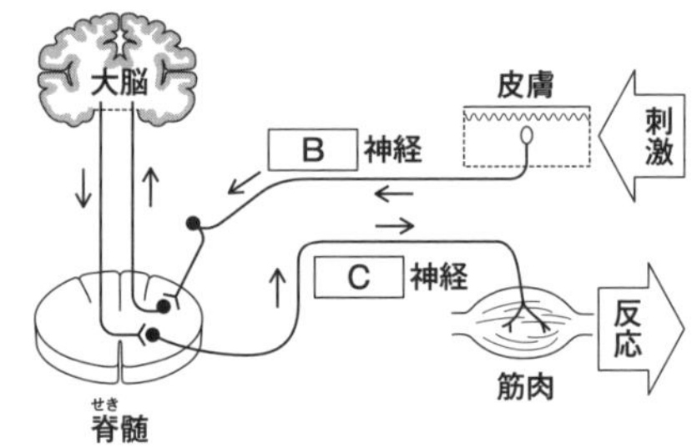

	A	B	C
(1)	自　律	副交感	交　感
(2)	体　性	運　動	感　覚
(3)	自　律	交　感	副交感
(4)	自　律	感　覚	運　動
(5)	体　性	感　覚	運　動

A 正解は(5)

(1) ○ ポイントは、二つ。総称が「**ニューロン**」と呼ばれること。1本の軸索と複数の樹状突起からなっていることだ。とくに軸索と樹状突起の数を混同しないこと。数は「**複樹単軸（フクジュタンジク）**」と覚えるとよい。

(2) ○ 脊髄は中心部が灰白質で、外側が白質（大脳とは構造が逆）。

(3) ○ 大脳皮質は、**表面側**の部位で、**灰白質**である。外から見れば**灰色**に見える。感覚のほか思考の作用を支配する。

(4) ○ 体性神経には感覚神経と運動神経がある（次ページの問題4の図がわかりやすい）。

(5) × 一般に**交感神経**は、身体の諸器官の働きを活発にするが、一部の器官の働きは、**鎮静化**させる。鎮静化させるのは、**胃腸**、**消化管**、**胆嚢**である。すべての器官を活性化させるわけではないことに厳重に注意すること。誤解しやすいので。

A 正解は(5)

(1) × この図は、**自律神経**についての図ではない。

(2) × 体性神経は正しいが、**運動神経**と**感覚神経**が逆である。

(3) × この図は、**自律神経**についての図ではない。

(4) × この図は、**自律神経**についての図ではない。

(5) ○ すべて正しい。**刺激**が脊髄を経て**大脳**に伝わるのが**感覚神経**、**大脳**から**脊髄**を経て反応するのが**運動神経**。両者をまとめて体性神経という。

出る順予想ランキング 第10位

ポイントを絞り込んで覚えましょう!

内分泌

公表問題をみる限り、出題されるのは6つのホルモンに限られています。何が何でもこれだけは覚え切りましょう。十中八九、これで1問ゲットです。

1 どこが出るか、どんな出方をするか

極論を述べます。内分泌系を勉強するなら、**コルチゾール**、**アルドステロン**、**パラソルモン**、**インスリン**、**グルカゴン**、**メラトニン**に絞って記憶しましょう。ここ10回の公表問題では、6回出題されていますが、これをみる限り、出題されるのはこの6つのホルモンに限られているからです。たった6つ！

しかも、出題の形式も、ほとんど違いません。この6つのホルモンについて、①**どこから分泌されるか**、②**その働きは？** の2項目が問われます。

インスリン…膵臓…血糖量の**減少**
グルカゴン…膵臓…血糖量の**増加**
コルチゾール…副腎皮質…血糖量の**増加**
アルドステロン…副腎皮質…体液中の**塩類バランス**の調節
パラソルモン…副甲状腺…体内の**カルシウムバランス**の調節
メラトニン…松果体…**睡眠リズム**の調節

この中で、**インスリン**と**グルカゴン**はほとんど正しい肢として出されます。いちばん、間違った肢として出題されるのは**メラトニン**。睡眠とは関係のないものとして出題されます（例・体液中のカルシウムバランスの調節とか）。

2 解答のコツ！

衛生管理者の公表問題は、前半年に出題された問題の中から、代表的なものを選んで発表しています。したがって、完全な過去問ではありません。余裕がある人は、その点も加味して、少し範囲を広げて勉強するのもアリかもしれません（令和6年はプロラクチンと副腎皮質刺激ホルモンが肢として出題されました）。

7割ゲットできるポイント集！

● 人間は、多様なホルモンを分泌し、体の状態を常に安定した状態に保とうとする働きをします（**ホメオスタシス＝恒常性**）。

分泌線	内分泌液（ホルモン）	働き
副腎皮質	アルドステロン	体液中の塩類のバランス調節
	コルチゾール	血糖値上昇、血管収縮
副腎髄質	アドレナリン	血糖値上昇、血管収縮（血圧上昇）
下垂体	成長ホルモン	成長・発育
	甲状腺刺激ホルモン	甲状腺刺激
	副腎皮質刺激ホルモン	副腎皮質刺激
	生殖腺刺激ホルモン	生殖腺刺激
	抗利尿ホルモン	尿細管における水分再吸収の促進
生殖腺	男性ホルモン	第二次性徴、生殖活動
	女性ホルモン	
甲状腺	チロキシン	代謝、成長・発育、神経系機能促進
副甲状腺	パラソルモン	体内のカルシウム量の調節
膵臓	インスリン	血糖値低下
	グルカゴン	グリコーゲン分解、血糖値上昇
松果体	メラトニン	催眠・生体リズムの調節

● 試験対策は、まず色文字の6つのホルモンを覚えましょう。これだけで十中八九、1点ゲットできます。ついでに、血管を収縮し、血糖値を上昇させるアドレナリンを覚えてもよいかも。

● 直接、出題には関係しませんが、理解を深めるために人体の内分泌腺の位置を示しておきます。上の表と見比べながら勉強するとよいでしょう。

● なお、副腎は左右1つずつしか描いてありませんが、表層部の皮質と中心部の髄質に分かれ、それぞれ違ったホルモンを分泌します。

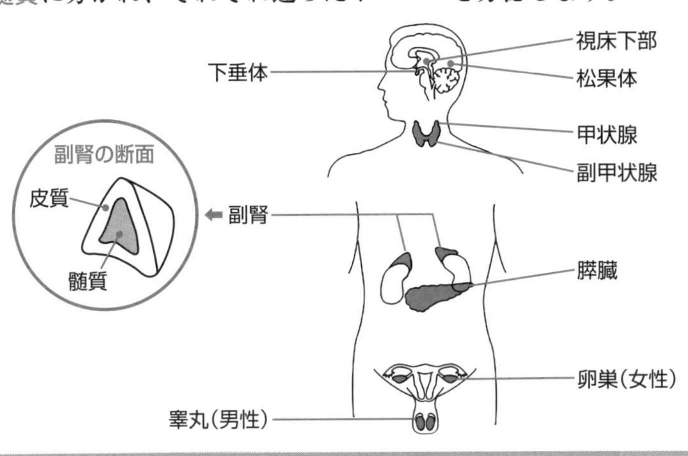

問題 1 【令和6年前期】

1回目 2回目 3回目

ヒトのホルモン、その内分泌器官及びそのはたらきの組合せとして、誤っているものは次のうちどれか。

	ホルモン	内分泌器官	はたらき
(1)	アルドステロン	副腎髄質	血糖量の増加
(2)	インスリン	膵臓(すい)	血糖量の減少
(3)	パラソルモン	副甲状腺	血中のカルシウム量の調節
(4)	プロラクチン	下垂体	黄体形成の促進
(5)	副腎皮質刺激ホルモン	下垂体	副腎皮質の活性化

問題 2 【令和4年後期(第2種)】

1回目 2回目 3回目

ヒトのホルモン、その内分泌器官及びそのはたらきの組合せとして、誤っているものは次のうちどれか。

	ホルモン	内分泌器官	はたらき
(1)	ガストリン	胃	胃酸分泌刺激
(2)	アルドステロン	副腎皮質	体液中の塩類バランスの調節
(3)	パラソルモン	副甲状腺	血中のカルシウム量の調節
(4)	コルチゾール	膵臓(すい)	血糖量の増加
(5)	副腎皮質刺激	下垂体	副腎皮質の活性化

問題 3 【令和2年後期】

1回目 2回目 3回目

ヒトのホルモン、その内分泌器官及びそのはたらきの組合せとして、誤っているものは次のうちどれか。

	ホルモン	内分泌器官	はたらき
(1)	コルチゾール	副腎皮質	血糖量の増加
(2)	アルドステロン	副腎皮質	血中の塩類バランスの調節
(3)	パラソルモン	副腎髄質	血糖量の増加
(4)	インスリン	膵臓(すい)	血糖量の減少
(5)	メラトニン	松果体	睡眠の促進

A 正解は(1)

(1) × アルドステロンは副腎皮質から分泌されるホルモンで、体液中の塩類バランスの調節をする（**血糖量の増加**ではない)。

(2) ○ インスリンは膵臓から分泌されるホルモンで、血糖量を減少させる働きがある。

(3) ○ パラソルモンは副甲状腺から分泌されるホルモンで、血中（体内）のカルシウム量を調節する働きがある。

(4) ○ プロラクチンは下垂体から分泌されるホルモンで、黄体形成を促進する働きがある。

(5) ○ 副腎皮質刺激ホルモンは下垂体から分泌されるホルモンで、副腎皮質を活性化させる働きがある。

A 正解は(4)

コルチゾールは**副腎皮質**から分泌され、**血糖量**を**増加**させる。(1)(2)(3)(5)は正しい。

A 正解は(3)

内分泌に関しては、たまの例外を除いて、この形式で出題されている。しかも、正解肢として選ばれる肢も、**メラトニン**と**パラソルモン**がほとんどだ。

そこで、この二つの内分泌液については、しっかり覚えよう。

●**メラトニン**は、脳の**松果体**で産生され、睡眠を促進させる。

●**パラソルモン**は、**体内のカルシュウム量を調節**する。また、**副甲状腺**で産生され、副腎髄質で再生されるのではない。

今回は、このうち**パラソルモン**が、誤った肢として出題された。

出る順予想ランキング 第11位

ポイントを絞り込んで覚えましょう!

筋肉・運動

出る問題は、およそ決まっています。大部分は下の記述に加え、右ページのポイント集でまかなえます。キーワードは、「心筋」、「横紋筋」、「等尺性収縮」、「乳酸（不完全分解）」、「ATP」です。

1 どこが出るか、どんな出方をするか

この分野のよく出る問題をみておきましょう。

1)「筋肉中の**グリコーゲン**は、酸素が十分に供給されると完全に分解され、最後に**乳酸**になる」○ or × ?

答えは、×です。乳酸になるのは、**酸素の供給が不十分なとき**。これでは、筋肉は十分に収縮できません。酸素が十分に供給されると、収縮に必要な**ATP**が大量に産出され、最後は**水**と**二酸化炭素**になります。

2)「筋肉の縮む速さが速ければ速いほど、仕事の効率は大きい」○ or × ?

答えは、×です。筋肉の仕事の効率が最も大きいのは、「**筋肉の縮む速さが適当な**」ときです。

3)**等尺性収縮**とは、荷物を持ち上げたり、屈伸運動を行うときの収縮である。○or× ?

答えは×。等尺性＝筋肉の長さ（尺）が等しいからです（右ページ参照）。

2 解答のコツ！

この項目に直接限ったことではないのですが、ここで受験参考書の読み方について触れておきます。問題の中には、「**誤っているものはどれか**」を選ばせる問題があります。この場合、**正解肢とは、正しい記述という意味ではありません。**

「誤っているものはどれか」という設問の場合は、正しくない、つまり誤っている記述をしている肢が、正解肢なのです。これは、5肢択一や4肢択一形式の試験を勉強するときに使われる**特別の用語法**なので、覚えておいてください。

7割ゲットできるポイント集！

- 筋肉は、大きく横紋筋（おうもんきん）と平滑筋（へいかつきん）の2つに分けられます。
- 筋肉でも、意志によって動くものを随意筋（ずいいきん）、自律神経の作用で（自動的、機械的に）動くものを不随意筋（ふずいいきん）といいます。

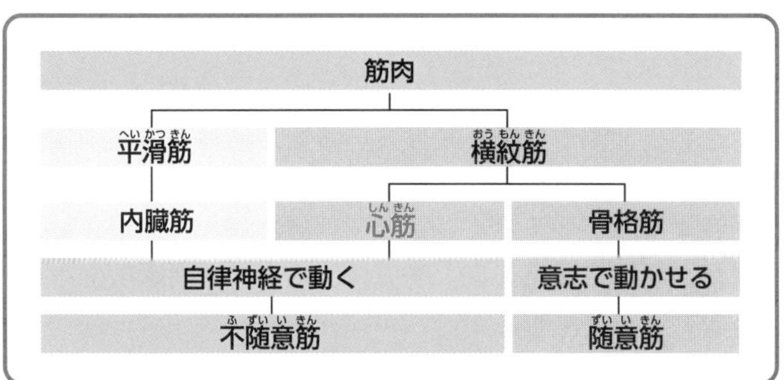

- 筋肉の収縮には、等尺性収縮（とうしゃく）と等張性収縮（とうちょう）があります。

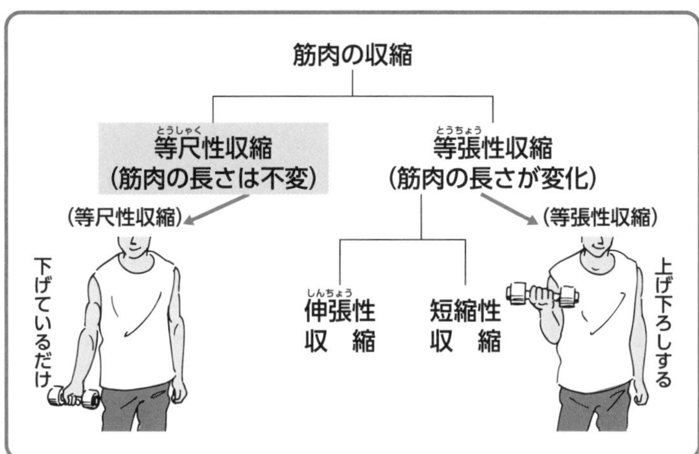

- 筋肉には、以下の特徴があります。

❶筋肉が引き上げられるものの重さは、筋肉の太さに比例する。
❷筋肉がものを引き上げる高さは、筋肉の長さに比例する。
❸筋肉は、収縮する瞬間に最大の力を出す。
❹負荷する重さが適当なとき、筋肉の仕事量が最大になる。
❺筋収縮の速度が適当なとき、仕事の効率が最大になる。

問題 1 【令和3年前期（第2種）】

1回目 2回目 3回目

筋肉に関する次の記述のうち、正しいものはどれか。

⑴ 横紋筋は、骨に付着して身体の運動の原動力となる筋肉で意志によって動かすことができるが、平滑筋は、心筋などの内臓に存在する筋肉で意志によって動かすことができない。

⑵ 筋肉は神経からの刺激によって収縮するが、神経より疲労しにくい。

⑶ 荷物を持ち上げたり、屈伸運動を行うときは、筋肉が長さを変えずに外力に抵抗して筋力を発生させる等尺性収縮が生じている。

⑷ 強い力を必要とする運動を続けていると、筋肉を構成する個々の筋線維の太さは変わらないが、その数が増えることによって筋肉が太くなり筋力が増強する。

⑸ 筋肉自体が収縮して出す最大筋力は、筋肉の断面積１㎠当たりの平均値をとると、性差や年齢差がほとんどない。

問題 2 【平成28年後期】

1回目 2回目 3回目

筋肉に関する次の記述のうち、誤っているものはどれか。

⑴ 筋肉は、神経から送られてくる刺激によって収縮するが、神経に比べて疲労しやすい。

⑵ 筋収縮には、グリコーゲン、りん酸化合物などのエネルギー源が必要で、特に、直接のエネルギーはATPの加水分解によってまかなわれる。

⑶ 筋肉中のグリコーゲンは、筋肉の収縮時に酸素が不足していると、水と二酸化炭素にまで分解されず乳酸になる。

⑷ 荷持を持ち上げたり、屈伸運動を行うときは、筋肉が長さを変えずに外力に抵抗して筋力を発生させる等尺性収縮が生じている。

⑸ 運動することによって筋肉が太くなることを筋肉の活動性肥大という。

A 正解は(5)

(1) × 横紋筋、平滑筋の説明は正しいが、誤りは心筋を平滑筋としていることである。**心筋**は、たしかに意志によって動かすことのできない不随意筋だが、平滑筋ではなく**横紋筋**なのだ。

(2) × 日常の感覚でも、**筋肉**は疲れやすい。少し運動が過ぎると、**筋肉痛**を起こしたりする。**神経**も、たしかに疲労はするが、**筋肉**ほど顕著ではない。

(3) × **荷物を持ち上げたり**、**屈伸運動**をしたりするときは、筋肉の**長さは変わる**。したがって、筋肉の長さが変わらない等尺性収縮ではない。こちらは、**等張性収縮**という。

(4) × 筋肉を鍛えると、**筋繊維の太さ**が**増大**することによって、より逞しい体になる。筋繊維の**量が増える**のではない。

(5) ○ 筋肉が収縮して出す最大筋力には性差や年齢差はほとんどない。筋力の差は筋線維の太さによる。また、「筋肉は、**収縮する瞬間**に**最も大きい力**を出す」。

A 正解は(4)

(1) ○ 日常の感覚でも、**筋肉は疲れやすい**。**神経も疲労するが、筋肉よりは緩やかだ**。

(2) ○ やや難しい知識である。**筋収縮**には、**ATPの加水分解**などによる**エネルギー源**が必要である。

(3) ○ これはよく出題される肢。きっちり覚えよう。筋肉の収縮の際には酸素が必要だが、酸素が不足していると、乳酸が発生する。「**酸素不足は、乳酸になる**」と覚えるとよい。

(4) × 荷物を持ち上げたり、屈伸運動をすることは、**筋肉の長さが変わる**わけだから、**等張性収縮**である。**等尺性収縮**とは、荷物を下げているだけのように、**筋肉の長さが変わらない運動**をいう（等尺の「尺」とは、「長さ」という意味）。
等張性収縮と等尺性収縮を取り違えた出題である。

(5) ○ 運動をすれば、使った筋肉は太くなったり、強化される。これを、**活動性肥大**という。これは、常識でも○をつけるのではなかろうか。

試験前夜に目を通したい必須重要ポイント

確認したら☑しよう!!

□肺胞内の空気と肺胞を取り巻く毛細血管中の血液との間で行われるガス交換を、外呼吸という。一方、体の各組織と血液との間のガス交換は、内呼吸という。

□呼吸運動は、肋間筋と横隔膜の協調運動で、胸郭内容積を周期的に増減させて行われる。

□呼吸中枢は延髄にあり(**エンコ**)、その刺激で呼吸に関する筋肉は支配される。

□大動脈を流れる血液は、酸素に富む動脈血だが、肺動脈を流れる血液は、二酸化炭素が多い静脈血である。

□心筋は、内臓筋であり、不随意筋ではあるが、異色の存在で横紋筋である。

□血液が凝固するのは、同一人の中で、水溶性のフィブリノーゲン(線維素原)が、非水溶性のフィブリン(線維素)に変化するからである。

□血漿(血液の液体成分)の中には、蛋白質のグロブリンやアルブミンがあり、グロブリンには、免疫反応があり、免疫グロブリンともよばれる(**メングロ**)。

□末梢神経の1つである体性神経には、体が感じた感覚(情報)を脳に伝える感覚神経と、それを受けた脳が、体の器官に運動を命令する運動神経がある。

□大脳皮質は、灰白質で、肉眼で見れば灰色に見え、髄質は、白質で白色に見える。

□網膜の錐状体は、色を感じ、杆状体は、明暗を感じる(**スイ・シキ・カン・メイ**)。

□内耳には、蝸牛、前庭、半規管がある。蝸牛は、聴覚をにない、前庭、半規管は、平衡感覚を受け持つ(前庭＝体の傾きの方向、半規管＝体の回転の方向・速度)。

□肝臓は、ブドウ糖(炭水化物)をグリコーゲンに変えて貯蔵し、必要があればブドウ糖に戻す。どうしても不足すると、血液中の蛋白質から糖新生を行う。

□肝臓は、蛋白質の代謝を担っており、グロブリンやアルブミンなど血漿蛋白をつくる。また、余分なアミノ酸(蛋白質)を分解して、尿素にする。

□肝臓は、胆汁を分泌し、脂肪の消化吸収を助ける。

□無機塩やビタミン類には、酵素によって分解される過程はなく、そのまま小腸の腸壁から吸収される。

□尿の成分は、95%が水分で残りは固形物。弱酸性で、比重は約1である。

□主な蛋白質と血球は、ボウマン嚢には濾し出されない。

□内分泌は、ホメオスタシス(恒常性)を保つ働きをする。インスリンは、血糖値を下げ、コルチゾール、グルカゴン、アドレナリンは、血糖量を増加させる。

□筋肉中のグリコーゲンは、酸素の供給が不十分だと、乳酸にしかならない。

□ストレスは、ストレッサー(外部刺激)が適度であれば、心身を活性化させる。

□BMIの計算式は、「体重(kg)÷身長^{2}(m)」である。身長はmに換算して計算。

□体温調節中枢は、間脳の視床下部にある。

第 2 章

関係法令（有害業務に係るもの）

出る順予想ランキング

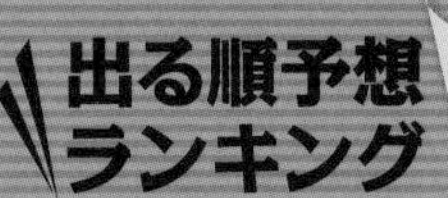

第1位

出題の定型を押さえましょう!

安全衛生管理体制（作業主任者を含む）

労働安全衛生法によって定められた事項を実現するための体制を「安全衛生管理体制」といい、作業現場に密着した作業主任者とともに、衛生管理者試験の重要なポイントです。

1 どこが出るか、どんな出方をするか

安全衛生管理体制は、この試験で、最も要（かなめ）の部分です。労働安全衛生法で決められたことも、それを**実現するのは**、**人**に他なりません。

では、それは**どんな人**なのでしょう。職場での地位は？　資格は必要？　1事業所に何人必要？　専任・専属である必要は？　職務は？

これらを総合して「**安全衛生管理体制**」といいます。

具体的には、**総括安全衛生管理者**、**衛生管理者**、**産業医**、**労働衛生コンサルタント**、**衛生工学衛生管理者**が、それぞれ役割を分担して衛生管理体制を築きあげます。

この人たちは、現場に立って仕事をするとは限りませんが、一方、必ず現場で労働安全衛生体制を守るのが**作業主任者**です。第1位は、これらすべてを含めて出題されます。

2 解答のコツ！

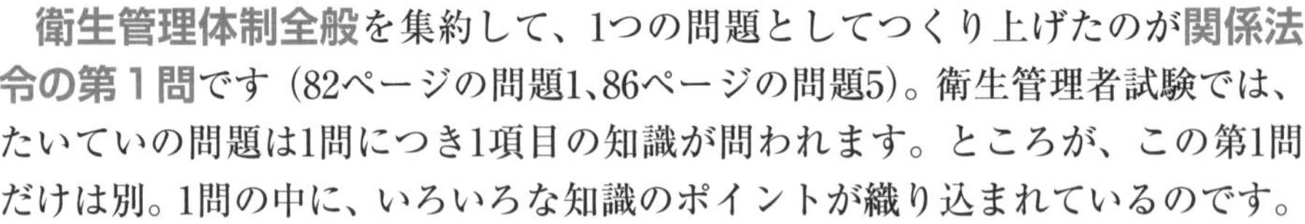

衛生管理体制全般を集約して、1つの問題としてつくり上げたのが**関係法令の第1問**です（82ページの問題1、86ページの問題5）。衛生管理者試験では、たいていの問題は1問につき1項目の知識が問われます。ところが、この第1問だけは別。1問の中に、いろいろな知識のポイントが織り込まれているのです。

ですから、これは、**難問中の難問**。答えを出すのに、かなり時間がかかります。しかも、たいていの人は、頭が混乱してきます。

時間をかけて、間違いのないようじっくりと問題に取り組みましょう。

7割ゲットできるポイント集！

● 業種に関係なく、常時50人以上の労働者がいる事業所は、衛生管理者を置く必要があります（常時10～49人の場合、衛生推進者でよい）。

常時使用する労働者数と衛生管理者数

必ず覚えること

常時使用する労働者の数	必要な衛生管理者数	専任の必要性
50人以上で200人まで	1人以上	専任の必要はない
200人を超えて500人まで	2人以上	
500人を超えて1,000人まで	3人以上	坑内労働または特定の（87ページ参照）有害業務に30人以上従事する場合のみ1人を専任とする
1,000人を超えて2,000人まで	4人以上	1人を専任とする
2,000人を超えて3,000人まで	5人以上	
3,000人を超える	6人以上	

※なお、「以上」と「超（超える）」の違いに注意。例えば「50人以上」は50人を含む。

● 健康管理についての医学的知識がある医師を産業医として選任します。

事業所	選任
常時50人以上の事業所	選任する必要あり
常時1,000人以上の事業所	1人以上専属であること
有害業務（深夜業を含む）に常時500人以上の事業場	
常時3,000人超の事業場	2人以上選任する必要あり

● 作業主任者とは、安全確保のために、現場の労働者を指揮したり、機械や安全装置の点検を行う者のことです。作業の違いで、①都道府県労働局長の免許を受けなければなれない主任者と、②登録団体による技能講習を修了すればなれる主任者がいます。

● 一定の危険・有害作業を行う場合は、作業主任者を選任しなければなりません（下の表の内容は、試験に頻出）。

作業主任者を選任すべき主な作業の例（全体では、30種類以上）

作業	取得方法
❶高圧室内作業 ❷エックス線照射装置を使用する放射線業務にかかわる作業 ❸ガンマ線照射装置を用いて行う透過写真の撮影の作業	免許試験に合格して取得
④特定化学物質を製造し、または取り扱う業務 ⑤鉛（なまり）業務にかかわる作業 ⑥四（し）アルキル鉛（えん）業務にかかわる作業 ⑦酸素欠乏危険場所における作業 ⑧有機溶剤を製造し、または取り扱う業務にかかわる作業 ⑨石綿（いしわた）等を取り扱う業務にかかわる作業	技能講習修了で取得

※④⑧については「試験研究のため取り扱う作業」を除く。

問題 1 【令和6年前期】

1回目 2回目 3回目

常時600人の労働者を使用する製造業の事業場における衛生管理体制に関する(1)～(5)の記述のうち、法令上、誤っているものはどれか。

ただし、600人中には、製造工程において次の業務に常時従事する者がそれぞれに示す人数含まれているが、試験研究の業務はなく、他の有害業務はないものとし、衛生管理者及び産業医の選任の特例はないものとする。

深夜業を含む業務 ……………………………………………300人
多量の低温物体を取り扱う業務 ……………………………100人
特定化学物質のうち第三類物質を製造する業務 ………20人

(1) 総括安全衛生管理者を選任しなければならない。
(2) 衛生管理者のうち1人を、衛生工学衛生管理者免許を受けた者のうちから選任しなければならない。
(3) 衛生管理者のうち少なくとも1人を、専任の衛生管理者としなければならない。
(4) 産業医としての法定の要件を満たしている医師で、この事業場に専属でないものを産業医として選任することができる。
(5) 特定化学物質作業主任者を選任しなければならない。

問題 2 【令和5年前期】

1回目 2回目 3回目

次の免許のうち、労働安全衛生法令に定められていないものはどれか。

(1) 潜水士免許
(2) 高圧室内作業主任者免許
(3) エックス線作業主任者免許
(4) 石綿作業主任者免許
(5) ガンマ線透過写真撮影作業主任者免許

A　正解は(2)

(1)　○　正しい。製造業における**総括安全衛生管理者**の選任要件は、常時使用する労働者数が**300人以上**。

(2)　×　誤り。**衛生工学衛生管理者**を選任しなければならない有害業務に、**深夜業**、**多量の低温物体**、**特定化学物質第三類**は含まれていない。

(3)　○　正しい。この事業場では常時**500人以上**の労働者を使用し、有害業務（多量の低温物体を取り扱う業務）に常時**30人以上**の労働者を従事させているので、少なくとも1人は**専任の衛生管理者**となる。

(4)　○　正しい。産業医が**専属となる要件**は下記の通り。
・常時**1,000人以上**の労働者を使用する事業場
・特定の有害業務に常時**500人以上**の労働者を従事させる事業場

(5)　○　正しい。**特定化学物質**を使用する事業場では、**特定化学物質作業主任者**を選任しなければならない。

A　正解は(4)

(1)　○　潜水士は免許が必要な業務。ただし、作業主任者の選任は不要。

(2)　○　高圧室内作業は免許が必要な業務で、作業主任者の選任も必要。

(3)　○　エックス線作業は免許が必要な業務で、作業主任者の選任も必要。

(4)　×　**石綿作業**は免許ではなく、**技能講習**でよい。作業主任者の選任は必要。

(5)　○　ガンマ線透過写真撮影作業は免許が必要で、作業主任者の選任も必要。

得点力をもっとUPする ワンポイント知識

●**専任の衛生管理者**　衛生管理者のうち（少なくとも）1人は専任としなければならない要件は、
①常時使用労働者数が**500人を超え**、かつ
②**特定の有害業務**（P.86）に**30人以上**が従事している事業場

●**衛生工学衛生管理者**　衛生管理者のうち（少なくとも）1人は衛生工学衛生管理者の資格を持つ者を選任しなければならない要件は、
①常時使用労働者数が**500人を超え**、かつ
②**特定の有害業務**（P.86）のうち、❶❸❹❺❾に**30人以上**が従事している事業場（常時1,000人以上の規定はない）

問題 3 【令和3年後期】

1回目 2回目 3回目

衛生管理者及び産業医の選任に関する次の記述のうち、法令上、定められていないものはどれか。

ただし、衛生管理者及び産業医の選任の特例はないものとする。

(1) 常時500人を超える労働者を使用し、そのうち多量の高熱物体を取り扱う業務に常時30人以上の労働者を従事させる事業場では、選任する衛生管理者のうち少なくとも1人を専任の衛生管理者としなければならない。

(2) 深夜業を含む業務に常時550人の労働者を従事させる事業場では、その事業場に専属の産業医を選任しなければならない。

(3) 常時3,300人の労働者を使用する事業場では、2人以上の産業医を選任しなければならない。

(4) 常時600人の労働者を使用し、そのうち多量の低温物体を取り扱う業務に常時35人の労働者を従事させる事業場では、選任する衛生管理者のうち少なくとも1人を衛生工学衛生管理者免許を受けた者のうちから選任しなければならない。

(5) 2人以上の衛生管理者を選任すべき事業場では、そのうち1人については、その事業場に専属でない労働衛生コンサルタントのうちから選任することができる。

問題 4 【令和4年前期】

1回目 2回目 3回目

次のAからDの作業について、法令上、作業主任者の選任が義務付けられているものの組合せは(1)～(5)のうちどれか。

A 乾性油を入れてあるタンクの内部における作業

B セメント製造工程においてセメントを袋詰めする作業

C 溶融した鉛を用いて行う金属の焼入れの業務に係る作業

D 圧気工法により、大気圧を超える気圧下の作業室の内部において行う作業

(1) A，B

(2) A，C

(3) A，D

(4) B，C

(5) C，D

A　正解は(4)

近年、**産業医**についての出題が目立っている。社員の健康問題が、**生産性向上**を阻害しているという認識が、官側にもあるからだろう。「働き方改革」でも、強化項目として取り上げられている。

すなわち、①事業者から産業医への**情報提供**を充実・強化する。②産業医の活動と**衛生委員会**との関係を**強化**する、③産業医等による労働者の**健康相談**を強化する。④**事業者**による**労働者**の健康情報の適正な取扱いを推進する、だ。今後、出題されるかも知れないので、押さえておこう。

さて、出題の解説だが――

(1)　○　1）**常時500人を超え**、なおかつ2）一定の**有害業務に常時30人以上**従事させているのだから、選任する衛生管理者のうち、1人は**専任**でなければならない。

(2)　○　注意したいのは、この場合の有害業務には、**深夜業も含む**ということだ。深夜業も含む業務に常時500人以上の労働者を従事させているのだから、専属の産業医の選任が必要である。

(3)　○　**3,000人以上**なら、2人以上の選任が必要である。

(4)　×　定められていない。なぜなら「**多量の低温物体**を扱う業務や**著しく寒冷な場所**における業務」は、ここでいう「有害業務」として指定され**ていない**からだ。これは、とくに力を入れて覚えておこう。

(5)　○　多くの問題で、1肢として出題されることが多いが、**文句なしに正しい**。一種のサービス選択肢といえよう。

A　正解は(3)

A　酸素欠乏危険作業に該当する。選任が必要。

B　粉じん作業に該当する。選任の必要はない。

C　鉛作業ではあるのだが、選任を必要とする鉛作業ではない。鉛作業にはこのように選任が不要となる業務があるので、受験対策としてこの業務は不要であることは覚えておきたい。

D　高圧室内作業に該当する。選任が必要。

問題 5 【令和2年後期】

1回目 2回目 3回目

常時800人の労働者を使用する製造業の事業場における衛生管理体制に関する(1)～(5)の記述のうち、法令上、誤っているものはどれか。

ただし、800人中には、製造工程において次の業務に常時従事する者が含まれているが、他に有害業務に従事している者はいないものとし、衛生管理者及び産業医の選任の特例はないものとする。

鉛の粉じんを発散する場所における業務 ……………… 30人
深夜業を含む業務 …………………………………………… 300人

(1) 衛生管理者は、3人以上選任しなければならない。
(2) 衛生管理者のうち1人については、この事業場に専属ではない労働衛生コンサルタントのうちから選任することができる。
(3) 衛生管理者のうち1人を、衛生工学衛生管理者免許を有する者のうちから選任しなければならない。
(4) 衛生管理者のうち少なくとも1人を、専任の衛生管理者として選任しなければならない。
(5) 産業医は、この事業場に専属の者を選任しなければならない。

得点力をもっとUPする ワンポイント知識

● **専属の産業医**　常時使用労働者数が**1,000人を超える**か、深夜業を含む特定の有害業務に常時**500人以上**の労働者が従事している事業場は、１人以上の専属の産業医を選任しなければならない。

※**特定の有害業務とは**

❶多量の高熱物体を取り扱う業務および著しく暑熱な場所での業務
❷多量の低温物体を取り扱う業務および著しく寒冷な場所での業務
❸ラジウム放射線、エックス線その他有害放射線にさらされる業務
❹土石、獣毛などのじんあいや粉末が著しく飛散する場所での業務
❺異常気圧下における業務
❻削岩機、鋲打機などの使用により身体に著しい振動を与える業務
❼重量物の取り扱いなど、重激なる業務
❽ボイラー製造など強烈な騒音を発する場所における業務
❾有害物の粉じんや蒸気、ガスを発散する場所での業務
有害物とは…鉛、水銀、クロム、ヒ素、黄燐、フッ素、塩素、塩酸、硝酸、亜硫酸、硫酸、一酸化炭素、二硫化炭素、青酸、ベンゼン、アニリンのほか、これらに準ずる有害物

A　正解は(5)

(1)　○　81ページの表にあるとおり、**常時501人から1,000人まで**の労働者を使用する事業場では、**3人以上の衛生管理者**を選任しなければならない。

(2)　○　**2人以上の衛生管理者**を選任する場合、そのうちの**1人は専属でない労働衛生コンサルタント**を選任できるので、正しい。

(3)　○　衛生管理者のうち1人を、**衛生工学衛生管理者**免許を有する者のうちから選任しなければならないのは、①**常時500人を超える労働者を使用し**、②そのうち**一定の有害業務に常時30人以上従事させる事業場**である。

設問の事業場は、これに該当するので、正しい。

(4)　○　衛生管理者のうち少なくとも1人を、**専任の衛生管理者**として選任しなければならないのは、①**常時1000人を超える労働者を使用**するか、②**常時500人を超える労働者を使用**し、そのうち**一定の有害業務に常時30人以上**従事させる事業場である。

設問の事業場は、これに該当するので、正しい。

(5)　×　産業医は、専属の者でなくともいいので、専属の者を選任するかどうかは、事業者の任意である。

産業医が専属である必要があるのは、①**常時1,000人以上の労働者を使用**する場合か、②**一定の有害業務に常時500人以上使用する事業場**の場合だが、設問の事業場は、全体の労働者も1,000人以下で、有害業務も500人以下なので、専属である必要はない。

この場合、**深夜業が有害業務に該当するかどうか**が問題になるが、**産業医の場合は該当**する。しかし、深夜業に従事するのが300人で、他の有害業務に従事するのが30人であるから、併せて330人で、「有害業務に常時500人以上」の労働者を使用するわけではない。したがって、産業医は専属の者でなくてよい。

なお、**深夜業**は、産業医に関しては、有害業務とされるが、**専任の衛生管理者**や**衛生工学衛生管理者**の規定に関しては、**有害業務として扱われない**。この違いは、よく記憶しておこう。

出題の定型を押さえましょう!

有機溶剤中毒予防規則

「有機溶剤中毒予防規則」に関しては、有機溶剤の種別と含有率、5%がよく出ます。その他に「第3種の作業主任者の選任義務（アリ）」「局所排気装置」も重要です。

1 どこが出るか、どんな出方をするか

第1の注目点は、「**5%**」です。有機溶剤は、他との**混合物**であっても、有機溶剤を重量全体の5%を超えて**含有**していれば、**有機溶剤含有物**とされます。この「5%」を、10%として、出題される問題がよく出ます。

また、有機溶剤は、危険・有害の順に、**第1種から第3種**までに分かれますが、混合物であっても、その種（例えば第2種）の物質を重量の**5%以上を含んで**いれば、**その種**（例えば第2種）**に分類**されます。

第2の注目点は、「**作業主任者**」です。屋内作業場では、かりに第3種であっても、**作業主任者の選任が必要**。「第3種なら不要」は×です。また、作業主任者の資格は**講習**で取得でき、衛生管理者である必要はありません。

第3の注目点は、「**局所排気装置**」「**1年以内ごとに1回**」「**1.5m以上**」です。第1種、第2種の業務、**第3種のタンク内業務**（吹付け）は、局所排気装置やプッシュプル型換気装置が必要です。そして、その**定期自主検査**義務は、原則「**1年以内ごとに1回**」です（他は、問題例をご参照）。

2 解答のコツ！

時として、出題文が長文で出されます。でも、それで戸惑う必要はありません。長い文章の中に、**上の3つの注目点のどれかが埋め込まれている**場合がほとんど。すばやく点検して見つけ出すのがコツです。

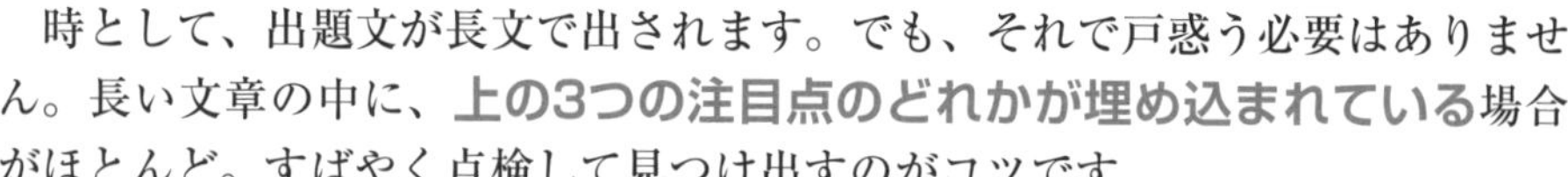

見つけたら、それが**正解肢**！　ただちに、マークシートのその箇所に鉛筆を走らせましょう。

7割ゲットできるポイント集！

- 有機溶剤とは、物を溶かす性質をもち、有機化合物の総称です。
- 有機溶剤は、常温、常圧では液体ですが、ガスの状態で呼吸から侵入する場合もあります。
- 有機溶剤業務に従事する労働者（原則として第1種、第2種のみ）には、6か月以内ごとに1回、定期に健康診断を行う。

- 安衛法（あんえいほう）では、有機溶剤を危険度に応じて第1～3種に分類し、色分けして管理することを求めています。

種類	色分け	内容
第1種有機溶剤等（7種類）	赤色	有害性が高く、蒸気圧が高いもの。単一物質のほか、全重量の5%を超えて含有する混合物も含む。
第2種有機溶剤等（40種類）	黄色	第1種に次ぐ有害度。単一物質のほか、全重量の5%を超えて含有する混合物。
第3種有機溶剤等（7種類）	青色	第1種、第2種以外。石油系溶剤や植物系溶剤で、沸点が約200℃以下のもの。

有機溶剤の管理と取り扱い

❶密閉（みっぺい）装置や局所排気装置などを設ける。
❷定期自主検査を実施する（1年以内ごとに1回。記録は3年保存）。
❸有機溶剤作業主任者を選任する（第3種でも。技能講習修了者から選任）。
❹作業環境測定を実施する（第1、2種のみ。第3種が入らないことに注目のこと。6か月以内ごとに1回。記録は3年保存）。
❺健康診断を実施する（第1、2種の絡む屋内作業場とタンク内部での第3種の業務。記録は5年保存）。

問題 1 【令和6年前期】

1回目 2回目 3回目

有機溶剤作業主任者の職務として、法令上、定められていないものは次のうちどれか。

ただし、有機溶剤中毒予防規則に定める適用除外及び設備の特例はないものとする。

(1) 作業に従事する労働者が有機溶剤により汚染され、又はこれを吸入しないように、作業の方法を決定し、労働者を指揮すること。

(2) 保護具の使用状況を監視すること。

(3) タンクの内部において有機溶剤業務に労働者が従事するときは、退避設備の整備等法定の措置が講じられていることを確認すること。

(4) 局所排気装置、プッシュプル型換気装置又は全体換気装置を1か月を超えない期間ごとに点検すること。

(5) 第一種有機溶剤等又は第二種有機溶剤等に係る有機溶剤業務を行う屋内作業場について、作業環境測定を実施すること。

問題 2 【令和4年後期】

1回目 2回目 3回目

有機溶剤等を取り扱う場合の措置について、有機溶剤中毒予防規則に違反しているものは次のうちどれか。

ただし、同規則に定める適用除外及び設備の特例はないものとする。

(1) 屋内作業場で、第二種有機溶剤等が付着している物の乾燥の業務に労働者を従事させるとき、その作業場所の空気清浄装置を設けていない局所排気装置の排気口で、厚生労働大臣が定める濃度以上の有機溶剤を排出するものの高さを、屋根から2mとしている。

(2) 第三種有機溶剤等を用いて払しょくの業務を行う屋内作業場について、定期に、当該有機溶剤の濃度を測定していない。

(3) 屋内作業場で、第二種有機溶剤等が付着している物の乾燥の業務に労働者を従事させるとき、その作業場所に最大0.4m/sの制御風速を出し得る能力を有する側方吸引型外付け式フードの局所排気装置を設け、かつ、作業に従事する労働者に有機ガス用防毒マスクを使用させている。

(4) 屋内作業場で、第二種有機溶剤等を用いる試験の業務に労働者を従事させるとき、有機溶剤作業主任者を選任していない。

(5) 有機溶剤等を入れてあった空容器で有機溶剤の蒸気が発散するおそれのあるものを、屋外の一定の場所に集積している。

A　正解は(5)

【有機溶剤中毒予防規則】（有機溶剤作業主任者の職務）

第19条の２　事業者は、有機溶剤作業主任者に次の事項を行わせなければならない。

一　作業に従事する労働者が有機溶剤により汚染され、またはこれを吸入しないように、作業の方法を決定し、労働者を指揮すること。

二　局所排気装置、プッシュプル型換気装置又は全体換気装置をひと月を超えない期間ごとに点検すること。

三　保護具の使用状況を監視すること。

四　タンクの内部において有機溶剤業務に労働者が従事するときは、第二十六条各号（第二号、第四号および第七号を除く）に定める措置が講じられていることを確認すること。

したがって、法令上、定められていないものは(5)で、有機溶剤の作業環境測定は、**作業環境測定士**が行う。(1)**第一項**の内容。(2)**第三項**の内容。(3)**第四項**の内容。(4)**第二項**の内容。

A　正解は(3)

(1)　○　**排気口の高さは屋根から1.5m以上**と規定されている。また、局所排気装置に空気清浄装置の設置は義務づけられていない。

(2)　○　**作業環境の測定**が義務づけられているのは、有機溶剤のうち第1種及び第２種である。**第3種には義務づけられていない**。

(3)　×　局所排気装置の制御風速はフードの種類によって規定されている。**外付け式フードの側方吸引型は0.5m/s以上**なので、0.4m/sでは不足している。

※**囲い式フード0.4m/s以上**、外付け式フードの上方1.0m/s以上、外付け式フードの側方・下方0.5m/s以上。

(4)　○　有機溶剤業務は作業責任者を選任すべき業務だが、**試験又は研究の業務の場合は選任しなくともよい**。

(5)　○　空容器で有機溶剤の蒸気が発散するおそれのあるものは、密閉するか屋外の一定の場所に集積しておかなければならない。

問題 3 【令和3年後期】

1回目 2回目 3回目

屋内作業場において、第二種有機溶剤等を使用して常時洗浄作業を行う場合の措置として、有機溶剤中毒予防規則上、正しいものは次のうちどれか。

ただし、同規則に定める適用除外及び設備の特例はないものとする。

(1) 作業場所に設ける局所排気装置について、外付け式フードの場合は最大で0.4m/sの制御風速を出し得る能力を有するものにする。

(2) 作業中の労働者が有機溶剤等の区分を容易に知ることができるよう、容器に青色の表示をする。

(3) 有機溶剤作業主任者に、有機溶剤業務を行う屋内作業場について、作業環境測定を実施させる。

(4) 作業場所に設けたプッシュプル型換気装置について、1年を超える期間使用しない場合を除き、1年以内ごとに1回、定期に、自主検査を行う。

(5) 作業に常時従事する労働者に対し、1年以内ごとに1回、定期に、有機溶剤等健康診断を行う。

問題 4 【令和2年後期】

1回目 2回目 3回目

有機溶剤業務を行う場合等の措置について、有機溶剤中毒予防規則に違反しているものは次のうちどれか。

ただし、同規則に定める適用除外及び設備の特例はないものとする。

(1) 屋内作業場で、第二種有機溶剤等が付着している物の乾燥の業務に労働者を従事させるとき、その作業場所の空気清浄装置を設けていない局所排気装置の排気口で、厚生労働大臣が定める濃度以上の有機溶剤を排出するものの高さを、屋根から2mとしている。

(2) 第三種有機溶剤等を用いて払しょくの業務を行う屋内作業場について、定期に、当該有機溶剤の濃度を測定していない。

(3) 有機溶剤業務に常時従事する労働者に対し、1年以内ごとに1回、定期に、有機溶剤等健康診断を行っている。

(4) 屋内作業場で、第二種有機溶剤等を用いる試験の業務に労働者を従事させるとき、有機溶剤作業主任者を選任していない。

(5) 有機溶剤等を入れてあった空容器で有機溶剤の蒸気が発散するおそれのあるものを、屋外の一定の場所に集積している。

A 正解は(4)

正解の(4)は、よく出題される肢なので、ここでしっかり覚え切りたい。

(1) × **囲い式フード**の場合は制御風速が**0.4m/s**を出し得る能力を有するものとなっている。**外付け式フード**の場合は、側方吸引型は**0.5m/s**、下方吸引型は0.5 m/s、上方吸引型は1.0m/sと定められている。

(2) × **第二種有機溶剤等**の容器は**黄色**。**青色**は**第三種有機溶剤等**である。**第一種有機溶剤等**は**赤色**。最も有害性が高い第一種は赤、第一種の次に有害度が高い第二種は黄色、第一種・第二種以外の第三種は青。**交通信号**と同じと覚えておこう。

(3) × 作業環境測定を行うのは有機溶剤作業主任者**でなくてもよい**。

(4) ○ 機械は原則として**1年以内**ごとに**1回**、**定期検査**を行う。自主検査でよい。

(5) × 健康診断は**6か月以内**ごとに**1回**行う。(4)のような機械については**1年以内**、人に関わる濃度測定と健康診断は**6か月以内**。

A 正解は(3)

(1) **違反していない** 空気清浄装置を設けていない**局所排気装置**の排気口で、厚生労働大臣が定める濃度以上の有機溶剤を排出するものの**高さ**は、屋根から**1.5m以上**とすればよい。2mなら、この規定をゆうゆう超える。

(2) **違反していない** **第1種**、**第2種**を用いる屋内作業場では、**6か月以内**ごとに**1回**、空気中の**有機溶剤の濃度**を測定しなければならないが、**第3種**にはこの**義務がない**。なぜなら、第3種は危険、有害度が低いからである。なお、**作業主任者の選任**は、**第3種でも必要**なので、混同しないこと。

(3) **違反している** 有機溶剤は、危険度が高いので、**1年以内**ごとに1回では間が空きすぎる。定期は、**6か月以内**ごとに1回、行わなければならない（原則として、第1種、第2種のみ）。なお、そのほか**雇い入れ時**、**配置換え**の時も必要で、記録は**5年間**保存、**労働基準監督署長**へ**報告書**も提出しなければならない。

(4) **違反していない** **試験の業務**については、選任する**必要はない**。

(5) **違反していない** 空容器の処置の問題である。有機溶剤等が入れてあった空容器で、有機溶剤の**蒸気が発散するおそれのあるもの**は、その容器を**密閉**するか、屋外の**一定の場所に集積**しておかなければならない。

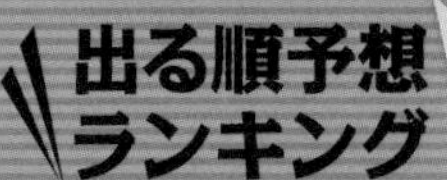

第3位

出題の定型を押さえましょう!

特定化学物質（製造許可他）

出題の傾向は、従来の「許可を得なければ製造できない物質」に加えて、「事業廃止時の提出報告書」にかかわる問題が、近年加わりました。これがアナかもしれません。

1 どこが出るか、どんな出方をするか

最近は「**厚生労働大臣の許可を受けなければ製造できない物質**」を5つの肢（物質名）の中から選ぶ出題が圧倒的に多いです。ところで、その物質は、特定化学物質のうちの第1類に分類されるものに限られます。これは7種類しかありませんから、面倒でもすべて暗記するのが得策です。ページの都合で、次々ページに一覧を載せましたので、活用してください。

他の出題としては、**事業廃止時の提出報告書に添付する記録**があります。

両者に共通しているのは、「**作業の記録**」「**作業環境測定の記録**」「**健康診断個人票**」の3点セット。これは後々、労働者が「どんな作業環境で、どんな作業をしていて、健康状態はどうだったか」を知るために必要な記録です。注意しておきましょう。

2 解答のコツ！

この科目、以前は基本的なポイントを並べた長文問題がしばしば出題されていました。**長文問題**の場合、あまり勉強していない人は、しり込みするかもしれません。しかも、細かい箇所を問う難問が多いです。

また、最近出ているのは、所轄労働基準監督署長に届出が必要な書類です。特定化学物質健康診断など、今後も出題されるかもしれません。

7割ゲットできるポイント集！

- 特定化学物質とは、安衛法（あんえいほう）が特に定めた化学物質で、危険度に応じて第1～3類に分類されます。

種類	性質
第1類物質（7種類）	危険度が極めて高いもの。製造に厚生労働大臣の許可が必要。 例）ジクロルベンジジン、ベリリウム、ベンゾトリクロリドなど
第2類物質（36種類）	第1類に次いで危険度が高い。 例）ベンゼン、コールタール、シアン化水素など
第3類物質（9種類）	この中では危険度が最小。第1類、第2類で義務化されている規制が、第3類では外されることが多い。そこが出題される。 例）硝酸、硫酸、塩化水素など

- 特定化学物質は、除じん方法、排ガス処理、排液処理、残さい物処理・ぼろ等の処理など、用後処理が細かく決められています。
- 特定化学物質の製造・取り扱いは、以下のように規制されます。

❶第1類の取り扱いは、原則、密閉（みっぺい）設備、局所排気装置（囲い式フードに限る）、プッシュプル型換気装置のいずれかを設置しなければなりません。
❷第2類の「製造」は、密閉式の構造でなければなりません。「取り扱い」に際し、粉状のものは湿潤な状態にすること。そうでない場合は、隔離室での遠隔操作が求められます。

- 特定化学物質の管理は、以下のように定められています。クロム酸、砒素（ひそ）等の特別管理物質の記録は、**保存期間が長い（30年間）**ので注意が必要。

定期自主検査	・局所排気装置、プッシュプル型換気装置、除（じょ）じん装置、排ガス処理装置、排液処理装置は、1年以内ごとに1回、定期的に自主検査をしなければならない（全体換気装置は対象外）。 ・特定化学設備は、2年以内ごとに1回。 ・記録の保存は3年間。
点検	これらの装置を①はじめて使うとき、②分解して改造・処理したときなどに、点検が必要。項目は、定期自主検査と同じ。
休憩室	作業場以外の場所に設ける（ただし、第3類は適用されない）。
作業環境測定の義務	・第1類物質、第2類物質は、6ヵ月以内ごとに1回、特定化学物質の濃度を測定しなければならない。記録は、3年間保存。 ・クロム酸、砒素等の特別管理物質の記録は、30年間保存。 ・なお、第3類物質は、作業環境測定の義務がないことに、特に注意。
特定化学物質作業主任者	・特定化学物質を取り扱う作業にあたって、特定化学物質作業主任者を選任する必要がある。 ・障害を予防するための作業方法を決め、労働者を指揮する。 ・関係装置等について、1か月を超えない期間ごとに点検する。 ・保護具の使用状況を監視する。

問題 1 【令和5年後期】

1回目 2回目 3回目

次の特定化学物質を製造しようとするとき、労働安全衛生法に基づく厚生労働大臣の許可を必要としないものはどれか。

(1) アルファ-ナフチルアミン
(2) 塩素化ビフェニル（別名ＰＣＢ）
(3) オルト-トリジン
(4) オルト-トルイジン
(5) ベンゾトリクロリド

問題 2 【令和3年後期】

1回目 2回目 3回目

事業者が、法令に基づく次の措置を行ったとき、その結果について所轄労働基準監督署長に報告することが義務付けられているものはどれか。

(1) 雇入時の有機溶剤等健康診断
(2) 定期に行う特定化学物質健康診断
(3) 特定化学設備についての定期自主検査
(4) 高圧室内作業主任者の選任
(5) 鉛業務を行う屋内作業場についての作業環境測定

問題 3 【平成30年前期】

1回目 2回目 3回目

特定化学物質の第一類物質に関する次の記述のうち、法令上、正しいものはどれか。

(1) 第一類物質は、「クロム酸及びその塩」をはじめとする７種の発がん性の認められた化学物質並びにそれらを一定量以上含有する混合物である。
(2) 第一類物質を製造しようとする者は、あらかじめ、物質ごとに、かつ、当該物質を製造するプラントごとに厚生労働大臣の許可を受けなければならない。
(3) 第一類物質を容器に入れ、容器から取り出し、又は反応槽等へ投入する作業を行うときは、発散源を密閉する設備、外付け式フードの局所排気装置又はプッシュプル型換気装置を設けなければならない。
(4) 第一類物質を取り扱う屋内作業場についての作業環境測定結果及びその評価の記録を保存すべき期間は、３年である。
(5) 第一類物質を取り扱う業務に常時従事する労働者に係る特定化学物質健康診断個人票を保存すべき期間は、５年である。

A　正解は(4)

前々ページの最上段の表のうち、「第1類物質（7種類）」という項目に注意してほしい。「製造に**厚生労働大臣**の**許可**が必要」とある。つまり、**製造許可物質**は、**特定化学物質**の**第1類物質**とまったく**同一**である。

すなわち、**ベリリウム、ベンゾトリクロリド、ジアニシジン、オルト-トリジン、ジクロルベンジジン、塩素化ビフェニル、アルファ-ナフチルアミン**である。

(1)(2)(3)(5)はこれらに該当する。該当しない(4)が正解である。

7種類の製造許可物質
ベリリウム
ベンゾトリクロリド
ジアニシジン
オルト－トリジン
ジクロルベンジジン
塩素化ビフェニル
アルファ－ナフチルアミン

A　正解は(2)

これは、なかなかの難問である。おそらく、ここに出題されているすべてに答えられる人はいないだろう。正答率は、きわめて低いに違いない。

「たまには、難問もなければ」という出題者側の表情が浮かびそうだ。

事業者は、**特殊健康診断**（有機溶剤等健康診断）で定期のものは、診断結果報告書を**所轄労働基準監督署長**に提出しなければならないことになっている。よって、正解は(2)である。

A　正解は(2)

(1)　×　**第1類物質の7種**は、出題頻度の高い「製造許可物質」と同一なので覚えておく必要がある。「クロム酸及びその塩」は第**2**類物質。

(2)　○　第1類物質は**物質**ごとに、かつ当該物質を製造する**プラント**ごとに厚生労働大臣の許可を受けなければならない。

(3)　×　第1類物質を容器に入れ、容器から取り出し、又は反応槽等へ投入する作業を行うときは、発散源を密閉する設備、「**囲い**式フード」の局所排気装置又はプッシュプル型換気装置を設けなければならない。

(4)　×　この記録の保存期間は、第1類物質の多くは**30**年である。

(5)　×　この個人票の保存期間は、**30**年である。

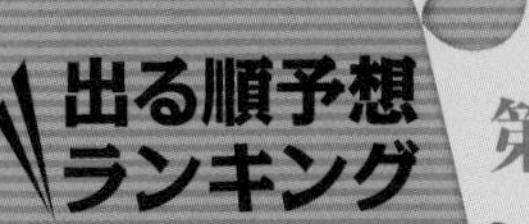

第4位

出題の定型を押さえましょう！

機械の譲渡制限等/定期自主検査

ここでは、①労働安全衛生法に規制される機械や装置の譲渡、貸与と②定期自主検査について、出題の傾向と対策を学びます。確実に出題される項目です。

1 どこが出るか、どんな出方をするか

労働安全衛生法は、危険な**機械**や、危険で有害な**化学物質**をいろいろな形で規制しています。そのうち、最もマークしなければならない問いが以下。「**厚生労働大臣が定める規格を具備しなければ、譲渡（じょうと）し、貸与（たいよ）し、または設置してはならない機械等に該当しないもの（あるいは、該当するもの）は、どれか**」。とにかく、この問題は、メチャメチャ出題されます。

次に、機械や装置等のうち、**定期自主検査**が必要なものと、そうでないものが出題されます（検査の頻度については、それほど出題されません）。

一方、**有害な物質**の方は、製造等が**禁止**される物質と、製造等に**許可**が必要な物質名が問われます。禁止と許可の区別が、大切です。

2 解答のコツ！

「大臣が定める規格を具備しなければ、譲渡等をしてはいけない機械等」については、ほとんどの場合**「該当するもの」ではなく「該当しないもの」について出題**されていました。しかし最近は「該当するもの」のほうの出題が、多くみられます（とくに**法改正**で「該当するもの」になった**電動ファン付き呼吸用保護具**には注意のこと）。

定期自主検査については、「**実施義務が規定されていないもの**」が問われます。例えば、**全体換気装置**（**ごく稀に例外あり**）です。これは、**義務の対象にならない**もの。ただ、最近は出題頻度が低くなっています。

有害な物質については、禁止よりも、**許可関係**の方が多く出題されます。

7割ゲットできるポイント集！

●製造に許可が必要な機械や、検定を受けなければならない機械は、厚生労働大臣が定める規格を具備していなければ、譲渡・貸与・設置ができません。　試験では「該当するもの」ではなく、次の表にある「該当しないもの」が肢としてよく登場していました。しかし最近は、「該当するもの」も出題されます。下記は〈該当しないもの〉の例です。

防振手袋	防音保護具
化学防護服	送気マスク／空気呼吸器／酸素呼吸器

●定期自主検査が必要な機械と検査頻度は、下記のようになります。また、これらの装置を①はじめて使用するとき、②分解して改造や処理をしたときは、記録を3年保存します。

対象となる機械	検査の頻度	
透過写真撮影用ガンマ線照射装置	1か月以内ごとに1回	
局所排気装置、プッシュプル型換気装置、除(じょ)じん装置、排ガス処理装置、排液処理装置	1年以内ごとに1回	※全体換気装置は定期点検不要
特定化学設備	2年以内ごとに1回	

※局所排気装置、プッシュプル型換気装置、除じん装置、排ガス処理装置、排液処理装置については、政令で必要とされたもののみが対象だが、95%の出題肢は対象となるものばかりだ。

●取り扱いに危険を伴う機械で政令で指定されたものを「特定機械等」といい、以下の様に「製造」と「検査」について規制をされています。

製造	都道府県労働局長の許可と、製造後の検査
譲渡	検査証（検査後に交付）が必要
貸与	検査証（検査後に交付）が必要

●次の有害物質は製造等（輸入、譲渡、提供、使用）が規制されています。

製造、輸入、譲渡、提供、使用を禁止（製造等禁止物質）	黄(おう)りんマッチ、ベンジジン、ベーターナフチルアミン、石綿(いしわた)
製造に厚生労働大臣の許可が必要（製造許可物質）	ジクロルベンジジン、ベリリウム、ベンゾトリクロリド、ジアニシジンなど（特定化学物質の第1類物質です）
譲渡、提供に表示[※1]が必要な有害物質	ベンゼン、ベンゼンを含有する製剤、製造許可物質

※1　表示内容：名称、成分、人体に及ぼす作用、貯蔵または取り扱い上の注意

問題 1 【令和6年後期】

1回目 2回目 3回目

厚生労働大臣が定める規格を具備しなければ、譲渡し、貸与し、又は設置してはならない機械等に該当しないものは、次のうちどれか。

(1) 放射線測定器
(2) 潜水器
(3) アンモニア用防毒マスク
(4) ろ過材及び面体を有する防じんマスク
(5) 排気量40cm³以上の内燃機関を内蔵するチェーンソー

問題 2 【令和5年前期】

1回目 2回目 3回目

次の装置のうち、法令上、定期自主検査の実施義務が規定されているものはどれか。

(1) 塩化水素を重量の20%含有する塩酸を使用する屋内の作業場所に設けた局所排気装置
(2) アーク溶接を行う屋内の作業場所に設けた全体換気装置
(3) エタノールを使用する作業場所に設けた局所排気装置
(4) アンモニアを使用する屋内の作業場所に設けたプッシュプル型換気装置
(5) トルエンを重量の10%含有する塗料を用いて塗装する屋内の作業場所に設けた局所排気装置

問題 3 【令和3年後期】

1回目 2回目 3回目

次のAからDの機械等について、法令上、厚生労働大臣が定める規格を具備しなければ、譲渡し、貸与し、又は設置してはならないものの組合せは(1)～(5)のうちどれか。

A 放射線測定器
B 防音保護具
C ハロゲンガス用防毒マスク
D 電動ファン付き呼吸用保護具

(1) A，B
(2) A，C
(3) A，D
(4) B，D
(5) C，D

A　正解は(1)

(1)の放射線測定器は該当しない。該当する機器は約50種もあるので、これをすべて覚えるのは困難。該当しないものとして、よく選択肢に使われるものには他に、**送気マスク**、**防音保護具**、**防振手袋**、**化学防護服**などがある。

厚生労働大臣が定める規格を具備すべき機械等は、多種にわたる（約50になる)。このうち、よく選択肢として使用される「該当するもの」として下記のものがある。

・**防毒マスク**（**有機ガス用**、**一酸化炭素用**、**ハロゲンガス用**、他にもアンモニア用、亜硫酸ガス用も該当する。これ以外の物質用は該当しない）
・**チェーンソー**(内燃機関を内蔵するものであって、排気量が40㎤以上のもの)
・電動ファン付呼吸用保護具
・防じんマスク（ろ過材、面体を有するものに限る）
・ガンマ線照射装置（医療用具で厚生労働大臣の定めるものを除く）
・エックス線装置（波高値による定格管電圧が10kV以上）

A　正解は(5)

特定化学設備と局所排気装置の対象物質は有機溶剤と特定化学物質。ただし、有機溶剤は第一種と第二種が対象で、第三種の場合はタンク等内部に限る。特定化学物質も第一類と第二類が対象。

(1)　×　規定されていない。**塩化水素**は**特定化学物質第三類**。
(2)　×　規定されていない。全体換気装置は定期自主検査の対象設備ではない。
(3)　×　規定されていない。**エタノール**は特定化学物質でも有機溶剤でもない。
(4)　×　規定されていない。アンモニアは**特定化学物質第三類**。
(5)　○　規定されている。**トルエン**は**第二種有機溶剤**。

A　正解は(5)

5つの肢の中から該当するもの、または該当しないものを1つ選ぶ形式ではなく、該当するもの2つの組合せを問うという形式で出題された。

Ｃの**ハロゲンガス用防毒マスク**とＤの**電動ファン付き呼吸用保護具**が該当する。

第2章 関係法令（有害業務に係るもの）

問題 4 【令和3年後期】

1回目 2回目 3回目

次の装置のうち、法令上、定期自主検査の実施義務が規定されているものはどれか。

(1) 木工用丸のこ盤を使用する屋内の作業場所に設けた局所排気装置
(2) 塩酸を使用する屋内の作業場所に設けた局所排気装置
(3) アーク溶接を行う屋内の作業場所に設けた全体換気装置
(4) フェノールを取り扱う特定化学設備
(5) アンモニアを使用する屋内の作業場所に設けたプッシュプル型換気装置

問題 5 【平成30年後期】

1回目 2回目 3回目

次の装置のうち、法令に基づく定期自主検査を行わなければならないものはどれか。

(1) 木材加工用丸のこ盤を使用する作業場所に設けた局所排気装置
(2) アーク溶接を行う屋内作業場に設けた全体換気装置
(3) エタノールを使用する作業場所に設けた局所排気装置
(4) アンモニアを使用する作業場所に設けたプッシュプル型換気装置
(5) 屋内の、フライアッシュを袋詰めする箇所に設けたプッシュプル型換気装置

問題 6 【平成30年前期】

1回目 2回目 3回目

厚生労働大臣が定める規格を具備しなければ、譲渡し、貸与し、又は設置してはならない機械等に該当するものは次のうちどれか。

(1) 送気マスク
(2) 酸素呼吸器
(3) 放射線測定器
(4) 工業用ガンマ線照射装置
(5) 検知管方式による一酸化炭素検定器

A 正解は(4)

事業者は、特定機械等や、その他の機械等で一定のものについては、定期的に**自主検査**を行うのが**義務**とされている。検査の頻度は、前々ページの表を見るのがいい。では、何が対象となるのか。法令で規定されているものは約40にものぼる。これをいちいち暗記するのは、コストパフォーマンスが悪い。そこで、出題側も気を利かせたのか、問題を絞ってくれていた。従来の受験対策は、これで済んだ。

ところが**最近の問題**は、様子がおかしい。**局所排気装置**や**全体換気装置**が「実施**義務がある**」ものとして出題されているのだ。しかしこの1問のために、40の機械を覚えるのは、無駄ではなかろうか。私なら、ここは運に任せて、他の箇所を勉強するが……。

A 正解は(5)

極めて難問である。定期自主検査については、普通、「局所排気装置、プッシュプル型換気装置は必要（いずれも１年以内ごとに１回）で、全体換気装置は不要」というあたりが出題されやすい。

もっとも、法律に当たっていくと、詳しい規定では、その例外・・・つまり、**局所排気装置、プッシュプル型換気装置でも、必要なものと不要なものがある**ことがわかる。ここでは必要なものが挙げられている。

A 正解は(4)

これまでの過去問からは予測できない難問が出題された。これまでは、肢として出題されるものはほぼ決まっていたが、今回は常連の肢は少なく、**目新しい肢**が多かった。今後は、「該当しないもの」だけでなく、「**該当するもの**」にも目を配る必要があるだろう。「該当するもの」のうち、主な機械を挙げておこう。

- **防じんマスク**（ろ過材、面体を有するもの）
- **防毒マスク**（ハロゲンガス用、有機ガス用、一酸化炭素用、アンモニア用、亜硫酸ガス用の**5種**。それ以外は、該当しない）
- **潜水器**
- （一定の）**エックス線装置**
- **ガンマ線照射装置**（医療用を除く）
- （一定の）**チェーンソー**　　　である。

問題 7 【平成26年前期】

1回目 2回目 3回目

次の設備又は装置のうち、法令上、定期自主検査の実施義務が規定されていないものはどれか。

(1) 塩化ビニルを取り扱う特定化学設備
(2) 化学繊維を製造する工程において、二硫化炭素を重量の5%を超えて含有する溶剤を混合する屋内の作業場所に設けた局所排気装置
(3) シアン化カリウムを含有する排液用に設けた排液処理装置
(4) アーク溶接作業を行う屋内作業場に設けた全体換気装置
(5) フライアッシュを袋詰めする屋内の作業場所に設けたプッシュプル型換気装置

問題 8 【平成21年前期】

1回目 2回目 3回目

定期自主検査を行うべき設備又は装置と法令で定められたその検査頻度との組合せとして、正しいものは次のうちどれか。

(1) 透過写真撮影用ガンマ線照射装置…………2月以内ごとに1回
(2) トルエンを取り扱う屋内の作業場所に設けた局所排気装置………1年以内ごとに1回
(3) コールタールを取り扱う特定化学設備………1年以内ごとに1回
(4) 粉状の酸化チタンを袋詰めする屋内の作業場所に設けた局所排気装置………2年以内ごとに1回
(5) 鉛ライニングを施した物の溶接、溶断等を行う屋内の作業場所に設けたプッシュプル型換気装置………6月以内ごとに1回

得点力をもっとUPする ワンポイント知識

●特定機械等の製造許可や検査等の流れは、右の簡略図を参考にしましょう。図中の局長とは、「**都道府県労働局長**」(厚労省の地方機関の長のこと。自治体の局長ではないので、間違わないように。つまり労働基準監督署長の上部の役職)であり、署長とは「**労働基準監督署長**」のことです。

	(内容)	(する人)	(行為)
製造前	製造の許可	局長	あらかじめ
製造	製造時等検査(移動式)	局長または検査機関	検査済証交付
設置	設置時等検査(それ以外)	署長	検査済証交付
変更	変更・休止後再使用検査	署長	検査証に裏書
更新	検査証の有効期限更新	検査機関	

A 正解は(4)

定期自主検査については、試験対策上の、大まかな原則を確認しておこう。

端的にいえば、**局所排気装置**、**プッシュプル型換気装置**、**特定化学設備**は、その前ふりにある（限定する）用語が何であっても（例えば、本問の肢の(1)「塩化ビニルを取り扱う」、(2)「化学繊維を製造する工程において、二硫化炭素を重量の５％を超えて含有する溶剤を混合する屋内の作業場所に設けた」、(5)「フライアッシュを袋詰めする屋内の作業場所に設けた」）、それらにかかわらず、定期自主検査が**必要**であると考えて、まず間違いない（例外は、102ページの問題6だが、これはあくまでも、例外中の例外である）。

反対に、**全体換気装置**は、どんな前ふりがあっても、定期自主検査の**対象にならない**（例えば、本問の肢(4)）。

したがって、「**局所排気装置、プッシュプル型換気装置、特定化学設備は必要**」、「**全体換気装置は不要**」と覚えておけば、9割はゲットできる。

なお、**排液処理装置**、**排ガス処理装置**は必要なもの（政令で定められているもの）と、不要なもの（政令で定められていないもの）があるが、これらはそれほど出題数が多くないので、詳しく覚えるのは得策ではないかも。

あえて1点だけ述べると、排ガス処理装置で定期点検が必要なのは**弗化水素**（ふっか）など、4つの物質だけである。

A 正解は(2)

この問題は、それぞれの装置等の検査頻度を問うものである。頻度を問う問題はそれほど多くないが、覚えることができれば理想的だ。

(1) × **透過写真撮影用ガンマ線照射装置**については、法令に基づく定期自主検査を**1か月以内**ごとに**1回**行わなければならない。

(2) ○ **局所排気装置**については、法令に基づく定期自主検査を**1年以内**ごとに**1回**行わなければならない。

(3) × **特定化学設備**については、**2年以内**ごとに**1回**、法令に基づく定期自主検査を行わなければならない。

(4) × **局所排気装置**については、法令に基づく定期自主検査を**1年以内**ごとに**1回**行わなければならない。

(5) × **プッシュプル型換気装置**については、法令に基づく定期自主検査を**1年以内**ごとに**1回**行わなければならない。

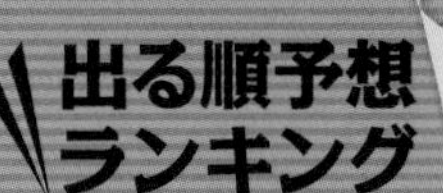

出題の定型を押さえましょう!

労働基準法—就業制限

労働基準法は、2章にわたって出題されます。この章では、就業制限（女性の保護、年少者の保護、2時間の就業制限）についてだけ出題されます。

1 どこが出るか、どんな出方をするか

労働基準法は、第1種衛生管理者試験では、全44問中3問出題されます。そのうち2問は、この科目ではなく、「**関係法令（有害業務に係るもの以外のもの）**」の科目で出題されます。この科目での出題は、1問だけです。

労働基準法（労働条件の最低の基準）は、労働全般にかかわる法律で、有害業務だけにかかわるわけではないので、当然かもしれません。

では、なぜ1問だけ、「有害業務に係る」科目から出題されるのでしょう。それは、労働者をみだりに有害業務につかせてはならない「**就業制限**」という、**有害業務に限った規定**を、衛生管理者に記憶してもらいたいからです。

この科目では、それ以外の出題はありません。「就業制限」だけに絞って勉強しましょう。

2 解答のコツ！

詳しくいうと、「就業制限」からの出題は、3つに分類されます。つまり、

1）時間外労働が**2時間以内に制限**されている**有害業務**は何か
2）**18歳未満**の労働者を**就かせてはならない有害業務**は何か
3）18歳以上でも、**女性**を、**一定の重量以上を取り扱う業務**に就かせてはならないが、その**重量の限度**はいくらか

ほとんど同じような問題が出題されるので、過去問で慣れていけば、簡単にゲットできます。なお、3）は**継続**作業で、**20kg**以上の重量物を取り扱う業務は、一切就かせることができません。

7割ゲットできるポイント集！

●労基法では、年少者と女性について、特別な保護規定があります。また、1日2時間を超えた時間外労働の禁止など、労働者一般についての保護も出題されます。

年少者の保護規定

❶満18歳未満の深夜業は、原則禁止。❷坑内労働は禁止。
❸次の危険有害業務に、満18歳未満の者を従事させてはいけない。
- 一定の重量物の取り扱い
- 鉛(なまり)や水銀などの有害物のガス等
- じんあいの飛散(ひさん)
- エックス線等
- 多量の高熱物体等
- 多量の低温物体等
- 異常気圧下
- 著しい振動
- 強烈な騒音
- 病源体

妊産婦や女性の保護

❶坑内業務の就業制限
❷妊産婦の場合、危険有害業務の就業制限（産婦では、黒太字は、申出(もうしで)があった場合にのみ）
- 一定の重量物の取り扱い
- 有害ガス発散場所での業務
- **多量の高熱物体の業務等**
- **多量の低温物体の業務等**
- **異常気圧下の業務**
- 著しい振動にかかわる業務

❸産前産後の休業（産前6週間は請求。産後8週間は請求なしでも、が原則）
❹妊産婦の労働時間
- 請求により、深夜業禁止（監督または管理の地位にある者も含む）
- 請求により、変形労働時間制不適用（監督または管理の地位にある者を除く）。ただし、フレックスタイム制は請求に関係なく適用

❺育児時間の請求
- 生後1年未満（原則）の子供の、休憩時間以外の1日2回の育児時間の請求（1回30分以上）

❻生理休暇の請求
- 就業が困難な場合の休暇の請求

1日2時間を超えてはならない！　時間外労働の制限

❶多量の高熱物体を取り扱う業務および著しく暑熱な場所における業務
❷多量の低温物体を取り扱う業務および著しく寒冷な場所における業務
❸ラジウム放射線、エックス線その他の有害放射線にさらされる業務
❹土石、獣毛(じゅうもう)等のじんあい、または粉末を著しく飛散する場所における業務
❺異常気圧下における業務
❻さく岩機(がんき)、鋲打機(びょうだき)等の使用によって身体に著しい振動を与える業務
❼重量物の取り扱い等重く激しい業務
❽ボイラー製造等強烈な騒音を発する場所における業務
❾鉛(なまり)、水銀、クロム、砒素(ひそ)、黄(おう)りん、弗素(ふっそ)、塩素、塩酸、硝酸、亜硫酸、硫酸、一酸化炭素、二硫化炭素、青酸、ベンゼン、アニリン、その他これに準ずる有害物の粉じん、蒸気またはガスを発散する場所における業務
❿上記のほか、厚生労働大臣の指定する業務

問題 1 【令和5年前期】

1回目 2回目 3回目

労働基準法に基づく有害業務への就業制限に関する次の記述のうち、誤っているものはどれか。

(1) 満18歳未満の者は、多量の低温物体を取り扱う業務に就かせてはならない。

(2) 妊娠中の女性は、異常気圧下における業務に就かせてはならない。

(3) 満18歳以上で産後8週間を経過したが1年を経過しない女性から、著しく暑熱な場所における業務に従事しない旨の申出があった場合には、当該業務に就かせてはならない。

(4) 満18歳以上で産後8週間を経過したが1年を経過しない女性から、さく岩機、鋲(びょう)打機等身体に著しい振動を与える機械器具を用いて行う業務に従事したい旨の申出があった場合には、当該業務に就かせることができる。

(5) 満18歳以上で産後1年を経過した女性は、多量の低温物体を取り扱う業務に就かせることができる。

問題 2 【令和4年後期】

1回目 2回目 3回目

労働基準法に基づき、満17歳の女性を就かせてはならない業務に該当しないものは次のうちどれか。

(1) 異常気圧下における業務

(2) 20kgの重量物を断続的に取り扱う業務

(3) 多量の高熱物体を取り扱う業務

(4) 著しく寒冷な場所における業務

(5) 土石、獣毛等のじんあい又は粉末を著しく飛散する場所における業務

A 正解は(4)

(1) ○ 年少者（満18歳未満の者）を一定の有害業務に就かせてはならない。

(2) ○ 妊娠中の女性にも、就かせてはならない一定の有害業務がある。

(3) ○ 産後1年を経過しない女性（産婦）**本人から申出があったら**就かせてはならない業務。(本人から申出がない場合は、従事させても構わない)
- ・**多量の高温物体**を取り扱うあるいは著しく暑熱な場所における業務
- ・**多量の低温物体**を取り扱うあるいは著しく寒冷な場所における業務
- ・**異常気圧下**における業務

(4) × さく岩機、鋲打機等身体に著しい振動を与える機械器具を用いて行う業務は、本人の申出の有無にかかわらず、妊産婦や年少者を就かせてはならない。

(5) ○ 多量の低温物体を取り扱う業務に妊婦は就業不可で、産婦は「本人の申出があれば」就業不可。産後1年を経過した女性は就かせることができる。

A 正解は(2)

女性労働者の保護に関する規定は頻出問題。その規定はａ．妊娠中の女性、ｂ．産後1年を経過しない女性、ｃ．すべての女性と、対象が分かれる。また、規定の適用に、**本人からの申出**を要件とするか否かもある。

選択肢(1)異常気圧下における業務、(3)多量の高熱物体を取り扱う業務（および著しく暑熱な場所における業務）、(4)著しく寒冷な場所における業務（および多量の低温物体を取り扱う業務）は、本人からの申出の有無にかかわらず、妊娠中の女性を就かせてはならない業務で、また、産後1年を経過しない女性からの申出があった場合も就かせてはならない。

(5)土石、獣毛等のじんあい又は粉末を著しく飛散する場所における業務は、**満18歳未満の者（男女とも）を就かせてはならない業務**。上記(1)(3)(4)も同じく満18歳未満を就かせてはならない業務。

重量物の取り扱いは、出題の満17歳では、断続作業では25kg以上は就かせてはならない。

問題 3 【令和3年後期】

1回目 2回目 3回目

女性については、労働基準法に基づく危険有害業務の就業制限により次の表の左欄の年齢に応じ右欄の重量以上の重量物を取り扱う業務に就かせてはならないとされているが、同表に入れるAからCの数値の組合せとして、正しいものは(1)～(5)のうちどれか。

年　　齢	重量（単位　kg）	
	断続作業の場合	継続作業の場合
満16歳未満	A	8
満16歳以上満18歳未満	B	15
満18歳以上	30	C

	A	B	C
(1)	10	20	20
(2)	10	20	25
(3)	10	25	20
(4)	12	20	25
(5)	12	25	20

問題 4 【令和元年後期】

1回目 2回目 3回目

労働基準法に基づく時間外労働に関する協定を締結し、これを所轄労働基準監督署長に届け出る場合においても、労働時間の延長が1日2時間を超えてはならない業務は次のうちどれか。

(1)　異常気圧下における業務
(2)　多湿な場所における業務
(3)　腰部に負担のかかる立ち作業の業務
(4)　病原体によって汚染された物を取り扱う業務
(5)　鋼材やくず鉄を入れてある船倉の内部における業務

A　正解は(5)

女性は一定の重量以上を取り扱う業務に就かせてはならないが、その重量の限度はいくらかを問う、この出題も頻出している。次の表をしっかり覚えておこう。

年　　齢	重量　（単位　kg）	
	断続作業の場合	継続作業の場合
満16歳未満	12	8
満16歳以上満18歳未満	25	15
満18歳以上	30	20

この表に照らし合わせると、ＡＢＣに入る数字はそれぞれ、**12、25、20**であることがわかる。よって正解は(5)。

A　正解は(1)

1日2時間を超えてはならない業務は、107ページ下段の表を何回もみて、しっかり把握しよう。これらはほとんどが、労働安全衛生法関係で、**定番**とされている**有害業務**である。ただし、出題されている肢のうちの(2)(3)(4)(5)は、いずれもこれに該当しない。

ただ、注意したいのは、(4)の「**病原体によって汚染された物を取り扱う業務**」で、これは労働安全衛生規則で有害業務と規定されている。事実、**年少者の保護規定**では対象となっていて、年少者を従事させてはならない。ただ、**1日2時間**の労働制限にだけは**該当しない**ことを記憶しよう。

(5)は、**酸素欠乏危険場所**で、何となく間違いやすいが、これも**該当しない**ので注意。

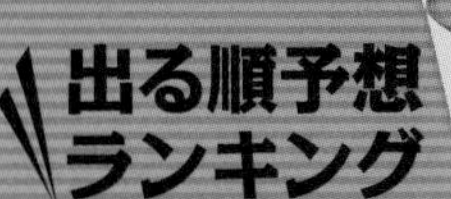

出題の定型を押さえましょう!

作業環境測定/衛生基準

作業環境測定を義務付けられている業務と測定の頻度が多く出題されます。この項は、出題傾向も選択肢の型も定型ですので、ポイントを押さえて勉強しましょう。

1 どこが出るか、どんな出方をするか

作業環境測定からの出題は、2科目に分かれています。こちら「関係法令（有害業務に係るもの）」からの出題は、①**作業環境測定の頻度は、どのくらいか**、②**作業環境測定を義務付けられている業務はどれか**、の2点につきます（もう1科目の出題は、「労働衛生（有害業務に係るもの）」の科目で、作業環境測定の方法と結果の評価等です）。

①②のうち多いのは、①の**頻度**の方。過去の公表問題を見ると、いろいろな業務が出されているように見えますが、詳しく分析すると、**10業務程度**に収まっています。設問の形式も、「誤っているものはどれか」で統一。しかも、誤った肢（つまり正解肢）として登場するものも、ある程度決まっています。

- **暑熱**、**寒冷**または**多湿**の屋内作業場の気温及び湿度………**半月以内**が正
- **チッパー**によりチップする業務の等価（とうか）**騒音**レベル………**6か月以内**が正
- 型ばらし装置で砂型をこわす作業の**粉（ふん）じん**濃度…………**6か月以内**が正
- 放射性物質を取り扱う作業室における放射性物質の濃度…**1か月以内**が正

②の方、つまり作業環境測定が義務づけられている業務ですが、これは、**特定化学物質第3類は、測定の対象にならない**ことを知っておきましょう。

2 解答のコツ！

なお、「**衛生基準**」も、この項目に統一しましたが、衛生基準は有害業務（この章）からの出題は、ほんの**わずかで1問程度**。**第3章の「関係法令（有害業務に係るもの以外のもの）」**の中で、「事務所衛生基準」として、こちらは**たんまり**出題されます。

7割ゲットできるポイント集！

●法律は、事業者に、有害な業務を行う屋内作業場、その他政令で定める作業場において、作業環境測定を行うよう義務付けています。

作業環境測定が必要な事業場	作業環境測定の頻度
■ **指定作業場（以下の6作業場）**	
・土石・岩石・鉱物・金属・炭素・粉じんを発散する	6か月以内ごとに1回
・第1類、第2類の特定化学物質の製造・取り扱い（第3類は除外）	6か月以内ごとに1回
・有機溶剤の製造・取り扱い	6か月以内ごとに1回
・石綿（いしわた）の取り扱い・試験研究など	6か月以内ごとに1回
・放射性物質取扱作業室など	1か月以内ごとに1回
・一定の鉛（なまり）業務	1年以内ごとに1回
■ **その他の屋内作業場**	
・暑熱・寒冷（多量のドライアイス）・多湿	半月以内ごとに1回
・著しい騒音	6か月以内ごとに1回
・坑内作業場（通気量の場合）	半月以内ごとに1回
・空気調和設備のある事務所	原則2か月以内ごとに1回
・酸素欠乏危険場所	その日の作業開始前

●有害作業所の衛生基準

騒音	著しい騒音を発する一定の屋内作業所は、6か月ごとに1回、等価騒音レベルを測定する。記録は3年間保存。
暑熱、寒冷、多湿の作業場	半月ごとに1回、気温・湿度・ふく射熱の測定をしなければならない。
有毒ガスの立入禁止	酸素濃度が18%未満の場所。
	硫化水素（りゅうかすいそ）濃度が10ppmを超える場所。
	炭酸ガス（二酸化炭素）濃度が1.5%を超える場所。
休憩施設	著しく暑熱、寒冷、または多湿の作業場、有害なガス、蒸気または粉じんを発散する作業場には、作業場の外に休憩設備を設けなければならない。
坑内の作業場	通気設備がある場合、半月ごとに1回、作業場の通気量を測定しなければならない。
	気温が28℃を超える場合、半月ごとに1回気温を測定。
	炭酸ガスが停滞するおそれのある場合、1か月ごとに1回、炭酸ガス濃度を測定しなければならない。記録は3年間保存。
内燃機関	坑内・潜函（せんかん）などの自然換気が不十分な事業場で使用してはならない。

※例えば、「6か月に1回」とあるのは、正確には「6か月以内ごとに1回」の意味です。

問題 1 【令和5年後期】

1回目 2回目 3回目

労働安全衛生規則の衛生基準について、誤っているものは次のうちどれか。

(1) 炭酸ガス（二酸化炭素）濃度が0.15％を超える場所には、関係者以外の者が立ち入ることを禁止し、かつ、その旨を見やすい箇所に表示しなければならない。

(2) 強烈な騒音を発する屋内作業場においては、その伝ぱを防ぐため、隔壁を設ける等必要な措置を講じなければならない。

(3) 多筒抄紙機により紙を抄(す)く業務を行う屋内作業場については、6か月以内ごとに1回、定期に、等価騒音レベルを測定しなければならない。

(4) 著しく暑熱又は多湿の作業場においては、坑内等特殊な作業場でやむを得ない事由がある場合を除き、休憩の設備を作業場外に設けなければならない。

(5) 屋内作業場に多量の熱を放散する溶融炉があるときは、加熱された空気を直接屋外に排出し、又はその放射するふく射熱から労働者を保護する措置を講じなければならない。

問題 2 【令和4年後期】

1回目 2回目 3回目

有害業務を行う作業場等について、法令に基づき、定期に行う作業環境測定と測定頻度との組合せとして、誤っているものは次のうちどれか。

(1) 非密封の放射性物質を取り扱う作業室における空気中の放射性物質の濃度の測定……………………………………1か月以内ごとに1回

(2) チッパーによりチップする業務を行う屋内作業場における等価騒音レベルの測定 …………………………………… 6か月以内ごとに1回

(3) 通気設備が設けられている坑内の作業場における通気量の測定
……………………………………………………1か月以内ごとに1回

(4) 鉛蓄電池の解体工程において鉛等を切断する業務を行う屋内作業場における空気中の鉛の濃度の測定 ………………………… 1年以内ごとに1回

(5) 第二種有機溶剤等を用いて洗浄の作業を行う屋内作業場における空気中の有機溶剤濃度の測定……………………………6か月以内ごとに1回

A 正解は(1)

極めて難問である。一つ一つの知識が難しいというのではない。にも関わらず正解を見つけ出しにくいのは、**衛生基準**について、きちんと勉強している人が極めて少ないからだ。

衛生基準という項目は、「有害業務に係る関係法令」での出題は、ほとんどなかった。最近多くなったが、2年に一度くらいである（一方、「**有害業務に係るもの以外のもの**」の関係法令では、**毎年出題**されているが……）。

しかも、覚えるべき知識は**かなり多い**。となると、力を入れて勉強する人は極めて少なくなり、自然、正答率も極めて低いと思われる。

現状では、これでいいと思う。すべての問題で正解を得ようとする**完全主義**は、受験では、決して**望ましい態度ではない**からだ。

さて、**正解の見つけ方**だが、どれもが正しそうに見える肢ばかりである。しかし、意外なところに落とし穴があった。(1)の**炭酸ガス濃度が0.15%という記述**だ。こういう場所は、いくらでもある。いちいち**立ち入り禁止**する必要はないことに気づけばしめたものだ。

正解は、この数字が間違いで、1.5%が正しい。

A 正解は(3)

「通気設備が設けられている坑内の作業場における通気量の測定は、**半月以内ごとに1回**」、定期的に行うのが正しい。この正解を見つけ出すには、作業別に頻度を記憶する以外にない。ただ、112ページの「どこが出るか、どんな出方をするか」と113ページの「7割ゲットできるポイント集！」で記したように、**出題される作業**は**10程度**、そして**頻出**するのは、**2つ〜4つ**ほどだ。

これを暗記すれば、少なく見積もっても、まず8割がたは得点できる。なかでも、以下の2つには、とくに気を配ろう。

- **チッパーによりチップする業務を行う屋内作業場**における**等価騒音レベル**の測定…………… **6か月以内**ごとに1回
- 非密封の放射性物質を取り扱う作業室における**空気中の放射性物質の濃度の測定**…………… **1か月以内**ごとに1回

問題 3 【令和2年後期】

1回目 2回目 3回目

有害業務を行う作業場等について、法令に基づき定期に行う作業環境測定とその測定頻度との組合せとして、誤っているものは次のうちどれか。

(1) 放射性物質取扱作業室における空気中の放射性物質の濃度の測定 ……1か月以内ごとに1回

(2) 多量のドライアイスを取り扱う業務を行う屋内作業場における気温及び湿度の測定……2か月以内ごとに1回

(3) 通気設備が設けられている坑内の作業場における通気量の測定 ……半月以内ごとに1回

(4) 特定粉じん作業を常時行う屋内作業場における空気中の粉じんの濃度の測定……6か月以内ごとに1回

(5) 鉛ライニングの業務を行う屋内作業場における空気中の鉛の濃度の測定 ……1年以内ごとに1回

問題 4 【令和2年前期】

1回目 2回目 3回目

次の法定の作業環境測定を行うとき、作業環境測定士に測定を実施させなければならないものはどれか。

(1) チッパーによりチップする業務を行い著しい騒音を発する屋内作業場における等価騒音レベルの測定

(2) パルプ液を入れてある槽の内部における空気中の酸素及び硫化水素の濃度の測定

(3) 有機溶剤等を製造する工程で有機溶剤等の混合の業務を行う屋内作業場における空気中のトルエン濃度の測定

(4) 溶融ガラスからガラス製品を成型する業務を行う屋内作業場における気温、湿度及びふく射熱の測定

(5) 通気設備が設けられている坑内の作業場における通気量の測定

得点力をもっとUPする ワンポイント知識

労働者の健康障害の防止のため、作業環境の測定や評価を行い、それに基づいて作業環境を改善することが、作業環境測定の目的です。作業環境測定は、❶デザイン→❷サンプリング→❸分析→❹評価の流れで行われます。

こうした全体像を理解しておけば、個々の問題も解きやすくなります。

A　正解は(2)

問題集をやっていないと、なかなか正解を見つけにくい問題である。つまり、どの解説書（問題集ではない）を見ても「**多量のドライアイス**を取り扱う業務を行う屋内作業場」という文言は、出てこない。しかし、問題としては頻出している。ほとんどが、正解肢ではなく、当て馬の肢としてだったが……。

これが今回、正解肢として出題された。測定頻度は、「**半月以内**ごとに1回」が正しく、問題文の「2か月以内ごとに1回」が誤りである。

では、なぜ**半月以内**ごとに1回なのか。よく考えてみれば、「**多量のドライアイス**を取り扱う業務を行う屋内作業場」は、「**寒冷**」な屋内作業場だということに気付くだろう。

これなら、どの解説書にも堂々と載っている。つまり、**条文を丸暗記**するのではなく、**噛み砕いて理解する**ことが必要なのだ。

A　正解は(3)

指定作業場における作業環境測定は、**作業環境測定士**または**作業環境測定機関**が行わなければならない。**指定作業場**とは、**とくに重点的な作業場**で、以下の物質に関連する場所である。①**粉じん**、②**第1類、第2類の特定化学物質**（第3類は除く）**及び石綿**、③**鉛業務**、④**放射性物質取扱作業室**、⑤**有機溶剤**。

以上の知識を基に、それぞれの肢をみていってみると、正解が浮かんでくる。この際、いろいろ細かく測定すべき対象が述べられているが、いちいち細部にわたって気にすることはやめて、**その肢からキーワードだけを抽出して検討する**。つまり、⑴騒音、⑵酸素、⑶有機溶剤、⑷暑熱（気温・温度・輻射熱）、⑸坑内作業である。

すると、指定作業場としては、**有機溶剤**だけがヒットするので、正解は⑶とわかる。

なお、以上の正解を導き出すためには、**指定作業場の6つだけは覚えておかなければならない**。

出る順予想ランキング

出題の定型を押さえましょう!

特別教育

特別教育については、主な業務（9～12種類）の中から頻出する6つの業務を軸に勉強しましょう。選択肢の傾向も決まっており、点を取りやすい問題です。

1 どこが出るか、どんな出方をするか

特別な教育が必要な業務については、安衛法で決められています。約50種あります。その主なものについては、**9～12種**程度選び出して、たいていの参考テキストに書いてありますから、それを覚えればいいわけです。

でも、覚えることだらけの勉強ですから、なるべく勉強を省略する方法はないでしょうか。あります。**頻出する業務だけ**を覚えてしまえばいいのです。

2 解答のコツ！

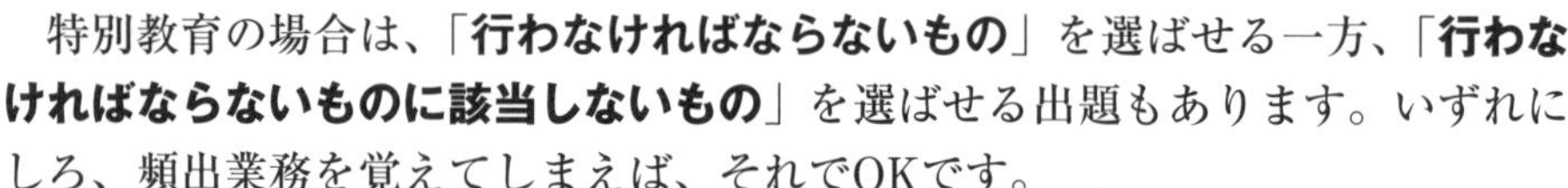

特別教育の場合は、「**行わなければならないもの**」を選ばせる一方、「**行わなければならないものに該当しないもの**」を選ばせる出題もあります。いずれにしろ、頻出業務を覚えてしまえば、それでOKです。

次のものが、試験によく出る特別の教育を必要とする業務です。

①チェーンソーを用いて行う造材の業務
②エックス線またはガンマ線照射装置を用いて行う透過写真撮影の業務
③廃棄物の焼却施設において、ばいじんおよび焼却灰その他の燃え殻を取り扱う業務
④石綿等が使用されている建築物の解体の作業に係る業務
⑤酸素欠乏危険場所における作業に係る業務
⑥潜水作業者への送気を行うためのバルブ等の操作をする業務

ここは、声に出して30回、音読しましょう。また、「**チェ・エックス・ハイ・イシ・サン・セン**」などと、頭文字をつなげて覚える“**頭出し記憶法**”を活用してもいいでしょう。それだけで、1問ゲットです。

7割ゲットできるポイント集！

● 危険性の高い作業には、特別教育が義務付けられています。有害業務は約50種類ありますが、前ページの6業務のほかに、主なものをピックアップしてみました（赤字のものはやや注意が必要です）。

左ページの頻出6業務のほかに
高圧室内作業に係る業務
特定の粉じん作業
アーク溶接機を使った金属の溶接・溶断業務
つり上げ荷重1トン未満のクレーンの玉掛（たまがけ）業務
研削砥石（けんさくといし）の取り替え試運転の業務
四アルキル鉛等を取り扱う業務

※特定化学物質や有機溶剤を用いた業務は、特別教育が必要な業務ではありません。

● なお、特別教育科目の全部または一部において、十分な知識と技能を有していると認められる場合、その科目について教育を省略できます。

● 記録は、3年間保存しなければなりません。

● 特別教育の科目等についての例は、下記の通りです（試験にはまず出ませんので、目を通すだけでいいです）。

エックス線照射装置またはガンマ線照射装置を用いて行う透過撮影業務	・透過写真の撮影作業の方法 ・装置の構造と取扱方法 ・電離放射線の生体への影響 ・関係法令
第1種酸素欠乏危険作業業務	・酸素欠乏の発生原因 ・症状 ・空気呼吸器等の使用方法 ・事故の際の退避・蘇生方法 ・その他酸素欠乏症防止に必要な事項
粉じん作業に係る業務	・粉じんの発散防止および作業場の換気方法 ・作業場の管理 ・呼吸用保護具の使用方法 ・粉じんに係る疾病（しっぺい）と健康管理 ・関係法令
石綿を取り扱う業務	・石綿の有害性 ・石綿の使用状況 ・石綿等の粉じん発散を抑制するための措置 ・保護具の使用方法 ・その他石綿等のばく露の防止に必要な事項

問題 1 【令和5年後期】

1回目 2回目 3回目

次の業務に労働者を就かせるとき、法令に基づく安全又は衛生のための特別の教育を行わなければならないものはどれか。

(1) 赤外線又は紫外線にさらされる業務
(2) 有機溶剤等を用いて行う接着の業務
(3) 塩酸を用いて行う分析の業務
(4) エックス線回折装置を用いて行う分析の業務
(5) 廃棄物の焼却施設において焼却灰を取り扱う業務

問題 2 【令和4年後期】

1回目 2回目 3回目

次の業務に労働者を就かせるとき、法令に基づく安全又は衛生のための特別の教育を行わなければならないものに該当しないものはどれか。

(1) 石綿等が使用されている建築物の解体等の作業に係る業務
(2) 潜水作業者への送気の調節を行うためのバルブ又はコックを操作する業務
(3) 廃棄物の焼却施設において焼却灰を取り扱う業務
(4) 特定化学物質のうち第二類物質を取り扱う作業に係る業務
(5) エックス線装置を用いて行う透過写真の撮影の業務

問題 3 【令和3年後期】

1回目 2回目 3回目

次の業務のうち、当該業務に労働者を就かせるとき、法令に基づく安全又は衛生のための特別の教育を行わなければならないものに該当しないものはどれか。

(1) 石綿等が使用されている建築物の解体等の作業に係る業務
(2) チェーンソーを用いて行う造材の業務
(3) 特定化学物質のうち第二類物質を取り扱う作業に係る業務
(4) 廃棄物の焼却施設において焼却灰を取り扱う業務
(5) エックス線装置を用いて行う透過写真の撮影の業務

A 正解は(5)

(1) × 赤外線または紫外線にさらされる業務は、特別教育が必要な業務ではない。

(2) × 有機溶剤を取り扱う業務は特別教育が必要な業務ではない。

(3) × 塩酸は特定化学物質であり、特別教育が必要な業務ではない。

(4) × エックス線は照射装置を用いて行う透過写真撮影の業務であれば特別教育が必要だが、回析装置を用いて行う分析の業務では特別教育は不要。

(5) ○ **廃棄物の焼却施設**においては、ほかに、設置された廃棄物焼却炉や集じん機等の設備の保守点検等の業務、解体等の業務、燃え殻を取り扱う業務で、**特別教育が必要**。

A 正解は(4)

まず、特別教育が必要とされる業務に、**特定化学物質や有機溶剤を取り扱う業務は含まれていない**ことを覚える。その後、特別教育が必要な業務を覚える。

A 正解は(3)

この4肢も、試験によく出題される。覚え方は、118ページにある通り。特別教育を必要とする業務は次の6つがよく出題される。

①**チェーンソーを用いて行う造材の業務**
②**エックス線またはガンマ線照射装置を用いて行う透過写真撮影の業務**
③**廃棄物の焼却施設において、ばいじんおよび償却灰その他の燃え殻を取り扱う業務**
④**石綿等が使用されている建築物の解体の作業に係る業務**
⑤**酸素欠乏危険場所における作業に係る業務**
⑥**潜水作業者へ送気を行うためのバルブ等の操作をする業務**

この6つに該当しない(3)が正解。

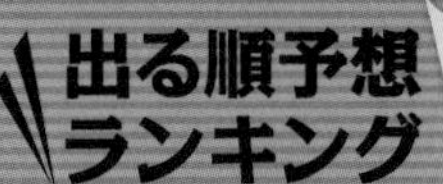

第8位

出題の定型を押さえましょう！

酸素欠乏症等防止規則

酸素欠乏症等防止規則の問題では、酸素濃度の問題の他に「硫化水素」や「防毒マスク」にかかわる問題が出ます。とにかく硫化水素10ppm（第2種）は押さえること。

1 どこが出るか、どんな出方をするか

この領域でぜひ注目してほしいキーワードは、「**防毒マスク**」と「**硫化水素**」です。実際、これらにまつわる出題が、実に多いのです。

まず、**防毒マスク**について。防毒マスクとは、空気中に浮遊する（有害な）ガスや蒸気を吸い取り、吸収缶の中で吸収剤を使って処理してしまう呼吸用保護具で、酸素欠乏には対応できません。酸素欠乏を防止するために**防毒マスクを使う**、といった趣旨の肢があったら、**即座に×**。それだけで１点ゲットできます。なお、防毒マスクは5種類が代表的ですが、その種類にかかわらず、いずれも×です（換気ができないときは空気呼吸器、酸素呼吸器または送気マスクを労働者に使用させなければなりません）。

2 解答のコツ！

次に、硫化水素について。これは、ちょっと複雑。酸素欠乏状態には、2種類あります。つまり、**第1種酸素欠乏**と**第2種酸素欠乏**です。第1種は、純粋に酸素の濃度だけが問題です（**18%未満**で酸欠）。しかし、第2種は、より厳しい状態。なぜなら、酸素が不足なのに**加え**、有害な**硫化水素**が基準を超えて多い（**10ppm超**！）状態なのですから。

そこで、問題としては、**硫化水素の数値**のことが出題されます。10ppm超だと、第2種酸素欠乏ですが、この数字を**1ppm**や**50ppm**として、**誤りの肢**として出題してきます（ppmとは、100万分の1という単位です。つまりppm＝100万分率です）。

7割ゲットできるポイント集！

- 酸素欠乏とは、酸素濃度が18%未満の状態をいいます。
- 酸素欠乏のうえに、空気中の硫化水素濃度が10ppmを超えた状態を第2種酸素欠乏といいます（**10ppmは必須記憶事項**）。
- 安衛法（あんえいほう）とその規則では、酸素の欠乏した危険な場所を酸素欠乏危険場所として、具体的に指定しています（**赤の文字は第2種**。重要です）。

酸素欠乏危険場所の例

長い間使われていなかった井戸の中	相当の間密閉（みっぺい）されていたタンク、ボイラー、船倉	穀物、飼料の貯蔵、果菜の熟生のサイロ	海水が滞留している暗渠の内部やマンホール等
酒類、しょう油、もろみのタンクやむろ	鋼材、くず鉄、石炭などの貯蔵施設（酸素を吸収する）	ドライアイスを使っている冷蔵庫、冷凍庫	し尿、腐泥（ふでい）、汚水その他腐敗しやすい物質を入れてある槽（そう）の内部

- 第2種の一般的防止措置について、下記にまとめます。

作業環境測定	・その日の作業開始前に行うように、強制されている。 ・測定器具の備え付けは、必須の義務。 ・測定は、作業主任者が行う（空気呼吸器の点検なども行う）。
換気等	・酸素濃度を、18%以上にする（18%未満ではダメ）。 ・硫化水素濃度を、10ppm以下にする（10ppm超はダメ）。 ・換気の際は、爆発の危険を防ぐため、純酸素は用いない。
安全帯（あんぜんたい）	・意識朦朧による転落を防ぐため、安全帯等を使う。
保護具・点検	・その日の作業開始前に、**空気呼吸器**や**安全帯**等を**点検**する。 ・労働者の出入りのつど、人員の点検をする。
立入禁止	・作業従事者以外の労働者が危険場所に入ることは禁止。 ・上記を、見やすい所に表示する必要がある。
監視人・特別教育	・異常を見つけるための、監視人を設けることも大切。 ・従事する労働者には、特別の教育を実施しなければならない。
作業主任者の選任	・技能講習修了者の中から選任する。 ・技能講習には、①酸素欠乏危険作業主任者技能講習と、②酸素欠乏・硫化水素危険作業主任者技能講習があるが、第2種は後者を修了しなければなれない（ここ重要です）。

問題 1 【令和6年前期】

1回目 2回目 3回目

酸素欠乏症等防止規則に関する次の記述のうち、誤っているものはどれか。

(1) 酸素欠乏とは、空気中の酸素の濃度が18%未満である状態をいう。

(2) 第二種酸素欠乏危険作業を行う作業場については、その日の作業を開始する前に、当該作業場における空気中の酸素及び硫化水素の濃度を測定しなければならない。

(3) 酸素欠乏危険作業に労働者を従事させるときは、労働者を当該作業を行う場所に入場させ、及び退場させる時に、人員を点検しなければならない。

(4) 汚水を入れたことのあるポンプを修理する場合で、これを分解する作業に労働者を従事させるときは、硫化水素中毒の防止について必要な知識を有する者のうちから指揮者を選任し、作業を指揮させなければならない。

(5) パルプ液を入れたことのある槽の内部における作業については、酸素欠乏危険作業主任者技能講習を修了した者のうちから、酸素欠乏危険作業主任者を選任しなければならない。

問題 2 【令和3年前期】

1回目 2回目 3回目

次の作業のうち、法令上、第二種酸素欠乏危険作業に該当するものはどれか。

(1) 雨水が滞留したことのあるピットの内部における作業

(2) ヘリウム、アルゴン等の不活性の気体を入れたことのあるタンクの内部における作業

(3) 果菜の熟成のために使用している倉庫の内部における作業

(4) 酒類を入れたことのある醸造槽の内部における作業

(5) 汚水その他腐敗しやすい物質を入れたことのある暗きょの内部における作業

得点力をもっとUPする ワンポイント知識

作業の種類	誰がなれるか
第1種酸素欠乏危険作業	酸素欠乏危険作業主任者技能講習、または酸素欠乏・硫化水素危険作業主任者技能講習を修了した者（**どちらでもよい**）
第2種酸素欠乏危険作業	酸素欠乏・**硫化水素**危険作業主任者技能講習を修了した者に限る

A 正解は(5)

正解の選択肢は、これまでに問われたことのないもの。かなり細かく出題されるようになった。

(1) ○ 正しい。酸素欠乏とは、空気中の酸素濃度が18％未満の状態。

(2) ○ 第二種酸欠作業の作業環境測定は、**作業開始前**に**酸素および硫化水素濃度**を測定する。

(3) ○ 酸欠作業行うときは、場所に**入退場するとき**に従事労働者の**人員**を点検する。

(4) ○ **【酸素欠乏症等防止規則】**（設備の改造等の作業）

第25条の2　事業者は、し尿、腐泥、汚水、パルプ液その他腐敗し、若しくは分解しやすい物質を入れてあり、若しくは入れたことのあるポンプ若しくは配管等又はこれらに附属する設備の改造、修理、清掃等を行う場合において、これらの設備を分解する作業に労働者を従事させるときは、次の措置を講じなければならない。

一　（省略）

二　硫化水素中毒の防止について必要な知識を有する者のうちから指揮者を選任し、その者に当該作業を指揮させること。

(5) × 「パルプ液を入れたことのある槽の内部における作業」は、第二種酸素欠乏危険作業。第二種の場合は、**酸素欠乏・硫化水素危険作業主任者技能講習**を修了した者のうちから、**酸素欠乏危険作業主任者**を選任しなければならない。

A 正解は(5)

このジャンルでは、「**第2種**」酸素欠乏危険作業に該当するものはどれか、という問い掛けが2〜3回に一度は出る。

ここでは、「第2種」ということに注目しよう。というのは、「第2種」に該当するのは、2つしかないからである。

1つは、「**海水**が滞留したことのある**ピット**の**内部**における作業」であり、もう1つは、今回正解肢になった「**汚水**その他**腐敗しやすい**物質を入れたことのある**暗きょ**の内部における作業」である。

ちょっと複雑なのは、後者のほうで、今回は汚水で出たが、ほかに「**し尿**」、「**腐泥**」などもあるので、これらも一緒に記憶したい（次項にも解説あり）。

なお、その他の選択肢は、酸素欠乏危険場所ではあるが、**第1種**であり、第2種には該当しない。

問題 3 【令和4年後期】

1回目 2回目 3回目

酸素欠乏症等防止規則等に基づく措置に関する次の記述のうち、誤っているものはどれか。

(1) 汚水を入れたことのあるポンプを修理する場合で、これを分解する作業に労働者を従事させるときは、硫化水素中毒の防止について必要な知識を有する者のうちから指揮者を選任し、作業を指揮させなければならない。

(2) 酒類を入れたことのある醸造槽の内部における清掃作業の業務に労働者を就かせるときは、酸素欠乏危険作業に係る特別の教育を行わなければならない。

(3) 酸素欠乏危険作業を行う場所において、爆発、酸化等を防止するため換気を行うことができない場合には、送気マスク又は防毒マスクを備え、労働者に使用させなければならない。

(4) 酸素欠乏危険作業に労働者を従事させるときは、常時作業の状況を監視し、異常があったときに直ちに酸素欠乏危険作業主任者及びその他の関係者に通報する者を置く等異常を早期に把握するために必要な措置を講じなければならない。

(5) 第一鉄塩類を含有している地層に接する地下室の内部における作業に労働者を従事させるときは、酸素欠乏の空気が漏出するおそれのある箇所を閉そくし、酸素欠乏の空気を直接外部へ放出することができる設備を設ける等酸素欠乏の空気の流入を防止するための措置を講じなければならない。

得点力をもっとUPする ワンポイント知識

第2種については、以下の要点をカードに書き出し、何回も読み返しましょう。

- **作業環境測定＝その日の作業開始前**に行うこと。**作業主任者**が行う。
- **換気**＝酸素濃度を**18%以上**にする。硫化水素濃度も**10ppm以下**。
- **安全帯**（あんぜんたい）＝必ず使うこと。労働者は**拒否できない**。
- **保護具＝作業開始前**に点検。
- **立入禁止**＝労働者以外は立入禁止。
- **監視人**＝異常発見のために、**必ず設ける**必要がある。
- **作業主任者＝第1種と第2種**では、修了しなければならない**講習が違う**。

A　正解は(3)

(1)　○　この作業では、硫化水素中毒の防止について**必要な知識を有する者のうちから指揮者を選任**し、その者に当該作業を指揮させなければならない。

(2)　○　酒類を入れたことのある醸造槽内部の作業は第1種酸欠作業。酸欠作業では労働者に特別教育を行わなければならない。

(3)　×　酸欠作業場所において換気できない場合は、空気呼吸器、酸素呼吸器又は送気マスクを労働者に使用させなければならない。防毒マスクは不可。

(4)　○　酸欠作業に労働者を従事させるときは、選択肢にある必要な措置を講じなければならない。

(5)　○　選択肢にある業務は第1種酸欠作業。必要な措置を講じなければならない。

得点力をもっとUPする ワンポイント知識

第2種酸素欠乏危険作業とは、酸素欠乏危険場所のうち、**省令で定めた次の場所**における作業をいう。条文が読みにくいので、一般の文章に変えて記しておこう。

- **海水が滞留**していたり、過去に滞留したことのある①**熱交換器**、②**管**、③**暗きょ**、④**マンホール**、⑤**溝**、⑥**ピット**が該当する。また、**海水**を相当期間入れていたり、過去に入れたことのある**熱交換器等**（上記①～⑥）**の内部**も該当する。
- **し尿**、**腐泥**、**汚水**、**パルプ液**その他腐敗し、または分解しやすい物質を入れてあるか、過去に入れたことのある①**タンク**、②**船倉**、③**槽**（そう）、④**管**、⑤**暗きょ**、⑥**マンホール**、⑦**溝**、⑧**ピット**の内部も該当。
- その他、酸素欠乏症にかかる**おそれ**および硫化水素中毒にかかる**おそれ**のある場所として、**厚生労働大臣**が定める場所。

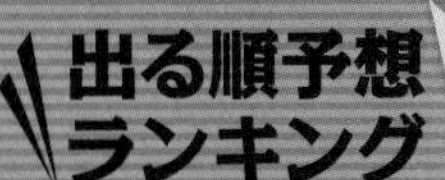

第9位

出題の定型を押さえましょう！

粉じん障害防止規則・石綿障害予防規則・じん肺法

「石綿関係」は、廃業の際、作業記録など報告書に添付する“3点セット”に注目。「粉じん」は特定作業について、「じん肺法」は管理区分についてのきちんとした理解が必要。

1 どこが出るか、どんな出方をするか

正直いって、ここは的を絞りにくい領域です。それというのも、もともとは、粉(ふん)じんやそれによるじん肺が問題だったところに、従来効率のいい産業用素材として重用されていた**石綿(いしわた)（アスベスト）**が、一転、**最も危険な物質**として、使用が禁止され、この領域に登場してきたのですから。

そこで、それぞれ別個に、検討してみます。

2 解答のコツ！

石綿関係では、**事業を廃止**する関係事業者が**所轄労働基準監督署長**に提出しなければならないのが、**石綿関係記録等報告書**。これに添付する書類について、変わり種として時折出題されます。

①「**作業の記録**」、②「**作業環境測定の記録**」、③「**石綿健康診断個人票**」（またはこれらの写し）の3つが必要です。

これら、「**人**」にかかわる記録等の保存期間は**40年間**です。局所排気装置など「**機械**」類の定期自主点検記録が、3年間であるのと混同しないこと。

粉じんについては、その作業が**特定粉じん作業に該当するかどうか**が、よく問われます。なぜか、「**屋内**において、**セメントを袋詰めする箇所**における**作業**」が、**特定粉じん作業に該当する**として、正解肢になることが多いようです。また、**フライアッシュ**を**袋詰め**する**作業**も該当します。

じん肺法では、じん肺健康診断の結果によって、療養を必要とされるのはどの管理区分か、が問われます。答えは、**管理4**なら**誰もが必要**。一方、**管理2、3なら合併症にかかっている**者に限られます。この区別を正確に。

7割ゲットできるポイント集！

- 石綿（アスベスト）は、肺がんや中皮腫の原因になり、重量の0.1%を超えて含有するものを石綿等と言って規制しています。
- 石綿を取り扱う設備は、発生源を密閉する装置が必要です。また、局所排気装置やプッシュプル型換気装置の設置が義務付けられています。
- 管理について、以下のような規定があります。

項目	内容
立入禁止	作業場は、関係者以外は立入禁止。
休憩室	作業場以外の場所に設けなければならない。
作業記録	労働者がどんな作業をしたか、1か月を超えない期間ごとに記録しなければならない。記録は40年間保存。
定期自主検査	局所排気装置、プッシュプル型換気装置、除じん装置は1年以内ごとに1回以上の定期自主検査が必要。記録は3年間保存。
特別教育	労働者を一定の危険・有害な業務に就かせるときに必要。
作業環境測定	6か月以内ごとに1回、定期的に空気中の石綿濃度を測定。記録は、40年間保存。
健康診断	❶雇入れ時、❷配置替えの際、❸6か月以内ごとに1回、定期に必要。

- 安衛法では、特定粉じん発生源を、23種指定しています。
- 特定粉じん作業では、以下の設備が必要とされます。

❶局所排気装置のフードを発生源ごとに設置。
❷ダクトの長さをできるだけ短くする。
❸排気口を屋外に設置する。
❹制御風速は、大臣が定める要件を満たす。

- じん肺の程度は、健康診断によって「管理1～4」で区分され、健康管理が行われます。

じん肺の管理区分		じん肺健康診断の結果
管理1		エックス線写真および肺機能に所見なしと認められるもの。
管理2		エックス線写真が第1型で、じん肺による著しい肺機能障害がないと認められるもの。
管理3	(イ)	エックス線写真が第2型で、じん肺による著しい肺機能障害がないと認められるもの。
	(ロ)	エックス線写真が第3型または第4型（大陰影の大きさが片方の肺野の1/3以下）で、じん肺による著しい肺機能障害がないと認められるもの。
管理4		(1)エックス線写真が第4型と認められるもの。 (2)エックス線写真が第1～4型で、じん肺による著しい肺機能障害があると認められるもの。

問題 1 【令和5年後期】

1回目 2回目 3回目

次のAからEの粉じん発生源について、法令上、特定粉じん発生源に該当するものの組合せは(1)～(5)のうちどれか。

A　屋内において、耐火物を用いた炉を解体する箇所

B　屋内の、ガラスを製造する工程において、原料を溶解炉に投げ入れる箇所

C　屋内において、研磨材を用いて手持式動力工具により金属を研磨する箇所

D　屋内において、粉状の炭素製品を袋詰めする箇所

E　屋内において、固定の溶射機により金属を溶射する箇所

(1)　A，B

(2)　A，E

(3)　B，C

(4)　C，D

(5)　D，E

問題 2 【令和4年後期】

1回目 2回目 3回目

じん肺法に関する次の記述のうち、法令上、誤っているものはどれか。

(1)　都道府県労働局長は、事業者等からじん肺健康診断の結果を証明する書面等が提出された労働者について、地方じん肺診査医の診断又は審査によりじん肺管理区分を決定する。

(2)　事業者は、常時粉じん作業に従事する労働者で、じん肺管理区分が管理一であるものについては、3年以内ごとに1回、定期的に、じん肺健康診断を行わなければならない。

(3)　事業者は、常時粉じん作業に従事する労働者で、じん肺管理区分が管理二又は管理三であるものについては、1年以内ごとに1回、定期的に、じん肺健康診断を行わなければならない。

(4)　じん肺管理区分が管理四と決定された者は、療養を要する。

(5)　事業者は、じん肺健康診断に関する記録及びエックス線写真を5年間保存しなければならない。

A 正解は(5)

解答は(5)のD，Eの組合せ。

特定粉じん作業には、岩石・鉱物裁断等作業、岩石・鉱物・金属研磨等作業、鉱物・炭素原料等破砕等作業、粉状鉱石、炭素原料混合等作業、粉状アルミ等袋詰め等作業、粉状鉱石袋詰め等作業、ガラス原料混合等作業、けい藻土製品原料混合等作業、炭素原料等混合作業、砂型解体等作業、金属溶射等作業と多岐にわたる。

P.128に記載の**セメント**や**フライアッシュ**を袋詰めする作業は確実に覚えておき、次に**特定粉じん作業ではない**ものとしてよく使われる選択肢A，B，Cの選択肢も**ではないほう**として覚えておく。

また、法には**手持式動力工具によるものを除く**の記載があり、この一文が出てきたら**ではないほう**。

A 正解は(5)

(1)　○　じん肺管理区分は「**地方じん肺診査医**」の診断又は審査により（産業医の診断ではないことに注意）、都道府県労働局長が決定する。

(2)　○　常時粉じん作業に従事する労働者でじん肺管理区分が管理2又は管理3であるもの、および過去に常時粉じん作業に従事していたもの（現在は粉じん作業以外に就いているもの）のうち、じん肺管理区分が**管理1**である労働者は**3年以内ごとに1回**、定期的に、じん肺健康診断を行う。

(3)　○　常時粉じん作業に従事する労働者、および過去に常時粉じん作業に従事していたもの（現在は粉じん作業以外に就いているもの）のうち、じん肺管理区分が**管理2または管理3**である労働者は、**1年以内ごとに1回**、定期的に、じん肺健康診断を行う。

(4)　○　じん肺管理区分が管理4と決定した者、および、合併症にかかっていると認められる者は療養を要する。

(5)　×　じん肺健康診断に関する記録およびエックス線写真は7年間保存する。

問題 3 【令和3年後期】

1回目 2回目 3回目

粉じん障害防止規則に基づく措置に関する次の記述のうち、誤っているものはどれか。ただし、同規則に定める適用除外及び特例はないものとする。

(1) 屋内の特定粉じん発生源については、その区分に応じて密閉する設備、局所排気装置、プッシュプル型換気装置若しくは湿潤な状態に保つための設備の設置又はこれらと同等以上の措置を講じなければならない。

(2) 常時特定粉じん作業を行う屋内作業場については、6か月以内ごとに1回、定期に、空気中の粉じんの濃度の測定を行い、その測定結果等を記録して、これを7年間保存しなければならない。

(3) 特定粉じん発生源に係る局所排気装置に、法令に基づき設ける除じん装置は、粉じんの種類がヒュームである場合には、サイクロンによる除じん方式のものでなければならない。

(4) 特定粉じん作業以外の粉じん作業を行う屋内作業場については、全体換気装置による換気の実施又はこれと同等以上の措置を講じる必要がある。

(5) 粉じん作業を行う屋内の作業場所については、毎日1回以上、清掃を行わなければならない。

問題 4 【令和元年後期】

1回目 2回目 3回目

石綿障害予防規則に基づく措置に関する次の記述のうち、誤っているものはどれか。

(1) 石綿等を取り扱う屋内作業場については、6か月以内ごとに1回、定期に、空気中の石綿の濃度を測定するとともに、測定結果等を記録し、これを40年間保存しなければならない。

(2) 石綿等の粉じんが発散する屋内作業場に設けられた局所排気装置については、原則として、1年以内ごとに1回、定期に、自主検査を行うとともに、検査の結果等を記録し、これを3年間保存しなければならない。

(3) 石綿等の取扱いに伴い石綿の粉じんを発散する場所において、常時石綿等を取り扱う作業に従事した労働者については、1か月を超えない期間ごとに、作業の概要、従事した期間等を記録し、これを当該労働者が常時当該作業に従事しないこととなった日から40年間保存するものとする。

(4) 石綿等を常時取り扱う作業場の床等については、水洗する等粉じんの飛散しない方法によって、毎週1回以上、掃除を行わなければならない。

(5) 石綿等を試験研究のため製造する作業場で労働者が喫煙し、又は飲食することを禁止し、かつ、その旨を当該作業場の見やすい箇所に表示する。

A 正解は(3)

よく出題される肢が、ここでも出題されている。

この本の巻末の模擬問題を繰り返し勉強するか、他に吟味して1冊問題集を追加するのもよいかもしれない。**問題集の選び方**だが、**予想問題集は、避ける**のが賢明だ。なぜなら、実際の問題はかなりクセがあり、予想するのは困難だからだ。そこで詳しく解説されている過去問題集をおすすめする。

さて、問題の解説に移ろう。

(1) ○ 特定粉じん発生源には、区分に応じて**換気装置**、**密閉設備**を設けなければならない。

(2) ○ 記録の保存期間は**7年間**である。

(3) × ヒュームの場合は、**ろ過除じん方式**または**電気除じん方式**のものでなければならない。

(4) ○ 特定粉じん作業以外の粉じん作業の場合は、**全体換気装置**による換気を実施すればよい。

(5) ○ 粉じんが舞っているかもしれない場所は、当然、**毎日1回以上**、**清掃**すること。

A 正解は(4)

(1) ○ 問題文の記述の通り。空気中の石綿の**濃度の測定**（作業環境測定）は、**6か月以内**ごとに**1回以上**、定期的に行ない、測定結果等を記録し、これを**40年間**保存しなければならない。

(2) ○ 問題文の記述の通り。**局所排気装置**や**ブッシュプル型換気装置**、**除じん装置**等は、**1年以内**ごとに**1回以上**。定期に**自主検査**を行なわなければならない。その記録は、**3年間**保存しなければならない。

(3) ○ 問題文の記述の通り。記憶するポイントは、①**1か月を超えない期間**、②**作業の概要**、**従事した期間**、③**40年間保存**、である。

(4) × 正しくは、「**毎日1回以上**」である。それほど危険な物質であることがわかるというものだ。

(5) ○ これは常識のようなもの。**試験研究**だからといって、規制が**緩められる**ものではない。ただ、**作業場**に**表示**する必要まであるかについては、迷った人がいたかもしれないが、この機会に覚えてしまおう。

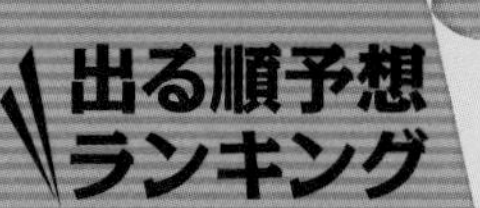

第10位

出題の定型を押さえましょう！

健康管理手帳/特殊健康診断

「特定化学物質第3類は、特殊健康診断が義務付けられていない」「水銀の業務は健康管理手帳の交付対象ではない」――これらが、頻出です。しっかり記憶しましょう。

1 どこが出るか、どんな出方をするか

通常、テキストなどでは**特殊健康診断**とよばれていますが、これは正式な呼び名ではありません。法文では、「**医師による特別の項目についての健康診断**」と書かれており、試験でもこれに似た表現で出題されます。

この試験で、特殊健康診断は、関係法令と労働衛生（ともに有害業務に係るもの）の2つの章で出題されますが、中心はこちらの関係法令の科目です。

ここでは、①「**特別の項目についての健康診断**」が**義務付け**られている（または、いない）業務は、何か。②その**主な業務**について、具体的にどんな**検査**なのか、が中心問題です。③有害な業務の中には、**歯科医師による健康診断**が必要なものもあり、その業務は何かも問われましたが、最近は出題がありません。

2 解答のコツ！

①については、「**特定化学物質のうち第3類物質を製造・取り扱う業務**」が、**義務付けられていない**ものとして、よく出題されます。これは、特定化学物質でも、第1類、第2類は義務付けられているので、その区別がしっかりしているかどうか、を試すものです（ちなみに、第3類は有害度が低い）。

②は、**鉛**(なまり)**業務**、**放射線業務**、**高圧室内業務**、**有機溶剤業務**などが、よく扱われます。③は、出題頻度は多くありませんが、たまには出題されます。

むしろ、無視できないのが、労働者が離職時や離職後に交付される健康手帳のこと。**対象となる業務**が問われますが、**石綿**(いしわた)や**粉**(ふん)**じんの管理区分2と3**は○（対象となる）、**水銀**は×（対象とならない）などがよく出されます。

7割ゲットできるポイント集！

●特殊健康診断は、以下の10の業務に従事する労働者が、①雇入れ時、②配置替え、③定期的に行われます。

❶粉じん作業	❺鉛業務
❷高圧室内業務および潜水業務	❻四アルキル鉛業務
❸放射線作業	❼有機溶剤業務
❹特定化学物質の第1類、第2類のほとんどを製造し、取り扱う業務。および製造等禁止物質の試験研究のための製造・使用業務	❽石綿粉じん発散場所での業務
	❾放射性物質の除染業務
	❿歯を侵食させる物質（塩酸、硝酸など）を取り扱う業務

※上記の健康診断は結果報告書を所轄労働基準監督署長に提出しなければなりません。

●特殊健康診断の中でも、歯に有害な物質を取り扱う業務に従事する労働者には、歯科医師による健康診断を実施しなければなりません。
実施時期は、①雇入れ時、②配置替え時、③定期的（6ヵ月以内ごとに1回）です。
歯科医師が扱う物質は次の通りです。**❶塩酸　❷硝酸　❸硫酸　❹亜硫酸　❺弗化水素　❻黄りん**

●過去に、上段の10業種に就いていた労働者も、**定期診断**の対象になります。既に離職した者に対しては、健康管理手帳が交付され、国費負担で健康診断を受けられます。**離職時**でも**離職後**でも手帳交付の申請は可能です。

健康管理手帳を交付する主な業務

- ベンジジン、ベータ－ナフチルアミン等の製造・取扱業務
- じん肺法に規定する粉じん作業に係る業務（管理区分1は除外）
- クロム酸および重クロム酸等の製造・取扱業務
- 無機砒素化合物、三酸化砒素を製造する工程における粉砕業務等
- ベリリウム等の製造・取扱業務
- 塩化ビニルの重合業務等
- 石綿の製造・取扱業務および石綿が吹き付けられた建築物等の解体の業務等
- ジアニシジン等の製造・取扱業務

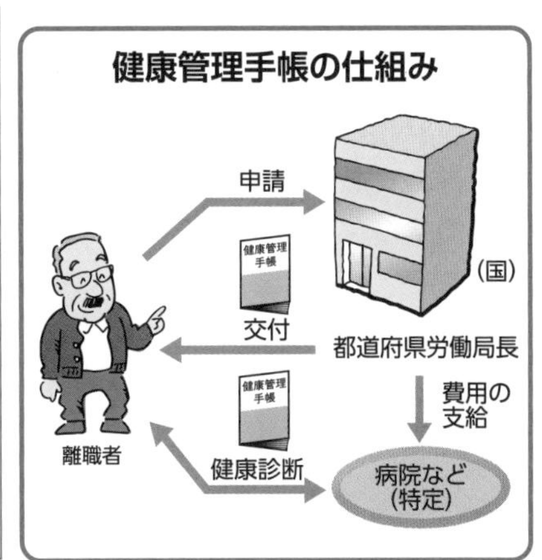

問題 1 【令和4年前期】

1回目 2回目 3回目

有害業務とそれに常時従事する労働者に対して特別の項目について行う健康診断の項目の一部との組合せとして、法令上、正しいものは次のうちどれか。

(1) 有機溶剤業務 ……………… 尿中のデルタアミノレブリン酸の量の検査
(2) 放射線業務 ………………… 尿中の潜血の有無の検査
(3) 鉛業務 ……………………… 尿中のマンデル酸の量の検査
(4) 石綿等を取り扱う業務 …… 尿中又は血液中の石綿の量の検査
(5) 潜水業務 …………………… 四肢の運動機能の検査

問題 2 【令和3年後期】

1回目 2回目 3回目

事業者が、法令に基づく次の措置を行ったとき、その結果について所轄労働監督署長に報告することが義務付けられているものはどれか。

(1) 雇入時の有機溶剤等健康診断
(2) 定期に行う特定化学物質健康診断
(3) 特定化学設備についての定期自主検査
(4) 高圧室内作業主任者の選任
(5) 鉛業務を行う屋内作業場についての作業環境測定

問題 3 【平成30年後期】

1回目 2回目 3回目

有害業務とそれに従事する労働者に対して特別の項目について行う健康診断の項目の一部との組合せとして、法令上、正しいものは次のうちどれか。

(1) 高圧室内業務 …………… 尿中のウロビリノーゲンの検査
(2) 有機溶剤業務 …………… 赤血球中のプロトポルフィリンの量の検査
(3) 放射線業務 ……………… 尿中の潜血の有無の検査
(4) 潜水業務 ………………… 血液中の尿酸の量の検査
(5) 鉛業務 …………………… 尿中のデルタアミノレブリン酸の量の検査

A 正解は(5)

(1) × **尿中の蛋白の有無**の検査や、**尿中の代謝物**（例えば、キシレンにおけるメチル馬尿酸など）の量の**生物学的モニタリング**が行われる。尿中の**デルタアミノレブリン酸**の量の検査が行われるのは**鉛**(なまり)**業務**の場合。

(2) × **皮膚の検査**や、**白血球数**、**赤血球数**、それらの百分率の検査が行われる。尿中の潜血の有無の検査は行われない。

(3) × 鉛業務に従事する労働者に対しては、**尿中のデルタアミノレブリン酸**の量の検査が行われる。マンデル酸の量の検査は行われない。

(4) × 石綿等の業務では、**胸部エックス線検査**が行われる。

(5) ○ 潜水業務の特殊健康診断の項目は四肢の運動機能検査のほか、鼓膜および聴力の検査、血圧の測定、尿中の糖や蛋白の有無の検査などがある。

A 正解は(2)

(1) × 雇入時の健康診断については、**一般でも特殊でも**報告を義務付けられていない。

(2) ○ 特定の有害業務に従事する労働者に対する**特殊健康診断（歯科健康診断を含む）**は、報告が義務付けられている。

(3) × 定期自主検査は**記録の保存**義務はあっても、報告は義務付けられていない。

(4) × 作業主任者の**選任**は義務だが、報告は義務付けられていない。

(5) × 作業環境測定結果の報告は義務付けられていない。

A 正解は(5)

(1) × **高圧室内業務**については、**四肢の運動機能の検査**、**鼓膜および聴力の検査**、**尿中の糖および蛋白の検査**、**肺活量**や**血圧の測定**が行われる。

(2) × **尿中蛋白の有無**、**尿中の代謝物の**量が検査される。

(3) × **白内障**や**皮膚の検査**、**白血球数**、**赤血球数**などの検査が行われる。

(4) × **四肢の運動機能**、**尿中の糖および蛋白の有無**、**肺活量**などの検査。

(5) ○ 正しい。この肢は**よく出題される**ので、必ず記憶しよう。

問題 4 【令和6年後期】

1回目 2回目 3回目

次の有害業務に従事した者のうち、離職の際に又は離職の後に、法令に基づく健康管理手帳の交付対象とならないものはどれか。

(1) ジアニシジンを取り扱う業務に3か月以上従事した者
(2) ベーター ナフチルアミンを取り扱う業務に3か月以上従事した者
(3) ベンジジンを取り扱う業務に3か月以上従事した者
(4) 水銀を取り扱う業務に5年以上従事した者
(5) 粉じん作業に従事した者で、じん肺管理区分が管理二又は管理三の者

問題 5 【令和元年後期】

1回目 2回目 3回目

次の有害業務に従事した者のうち、離職の際に又は離職の後に、法令に基づく健康管理手帳の交付対象となるものはどれか。

(1) ビス（クロロメチル）エーテルを取り扱う業務に3年以上従事した者
(2) 硝酸を取り扱う業務に5年以上従事した者
(3) 鉛化合物を製造する業務に7年以上従事した者
(4) ベンゼンを取り扱う業務に10年以上従事した者
(5) 粉じん作業に従事した者で、じん肺管理区分が管理一の者

問題 6 【平成28年前期】

1回目 2回目 3回目

次の有害業務に従事した者のうち、離職の際に又は離職の後に、法令に基づく健康管理手帳の交付対象となるものはどれか。

(1) 水銀を取り扱う業務に3年以上従事した者
(2) 硝酸を取り扱う業務に5年以上従事した者
(3) 鉛化合物を製造する業務に7年以上従事した者
(4) メタノールを取り扱う業務に10年以上従事した者
(5) 粉じん作業に従事した者で、じん肺管理区分が管理二又は管理三の者

得点力をもっとUPする ワンポイント知識

特殊健康診断の「対象業務」「実施期間」「記録の保存期間」をまとめました。

❶高気圧業務…**6か月**以内ごとに**1回**／**5年**保存

❷電離放射線業務…**6か月**以内ごとに**1回**／**30年**保存

A 正解は(4)

(1)(2)(3)(5)　○　交付対象となる。

(4)　×　水銀を取り扱う業務は健康管理手帳の交付対象となる業務ではない。他に交付対象ではない物質や業務としては、**シアン化水素**、**ベンゼン**、**硝酸**、**メタノール**、**鉛**が**過去に出題**されている。

A 正解は(1)

健康管理手帳の交付を受けられる業務は12あって、それぞれ従事期間等の要件が付加されているが、これらをすべて覚えるのは、かなりの時間と労力を必要とする。そこで、**出題頻度の多い**物質にしぼって覚えることにしよう（なお、期間等は、まず問題とされることはない）。

〈該当するもの〉①**ビス（クロロメチル）エーテル**。ここ3回、該当するものとして、正解になっている。②粉じん作業に従事した者で、**じん肺管理区分**が**管理2**または**管理3**の者。③**石綿**関係。

〈該当しないもの〉①**水銀**（頻出する）。②**鉛化合物**。③**硝酸**。④**ベンゼン**。⑤粉じん作業に従事した者で、じん肺管理区分が管理1の者（管理2、管理3は対象なので、違いに注意のこと）。

A 正解は(5)

健康管理手帳の制度がなぜあるのかを考えてみると、これが、職業がんなどの、業務に従事してから**長い期間経たあとの発病**を予防するためであったことを思い出す。ならば、最近特に問題となっている**石綿**（いしわた）は対象となる。

なお、**誤りの選択肢**としてよく出されるのが、**水銀**と**シアン化水素**。それに、**ベンゼン**も誤りだ。（しかし、似た名前の**ベンジジン**は、対象業務。**この2つは、別な物質**なのだが、**似た名前**なので間違えやすいから注意のこと。）

粉じん作業は、対象業務だが、**じん肺管理区分一だけは除外**される。区分一は「**じん肺の所見がない**」人なのだから、納得がいく。この点は、しっかり覚えておこう。この問題では、管理区分二または三が出題されており、正解である。

❸特定化学物質業務…**6か月**以内ごとに**1回**／**5年**保存（特別管理物質は**30年**）
❹鉛（なまり）業務…**6か月**以内ごとに**1回**／**5年**保存
❺有機溶剤業務…**6か月**以内ごとに**1回**／**5年**保存
❻石綿業務…**6か月**以内ごとに**1回**／**40年**保存
❼四（し）アルキル鉛（えん）業務…**3か月**以内ごとに**1回**／**5年**保存

試験前夜に目を通したい必須重要ポイント

確認したら☑しよう!!

□衛生管理者の人数の覚え方。「ゴニゴの先は、イチニッサンの千人きざみ」。(50人以上⇒１人以上、200人超⇒２人以上、500人超⇒３人以上、1,000人超⇒４人以上、2,000人超⇒５人以上、3,000人超⇒６人以上)

□一定の有害業務に30人以上従事なら、500人超から専任が必要(普通は1,000人超)。

□清掃業、医療業は第1種衛生管理者、旅館業、商業、金融業は第2種でも可。

□衛生管理者が2人以上なら、1人は、専属でない労働衛生コンサルタントでもいい。

□一定の高熱物体の業務は、労働者数次第で衛生工学衛生管理者の選任が必要だが、低温物体には、この規定は適用されない。

□産業医は、一定の有害業務に従事する労働者が500人以上なら１人が専属のこと。

□作業主任者は、高圧、エックス線、ガンマ線の3つのみ免許で取得。他は講習で。

□譲渡(じょうと)制限にかからないのは、防振手袋、化学防護服、防音保護具、送気(そうき)マスク等。

□全体換気装置は、定期自主検査が必要でない。局所排気装置は1年以内ごと1回。ただし、全体、局所とも政令で定められていれば逆もあり(新問題)。

□硫化水素(りゅうかすいそ)中毒は、硫化水素の濃度が10ppm以上で起こる。1とか50なら×。

□酸素欠乏には、防毒マスクは役に立たないので不可。送気マスク、酸素呼吸器は○。

□女性の重量物取り扱いの制限。継続作業なら満16歳以上で15、満18歳以上で20。

□産後1年を経過しない女性や、18歳未満の者(年少者)には、申出(もうしで)なくとも、さく岩機(がんき)など著しい振動を与える機械器具を用いて行う業務に就(つ)かせてはならない。

□有機溶剤の混合物は、その有機溶剤が重量の5%超なら、それと見なされる。

□有機溶剤作業主任者は、第3種有機溶剤等の作業でも、選任が必要。

□石綿(いしわた)事業を廃止する場合は、①作業の記録、②作業環境測定の記録、③石綿健康診断個人票の"3点セット"を添付しなければならない。

□特定化学物質の事業者が、廃業時に提出義務があるのは、石綿と同じ"3点セット"。

□屋内でセメントを袋詰めする箇所における作業は、特定粉(ふん)じん作業に該当する。

□特殊健康診断は、特定化学物質の第3類は義務付けられていない。また、第3類は、作業環境測定の義務もない(規制がゆるい)。ただし作業主任者の選任は必要。

□鉛(なまり)業務の健康診断項目に、白血球数関係や馬(ば)尿酸の量とあれば×の肢(よく出る)。

□健康管理手帳の対象業務に、水銀やシアン化水素は入らない。石綿は、当然対象。

□作業環境測定義務の頻度は、大部分は6か月。目立つのは、暑熱・寒冷・多湿の半月に1回、放射線の1か月に1回、鉛の1年に1回。こちらを覚えるのが得策。

□特別教育が必要なのは、「チェ・エックス・ハイ・イシ・サン・セン」(118ページ参照)。

第3章

関係法令（有害業務に係るもの以外のもの）

出る順予想ランキング

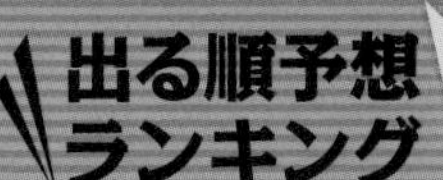

頻出ポイントを選び出し
覚えよう！

衛生管理者・産業医

ここは、有害業務以外の衛生管理体制についての問題です。広い範囲で出題されますが、正解は意外に簡単な肢に潜んでいますので、それを見つけ出すこと。

1 どこが出るか、どんな出方をするか

衛生管理体制は、「関係法令（有害業務に係るもの）」でも出題されました。しかしあれは、あくまでも有害業務関係だけ。ここでは、広く出題されます。

- まず、しばしば出題される、簡単な知識から押さえましょう。それは、作業場を定期に巡視しなければならない**頻度**です。衛生管理者は**毎週1回以上**、産業医は**毎月1回以上**。簡単ですよね、でもこれが、頻出します。
- 次の2つはやや難問。「総括安全衛生管理者は事業の実施を統括管理する者又はこれに準ずる者をもって充てる」。イエスかノーか、たいていならイエスと答えるのでは？ しかし正解はノー。「**準ずる者**」ではダメなのです。でも、ちょっとご注意。後出の**衛生委員会の議長**は**「準ずる者」でOK**です。
- 産業医の職務には、「安全衛生に関する方針の表明」はありません。

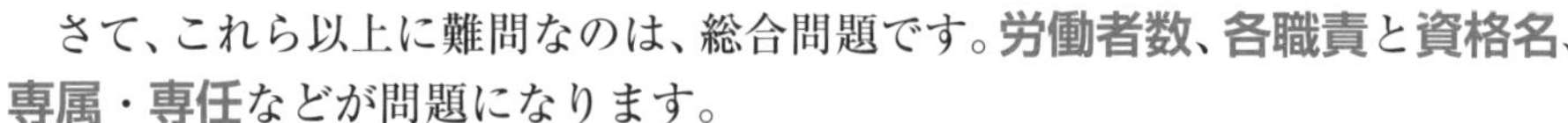

2 解答のコツ！

さて、これら以上に難問なのは、総合問題です。**労働者数**、**各職責**と**資格名**、**専属・専任**などが問題になります。

最適な対策は、オーソドックスに勉強することですが（右ページの表）、正解肢にたどりつく近道もあります。なぜなら、正解肢は意外に簡単なポイントが多いからです。表面的に飾りたてた難しそうな肢の中に、以下の単純な正解肢が隠れていないかどうか。その**探索**から先に、問題を読みはじめましょう。

- **医療業**は、有害業務を含むので、**第2種衛生管理者では不適格**である。
- **旅館業**や**百貨店**（各種商品小売業）は、第2号業種なので、**300人以上**なら、**総括安全衛生管理者を選任**しなければならない。ただ、**旅館業や百貨店の衛生管理者**は、**第2種**衛生管理者でよいことに注目！

7割ゲットできるポイント集！

- 使用労働者が一定数以上の大きな事業場（右の表）は、総括安全衛生管理者を選任する必要があります。
- 総括安全衛生管理者は、「事業の実施を統括管理する者」でなければなりませんが、衛生管理者免許は、不要です。必要な状況になったら、14日以内に選任し、遅滞（ちたい）なく労働基準監督署長に届け出をします。

総括安全衛生管理者の選任が必要な事業場

業種		事業場の規模（使用労働者の数）
屋外産業的業種（第１号業種）	林業、鉱業、建設業、運送業、清掃業	100人以上
屋内産業的業種のうち工業的業種（一部非工業を含む）（第２号業種）	製造業（物の加工業を含む）、電気業、ガス業、熱供給業、水道業、通信業、各種商品卸売業、家具・建具・じゅう器等卸売業、各種商品小売業、家具・建具・じゅう器小売業、燃料小売業、旅館業、ゴルフ場業、自動車整備業、機械修理業	300人以上
屋内産業的業種のうち非工業的業種（第３号業種）	その他の業種（例えば、金融業、商社、警備業、飲食店など）	1,000人以上

- 業種に関係なく、常時50人以上の労働者がいる事業所は、専属の（その事業所に籍のある）衛生管理者の選任が義務付けられています。

常時使用する労働者の数	衛生管理者数	常時1,000人を超える労働者を使用する事業場
50人以上（50～200人）	1人以上	
200人を超える（201～500人）	2人以上	
500人を超える（501～1,000人）	3人以上	
1,000人を超える（1,001～2,000人）	4人以上	有害業務以外は、1,000人を超えると衛生管理者のうち少なくとも1人を専任とする
2,000人を超える（2,001～3,000人）	5人以上	
3,000人を超える（3,001人～）	6人以上	

- 衛生管理者は、少なくとも毎週1回以上、作業場などを巡視しなければなりません。
- 常時50人以上の労働者を使用している事業所では、事業者は産業医を選任し、労働者の健康管理を行わなくてはなりません。

常時50人以上の事業場	選任する必要あり（外部委任可）
常時1,000人以上の事業場	1人以上専属であること（社員のイメージ）
常時3,000人超の事業場	2人以上、専属の産業医を選任する必要あり

- 産業医は、少なくとも毎月1回以上、作業場を巡視しなければなりません。

問題 1 【令和6年前期】

1回目 2回目 3回目

常時使用する労働者数が300人の事業場で、法令上、総括安全衛生管理者の選任が義務付けられていない業種は、次のうちどれか。

(1) 通信業
(2) 各種商品小売業
(3) 旅館業
(4) ゴルフ場業
(5) 警備業

問題 2 【令和4年前期(第2種)】

1回目 2回目 3回目

総括安全衛生管理者又は産業医に関する次の記述のうち、法令上、誤っているものはどれか。

ただし、産業医の選任の特例はないものとする。

(1) 総括安全衛生管理者は、事業場においてその事業の実施を統括管理する者をもって充てなければならない。
(2) 都道府県労働局長は、労働災害を防止するため必要があると認めるときは、総括安全衛生管理者の業務の執行について事業者に勧告することができる。
(3) 総括安全衛生管理者が旅行、疾病、事故その他やむを得ない事由によって職務を行うことができないときは、代理者を選任しなければならない。
(4) 産業医は、衛生委員会を開催した都度作成する議事概要を、毎月1回以上、事業者から提供されている場合には、作業場等の巡視の頻度を、毎月1回以上から2か月に1回以上にすることができる。
(5) 事業者は、産業医から労働者の健康管理等について勧告を受けたときは、当該勧告の内容及び当該勧告を踏まえて講じた措置の内容(措置を講じない場合にあっては、その旨及びその理由)を記録し、これを3年間保存しなければならない。

A 正解は(5)

前々ページの「総括安全衛生管理者の選任が必要な事業場」の表を見てみよう。(1)通信業、(2)各種商品小売業、(3)旅館業、(4)ゴルフ場業は、いずれも**第2号業種**なので、**常時300人以上**の労働者が従事するなら、**総括安全衛生管理者**の選任が必要である。

A 正解は(4)

(1) ○ 総括安全衛生管理者は、事業場においてその**事業の実施を統括管理する者**を選任する。「準ずる者」は不可。たとえば大きな工場なら工場長を選任する。副工場長やその工場の管理部長では不可。

(2) ○ 都道府県労働局長は、労働災害を防止するために必要があると認めるときは、総括安全衛生管理者の業務の執行について**事業者に勧告**することができる。

(3) ○ 事業者は、**総括安全衛生管理者**がやむを得ない事由によって職務を行うことができないときは、**代理者を選任**しなければならない。

(4) × 産業医が作業場等の巡視を**2か月に1回以上**にできる要件は、

・衛生管理者が行う巡視の結果

・労働者の健康障害を防止し、又は労働者の健康を保持するために必要な情報であって、安全衛生委員会における調査審議を経て事業者が産業医に提供することとしたもの

を、事業者から産業医に提供されている場合。

(5) ○ 事業者は産業医から労働者の健康管理等について勧告を受けたときは、その内容と講じた措置（講じない場合は、その旨および理由）を記録し、3年間保存する。

問題 3 【令和3年後期】

1回目 2回目 3回目

産業医に関する次の記述のうち、法令上、誤っているものはどれか。

(1) 産業医を選任した事業者は、産業医に対し、労働者の業務に関する情報であって産業医が労働者の健康管理等を適切に行うために必要と認めるものを提供しなければならない。

(2) 産業医を選任した事業者は、その事業場における産業医の業務の具体的な内容、産業医に対する健康相談の申出の方法、産業医による労働者の心身の状態に関する情報の取扱いの方法を、常時各作業場の見やすい場所に掲示し、又は備え付ける等の方法により、労働者に周知させなければならない。

(3) 産業医は、衛生委員会に対して労働者の健康を確保する観点から必要な調査審議を求めることができる。

(4) 産業医は、衛生委員会を開催した都度作成する議事概要を、毎月1回以上、事業者から提供されている場合には、作業場等の巡視の頻度を、毎月1回以上から2か月に1回以上にすることができる。

(5) 事業者は、産業医から労働者の健康管理等について勧告を受けたときは、当該勧告の内容及び当該勧告を踏まえて講じた措置の内容（措置を講じない場合にあっては、その旨及びその理由）を記録し、これを3年間保存しなければならない。

問題 4 【令和2年後期】

事業者が衛生管理者に管理させるべき業務として、法令上、誤っているものは次のうちどれか。

ただし、次のそれぞれの業務のうち衛生に係る技術的事項に限るものとする。

(1) 安全衛生に関する方針の表明に関すること。

(2) 労働者の健康管理等について、事業者に対して行う必要な勧告に関すること。

(3) 安全衛生に関する計画の作成、実施、評価及び改善に関すること。

(4) 労働災害の原因の調査及び再発防止対策に関すること。

(5) 健康診断の実施その他健康の保持増進のための措置に関すること。

A 正解は(4)

(1)(2)(3)(5)は記述の通りで正しい。産業医が作業場等の巡視の頻度を**毎月1回以上から2か月に1回以上**にすることができる条件は、次の通りだ。

①衛生管理者が行う巡視の結果、②労働者の健康障害を防止または健康を保持する情報を、衛生委員会または安全衛生委員会における**調査審議**を経て**事業者が毎月1回以上**、**産業医**に提供し、③**事業者の同意**を得ている場合である。④毎月1回以上、衛生委員会を開催した際に作成する議事概要を事業者から提供されているだけでは、この条件を**満たしていない**。

A 正解は(2)

衛生管理者の業務は、総括安全衛生管理者の業務のうち衛生に関する**技術的事項**を行うことと規定されている。したがって、それを知るには、次の①～⑦の**総括安全衛生管理者の業務**をしっかり記憶しておかなければならない。

①労働者の**危険または健康障害を防止**するための措置、②労働者の**安全**または**衛生**のための**教育の実施**、③**健康診断**の実施その他**健康の保持増進**のための措置、④**労働災害**の**原因**の**調査**および**再発防止対策**、⑤安全衛生に関する**方針の表明**、⑥**危険性**または**有害性等の調査**およびその結果に基づき**講ずる措置**（リスクアセスメント等）、⑦安全衛生に関する**計画の作成**、**実施**、**評価**及び改善。

以上により、(1)(3)(4)(5)は、正しく、(2)は含まれていないので誤りとわかる。

以上が、正統的な解答の仕方である。しかし、**7つの業務**をしっかり**覚えていない**場合でも、**正解は見つけることができる**ことがある。さっと、肢を読んでみて、引っかかる肢を見つけ出すのだ。

具体的に言えば、(2)の**「勧告」という言葉**である。これは、行政機関が民間に対して行政指導として発する場合に使われる。何となく、**上から下へというニュアンス**がある。すると、衛生管理者（下位）が事業者（上位）に行うのには違和感がある。よって、これが誤りとわかる。

得点力をもっとUPする ワンポイント知識

重要です

衛生管理者を、**第1種衛生管理者から選ぶべき業種**と、**第2種からでもよい業種**は、次の表の通り。143ページの最上段の表と**同一ではない**ので注意！

第1種のみ	医療業、清掃業、運送業、**建設業**、**製造業**、**自動車整備業**、**機械修理業**、**水道業**、**ガス業**、**電気業**、**熱供給業**、**農林畜水産業**、**鉱業**
第2種でもよい	百貨店、スーパー**等の**商業関係、旅館業、通信業、ゴルフ場業、銀行**その他の**金融業**など**

第2位

頻出ポイントを選び出し
覚えよう！

労働基準法（妊産婦の保護等、就業規則）

「就業規則」の届け出の際、添付するのは「同意する」という内容でなくてもいいのです。これは絶対覚えること。「産前産後の休業」の数字についても、頻出問題です。

1 どこが出るか

妊産婦の保護規定について、よく出題されます。最近多いのは、育児時間のこと。使用者は、生後満1年に達しない生児を育てる女性労働者が請求した場合は、1日2回、少なくとも1回30分の育児時間を与えなければなりません。

以前は、産前産後の休業について出題されました。「使用者は、**6**週間（多胎妊娠（たいにんしん）の場合にあっては、**14**週間）**以内に出産する予定**の女性が、休業を**請求**（ここを忘れがちなので注意！）した場合においては、その者を**就業させてはならない**。また、使用者は、原則として、**産後8週間を経過しない女性**を就業させてはならない」。ほぼ、法文どおりの文章が記述され、赤字部分の数字を入れさせる問題です。

この数字は、**6＋8＝14**と覚えるのが賢明です。順序が少し違いますが、それは頭の中で、調整すればよいわけ。数字を覚えるコツの1つです。

最近は、妊産婦と**フレックスタイム制**の適用についても出題されます。答えは「**妊産婦でも適用される**」です。ただし、**変形労働時間制**は、**妊産婦**が法定時間外労働を拒否する**請求**をすれば、**適用できません**（適用除外者を除く）。

2 どんな出方をするか

就業規則（しゅうぎょうきそく）のハイライトは、使用者が就業規則を所轄労働基準監督署長に届け出るときに、労働者代表の**「同意書」が必要かどうか**の問題です。

あなたなら、イエス or ノー？　正解は、ノーです。**労働者代表の書類の添付は、必要です**。でも、その内容は、**賛成（同意）でなくて、全面反対でもいい**のです。なお、就業規則の問題は、過去に頻出していましたが、最近は出題が少なくなりました。そこで、次々ページからの問題では省きました。右ページでよく勉強してください。

7割ゲットできるポイント集！

●産前産後の女子の保護規定は、以下のようになります。

❶生後満1年に達しない生児を育てる女性労働者は育児時間を請求できる。1日2回、少なくとも1回30分。
❷6週間以内に出産予定の女性は、休業を請求できる（多胎妊娠は14週間以内）。
❸使用者は、原則産後8週間を経過しない女性を仕事に就けてはならない（ただし、産後6週間の女性が請求した場合、医師の認める業務なら可）。
❹妊娠中の女子は、業務を軽易なものへ変えるよう請求ができる。
❺使用者は、産前産後の休業期間と、その後の30日間は、原則として解雇できない。
❻平均賃金の算定では、この期間中の賃金は算定の基礎から控除される。
❼有給休暇の計算では、産前産後の休業期間は出勤とみなされる。

絶対的必要記載事項	相対的必要記載事項
始業・終業時刻／休憩時間／休日／休暇（育児休業含む）／就業時転換に関する事項／賃金（臨時除く）の決定／計算・支払い方法／締切／支払いの時期／昇給に関する事項／退職に関する事項（解雇の事由を含む）	思い切って覚えないのも1つの手。なぜなら、左側を記憶していれば、そうでないものは右側だ、とわかるから。これで勉強量は半分に減らせます。ただ、それでも心配な方は、テキストで勉強してください。

●就業規則は、労働条件や職場の規則、違反時の制裁等を定めた規則です。

❶使用者は就業規則を掲示するか、労働者がいつでも閲覧できるようにしておかなければなりません。電子機器を利用する方法も、認められています。
❷常時10人以上の労働者を使用する使用者は、就業規則を作成し、労働基準監督署長に届け出なければなりません（常時ならパートタイマーも入る）。
❸作成には、労働者の過半数で組織する労働組合か、労働者の過半数を代表する者の意見の聴取が義務付けられています。また、届出の際は、その意見書を添付しなければなりません（ただし、意見は全面反対のものであっても、規則の効力とは関係ありません。つまり同意書でなくても可）。
❹規律違反をした場合の制裁についても、定められます。しかし、1回の事案に対する減給額が、平均賃金の1日分の半額を超えてはいけません。また、複数の事案に対する減給の総額が、1賃金支払期の賃金総額の10分の1を超えてはいけません。
❺就業規則には、絶対的必要記載事項と相対的必要記載事項があります。

問題 1 【令和6年後期】

1回目 2回目 3回目

労働基準法に定める育児時間に関する次の記述のうち、誤っているものはどれか。

(1) 生後満1年に達しない生児を育てる労働者は、男性、女性共に育児時間を請求することができる。

(2) 育児時間は、1日2回、1回当たり少なくとも30分の時間を請求することができる。

(3) 育児時間中は、育児時間を請求した労働者を使用してはならない。

(4) 育児時間を請求しない労働者に対しては、育児時間を与えなくてもよい。

(5) 育児時間は、必ずしも有給としなくてもよい。

問題 2 【令和4年前期（第2種）】

1回目 2回目 3回目

労働基準法に定める妊産婦等に関する次の記述のうち、法令上、誤っているものはどれか。

ただし、常時使用する労働者数が10人以上の規模の事業場の場合とし、管理監督者等とは、「監督又は管理の地位にある者等、労働時間、休憩及び休日に関する規定の適用除外者」をいうものとする。

(1) 妊産婦とは、妊娠中の女性及び産後1年を経過しない女性をいう。

(2) 妊娠中の女性が請求した場合においては、他の軽易な業務に転換させなければならない。

(3) 1年単位の変形労働時間制を採用している場合であっても、妊産婦が請求した場合には、管理監督者等の場合を除き、1週40時間、1日8時間を超えて労働させてはならない。

(4) フレックスタイム制を採用している場合であっても、妊産婦が請求した場合には、管理監督者等の場合を除き、1週40時間、1日8時間を超えて労働させてはならない。

(5) 生理日の就業が著しく困難な女性が休暇を請求したときは、その者を生理日に就業させてはならない。

A 正解は(1)

(1) × 育児時間を請求できるのは、**女性に限られる**。

(2) ○ 育児時間は1日2回、1回当たり少なくとも30分を請求できる。所定労働時間が**4時間以下**の場合は、1日1回でかまわない。

(3) ○ 育児時間中は労働を免除されている（**休憩**時間と同じ）。

(4) ○ 育児時間は請求した者に**だけ**与えればよい。

(5) ○ 育児時間は無給でもかまわない。

A 正解は(4)

(1) ○ 妊産婦とは、妊娠中の女性及び産後1年を経過しない女性のこと。

(2) ○ 妊産婦が請求したら管理監督者であっても他の軽易な業務に転換させなければならない。

(4) × フレックスタイム制は、労働者自らが始業・終業の時刻を決めることができるので、妊産婦保護の適用外。

(5)は生理休暇としてよく知られているので、問題なく正しいとわかるだろう。

(3)(4)は「**管理監督者等**」の妊産婦の場合、保護されるがどうかが問われる。「管理監督者等」は、役割が**重い**ので、一般の労働者と同様には保護されない。**時間外・休日**労働、(3)の（1年単位の）**変形労働時間制**については、適用を**除外されない**。つまり、妊産婦としての保護はなく、一般の労働者と同じ扱いになる。

ただ一つだけ、**深夜業**は「管理監督者等」であっても、**請求すれば**、妊産婦として**保護**され、使用者は深夜業を**させてはならない**。この場合、注意しなければならないのは、「深夜業は辞退します」という請求の意思表示があって初めて深夜業はさせてはならないことになるわけで、**請求**が条件になっていることを見落とさないようにしたい。

健康診断

①雇用時の健康診断、②定期健康診断、③海外派遣労働者の健康診断が対象。他に特殊健康診断がありますが、これは別章で出題されます。

1 どこが出るか、どんな出方をするか

健康診断は、いくつか種類があるので、まずそれを整理しておかなければなりません。ただし、いわゆる特殊健康診断（正式名：医師による特別の項目についての健康診断）は、有害業務のみが対象なので、第2章と第4章で扱います。

ここでは、①**雇入れ時の健康診断**、②**定期健康診断**、③**海外派遣労働者の健康診断**を扱います。頻出ポイントを、以下に紹介しましょう。

《雇入れ時の健康診断》

- **雇入れ時**の健康診断は、医師の判断で**省略できる項目は、原則、ありません**。ですから「年齢が35歳未満なら、貧血検査、心電図が省略できる」という肢が、ひと頃続けて出題されましたが、もちろんこれは×（しかも正解肢）。また「**身長、体重、心電図等が省略できる**」という問いも、×。
- 医師の健康診断を受けて「**3か月**」を経過しない労働者は、結果を書面で提出すれば、その項目は省略できます。**6か月**と誤って出題されます。
- 雇入れ時の健康診断は、**所轄労働基準監督署長に報告する必要はなし**。労働者が50人以上なら提出義務がある定期健康診断、と混同しないこと。

《定期健康診断》

- 医師の判断でも省略できないもの･･･①**既往歴および業務歴の調査**、②**血圧の測定**、③**尿検査**、④**自覚症状および他覚症状の有無等**／省略できるもの･･･**血液検査（肝機能検査、血中脂質検査、血糖検査、貧血検査）**、**心電図検査、胸部エックス線検査**（これらも頻出）。
- 健康診断の結果は、**異常の有無にかかわらず**、全員に**遅滞なく通知しなければなりません**。異常な所見があると診断された労働者等については、診断日から**3か月以内**に、改善策について医師の意見を聞かなければなりません（行うのは、いずれも**事業者**）。

7割ゲットできるポイント集！

- 健康診断には、大きく一般健康診断と特殊健康診断があります。一般健康診断はすべての労働者が対象です。
- 一般健康診断の健康診断個人票は、5年間保存しなければなりません。

一般健康診断	①雇入れ時の健康診断 ②定期健康診断 ③特定業務従事者の健康診断 ④海外派遣労働者の健康診断 ⑤給食従業員の検便
特殊健康診断	⑥特定有害業務の健康診断 ⑦歯科医師による健康診断
番外！	⑧臨時の健康診断

- 定期健康診断は、全労働者を対象に、1年以内ごとに1回行います。
- ただし、一定の有害な業務（指定された14業務）に従事する労働者（特定業務従事者）は、定期健康診断を6か月以内ごとに1回行います（これは、有害業務従事者でも、特殊健康診断とは別）。

定期および雇入時健康診断の項目

❶既往（きおう）歴および業務歴の調査
❷自覚症状および他覚症状の有無の検査
❸身長※、体重、腹囲※、視力および聴力の検査。聴力の検査は、1,000Hz（ヘルツ）および4,000Hzの音について行わなければならない。
❹胸部エックス線検査およびかく痰（たん）検査※
❺血圧の測定
❻貧血検査※
❼肝機能検査※
❽血中脂質検査※
❾血糖検査※
❿尿検査
⓫心電図検査※

※印のものは、年齢等により省略できる場合がある（ただし、定期健康診断の場合のみ）。赤色のものは省略できない。

- 労働者を海外に6か月以上派遣するときは、派遣前と帰国時に健康診断を行わなければなりません。
- 診断項目は、一般健康診断の項目に、医師が必要であると認めるときは、下の表にある項目が追加されます。また、他の健康診断を受けてから6か月以内であれば、すでに受けた項目は省略できます。
身長検査、かく痰検査も医師の判断で省略できます。

海外派遣時の追加検査項目 ※あまり出題されません

定期健康診断と同じ項目 ＋ 厚生労働大臣が定める項目のうち医師が必要と認める項目

①腹部画像検査（胃部エックス線検査、腹部超音波検査等）
②血液中の尿酸量の検査
③B型肝炎ウイルス抗体検査
④血液型検査（派遣前のみ）
⑤糞便塗抹検査（帰国時のみ）

なお身長検査・かく痰検査は、定期健康診断と同じ基準で省略も可

第3章 関係法令（有害業務に係るもの以外のもの）

問題 1 【令和4年後期】

1回目 2回目 3回目

労働安全衛生規則に基づく次の定期健康診断項目のうち、厚生労働大臣が定める基準に基づき、医師が必要でないと認めるときは、省略することができる項目に該当しないものはどれか。

(1) 自覚症状の有無の検査
(2) 腹囲の検査
(3) 胸部エックス線検査
(4) 心電図検査
(5) 血中脂質検査

問題 2 【令和4年前期】

1回目 2回目 3回目

労働安全衛生規則に基づく医師による雇入時の健康診断に関する次の記述のうち、誤っているものはどれか。

(1) 医師による健康診断を受けた後、3か月を経過しない者を雇い入れる場合、その健康診断の結果を証明する書面の提出があったときは、その健康診断の項目に該当する雇入時の健康診断の項目を省略できる。
(2) 雇入時の健康診断では、40歳未満の者について医師が必要でないと認めるときは、貧血検査、肝機能検査等一定の検査項目を省略できる。
(3) 事業場において実施した雇入時の健康診断の項目に異常の所見があると診断された労働者については、その結果に基づき、健康を保持するために必要な措置について、健康診断実施日から3か月以内に、医師の意見を聴かなければならない。
(4) 雇入時の健康診断の結果に基づき健康診断個人票を作成し、5年間保存しなければならない。
(5) 雇入時の健康診断の結果については、事業場の規模にかかわらず、所轄労働基準監督署長に報告する必要はない。

A　正解は(1)

「省略することができる項目に該当しないもの」➡省略できないもの。

(1)　○　**自覚症状の有無は省略できない**。健康診断では問診で確認されている。

(2)　×　153ページの「定期および雇入時健康診断の項目」では、『③身長、体重、腹囲、視力および聴力の検査』となっていて、この中で身長と腹囲は省略できる。**体重、視力、聴力は省略できない**。

(3)(4)(5)　×　省略できる。

A　正解は(2)

(1)　○　医師による健康診断を受けた後**3か月を経過しない者**を雇(やと)い入(い)れる場合、その健康診断の結果を証明する**書面の提出**があったときは、その健康診断の項目に相当する雇入時の健康診断の項目は、**省略すること**ができる。

(2)　×　**雇入れ時の健康診断**では、**原則として**、**検査する項目**を**省略**することは**できない**。

(3)　○　**異常の所見**があると診断された労働者については、事業者は**健康診断実施日**から**3か月以内**に、健康を保持するために必要な措置について、**医師の意見**を聴かなければならない。

(4)(5)　○　**健康診断個人票**を作成し、**5年間保存**する必要がある。ただし、**所轄労働基準監督署長へ報告する義務はない**。この2つの項目を取り違えないこと。

問題 3 【令和3年後期】

1回目 2回目 3回目

労働安全衛生規則に基づく医師による健康診断について、法令に違反しているものは次のうちどれか。

(1) 雇入時の健康診断において、医師による健康診断を受けた後3か月を経過しない者が、その健康診断結果を証明する書面を提出したときは、その健康診断の項目に相当する項目を省略している。

(2) 雇入時の健康診断の項目のうち、聴力の検査は、35歳及び40歳の者並びに45歳以上の者に対しては、1,000Hz及び4,000Hzの音について行っているが、その他の者に対しては、医師が適当と認めるその他の方法により行っている。

(3) 深夜業を含む業務に常時従事する労働者に対し、6か月以内ごとに1回、定期に、健康診断を行っているが、胸部エックス線検査については、1年以内ごとに1回、定期に、行っている。

(4) 事業場において実施した定期健康診断の結果、健康診断項目に異常所見があると診断された労働者については、健康を保持するために必要な措置について、健康診断が行われた日から3か月以内に、医師から意見聴取を行っている。

(5) 常時50人の労働者を使用する事業場において、定期健康診断の結果については、遅滞なく、所轄労働基準監督署長に報告を行っているが、雇入時の健康診断の結果については報告を行っていない。

問題 4 【平成29年前期】

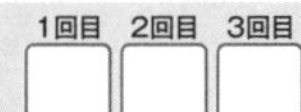

労働安全衛生規則に基づく次の定期健康診断項目のうち、厚生労働大臣が定める基準に基づき、医師が必要でないと認めるときは、省略することができる項目に該当しないものはどれか。

(1) 血糖検査

(2) 心電図検査

(3) 肝機能検査

(4) 血中脂質検査

(5) 尿検査

A 正解は(2)

(3)の肢を解くには、特定業務のことを思い出さなければならない。**特定業務**は、特殊診断の対象とは違う。有害な特定業務として、通常は1年に1回、定期に行わなければならない、とされている健康診断を、**半年に1回**義務づけられている業務のことだ。ただし、**胸部エックス線検査**は、病変がなければ省略できる。この業務は14あるが、出題されることはほとんどない。

(1) ○ **雇用時の健康診断**は原則としてどの項目も**省略できない**が、例外として他の医師に**3か月以内**に健康診断を受け、その**診断結果を証明する**書面を提出すれば、その項目については省略できる。

(2) × **雇用時の健康診断**は、原則として省略したり他の方法で行ったりすることは**できない**。聴力検査は「**1,000Hzおよび4,000Hz**の音で行う」のも過去に出題あり。

(3) ○ **深夜業**は先述の特定業務なので、**6か月以内**ごとに1回、**定期診断**を行う必要があるが、**胸部エックス線検査**は1年以内ごとに1回でよい。

(4) ○ **3か月以内**では遅いのではと思えるが、法令では**違反**していない。

(5) ○ **雇用時の健康診断**は所轄労働基準監督署長への**報告義務はない**。

A 正解は(5)

定期健康診断で省略できないのは、**既往歴**（きおう）、**業務歴**の調査、**自覚症状及び他覚症状の有無の検査**、体重、視力および聴力の検査、**血圧の測定**、**尿検査**である。お医者さんに行くと、必ず「どこが、どう変なのですか」と聞かれる。これが**自覚症状**である。「では、その変な部分を見せてください」とか、「そこを検査してみましょう」というのが**他覚症状**である。この2つは、医療行為の基本だから、省略できる訳がない。一方、**省略できる**主なものは、次の通りである。

①40歳未満(35歳を除く)の場合は、**貧血検査、肝機能検査、血中脂質検査、血糖検査、心電図検査**を、医師の判断で省略できる
②40歳未満(35歳を除く)、妊婦、BMIが20未満の人などは、**腹囲の検査**を医師の判断で省略できる
③45歳未満(35歳・40歳を除く)の聴力検査は、医師の判断により他の方法でもよい
④40歳未満の者(一部を除く)の**胸部エックス線検査**は、医師の判断で省略できる
⑤**かく痰検査**は、胸部エックス線検査で所見のない場合などには、医師の判断で省略できる。

なお、(35歳を除く)などと書いてあるのは、その年齢は節目の年なので、省略できず、必ず行わなければならないという意味である。

事務所衛生基準

衛生基準の中で、事務所に絞った「事務所衛生基準」からの出題です。頻出ポイントが決まっています。そこに的を絞って勉強しましょう。

1 どこが出るか、どんな出方をするか(1)

衛生基準とは、**労働者を取り巻く作業環境**について、**法令が定めた「基準」**です。これには、2種類あります。1つは、すべての事業場（特に有害業務の事業場)を対象とした一般の基準。もう1つは、事務所に特化した「**事務所衛生基準**」。

前者は、第2章の科目で出題されますが、回数はわずか。ほとんどは、後者のこの科目で出題されます。とくに注意すべきなのは、以下の2つです。

1）（有害業務を行っていない事業場の場合）直接**外気に向かって開放**できる窓の面積が、**床面積の20分の1以上**あれば、換気設備は設けなくてもよい。⇒これが、基本知識。では、この数字が**15分の1以上なら？**答えは設備を設けなくても、**法令に違反しません**。うっかりすると、これ、法令違反に思えますが、仮に床面積が100とすると、20分の1は5.0、一方、15分の1なら約6.7で5.0以上。ですから、法令の条件をゆうに満たしています。

2）**食堂の炊事従業員**には、職場全体の食中毒予防のために、特段の配慮が必要です。**休憩室**や**便所**は、**専用の施設を設けなければなりません**。⇒これが基本知識。ところが、問題は、便所は専用であることが必要だが、休憩室は共用でいい、という誤った肢が出題されます。

2 どこが出るか、どんな出方をするか(2)

他の出題を追ってみます。❶1年ごとに1回、定期的に**大掃除**を行っている⇒×　**6か月**以内ごとに1回、定期に、統一的に。❷**照明設備**は、1年ごとに1回、定期に点検しなければならない⇒×　**6か月**以内ごとに1回。❸男性5人と女性35人の労働者の事業場で、男性用には休養室等を設けていない⇒×　女性が30人以上なら**男女を区別**して、**それぞれの設備**を設けなくてはなりません。

7割ゲットできるポイント集！

●事務室の環境基準は、以下のようになります。

気積（きせき）	労働者を常時就業させる室では1人当たり10m^{3}以上
換気	・室内の一酸化炭素含有率は100万分の50以下、二酸化炭素の含有率は100万分の5,000以下 ・開放できる面積を、常時床面積の1/20以上 ・設備の点検は2か月以上ごとに1回
照明	・精密な作業、一般的な事務作業…300ルクス以上 ・普通の作業、付随的な事務作業…150ルクス以上 ・粗な作業　… 70ルクス以上 ・設備の点検は6か月以内ごとに1回
休養室等（男女別に臥床可能）	常時使用労働者50人以上、または常時使用女性労働者が30人以上
便所	・便房………男性60人以内ごと、女性20人以内ごとに1個以上 ・小便器……男性30人以内ごとに1個以上
食堂・炊事場	・食堂………1人につき床面積1m^{2}以上 ・炊事従業員……専用の休憩室および便所が必要
騒音	6か月以内ごとに測定
坑内作業場	通気量と気温を半月以内ごと、炭酸ガス濃度（1.5%以下）を1か月以内ごとに測定。気温は37℃以下
寒冷・暑熱・多湿な作業場	気温、ふく射熱、湿度を半月以内ごとに測定
飲料水の水質	遊離残留塩素含有率……100万分の0.1以上

●有害業務の場合、事業者は、空気調和設備等を設けているときは、次の表に適合するように調整しなければなりません。事務所衛生基準とは数値が違います。

室内の気流	0.5m/秒以下
室内の気温	18℃以上28℃以下
室内の相対湿度	40%以上70%以下
空気吹出口の浮遊粉（ふゆうふん）じん量	0.15mg/m^{3}以下
空気吹出口の一酸化炭素含有量	100万分の6以下（原則）
空気吹出口の二酸化炭素含有量	100万分の1,000以下
ホルムアルデヒド量	0.1mg/m^{3}以下

●職場の清潔について事業者は、次のことを講じなければなりません。

❶日常の清掃のほか、大掃除を6か月以内ごとに1回、定期に、統一的に行うこと。
❷ねずみ、昆虫等の発生場所、侵入経路、被害状況について、6か月以内ごとに1回、「調査」を実施し、発生防止のための必要な措置を講じること。
❸ねずみ、昆虫等の防除のための**殺虫剤などを使用**する場合、薬事法の承認を受けた医薬品や医薬部外品を用いること。

問題 1 【令和6年後期】

1回目 2回目 3回目

事業場の建築物、施設等に関する措置について、労働安全衛生規則の衛生基準に違反していないものは次のうちどれか。

(1) 日常行う清掃のほか、大掃除を、1年に1回、定期に、統一的に行っている。

(2) 男性25人、女性25人の労働者を常時使用している事業場で、労働者が臥床することのできる休養室又は休養所を男性用と女性用に区別して設けていない。

(3) 60人の労働者を常時就業させている屋内作業場の気積が、設備の占める容積及び床面から4mを超える高さにある空間を除き、500㎥となっている。

(4) 事業場に付属する食堂の床面積を、食事の際の1人について、0.8㎡としている。

(5) 労働者を常時就業させる場所の作業面の照度を、精密な作業については500ルクス、粗な作業については100ルクスとしている。

問題 2 【令和5年後期】

1回目 2回目 3回目

事業場の建築物、施設等に関する措置について、労働安全衛生規則の衛生基準に違反していないものは次のうちどれか。

(1) 常時男性35人、女性10人の労働者を使用している事業場で、労働者が臥(が)床することのできる男女別々の休養室又は休養所を設けていない。

(2) 常時50人の労働者を就業させている屋内作業場の気積が、設備の占める容積及び床面から4mを超える高さにある空間を除き450㎥となっている。

(3) 日常行う清掃のほか、毎年1回、12月下旬の平日を大掃除の日と決めて大掃除を行っている。

(4) 事業場に附属する食堂の床面積を、食事の際の1人について、0.5㎡としている。

(5) 労働衛生上の有害業務を有しない事業場において、窓その他の開口部の直接外気に向かって開放することができる部分の面積が、常時床面積の25分の1である屋内作業場に、換気設備を設けていない。

A 正解は(5)

(1) × **違反している**。大掃除は**6か月**以内ごとに1回以上。

(2) × **違反している**。休養室の設置基準は**全体で50人**または**女性だけで30人**。ここは全体で50人いる。

(3) × **違反している**。基準気積は1人当たり**10㎥**以上。60人なら最低でも**600㎥**が必要。

(4) × **違反している**。事業場に附属する食堂の床面積は、1人当たり**1㎡**以上。

(5) ○ **違反していない**。精密な作業**300**ルクス以上、粗な作業**70**ルクス以上としている（労働安全衛生規則 第604条。ただし、事務所衛生基準規則 第10条では、一般的な事務作業**300**ルクス、付随的な事務作業**150**ルクスとなっているので、混乱しないように気をつけたい）。

A 正解は(1)

衛生基準に関しては、同じような問題が、数字を変えたりして、毎回のように出題されている。基本的な事項を前々ページの表にまとめているので、この内容をしっかり覚えることが最良の対策である。この1問は、暗記で取れる。

(1) ○ **違反していない**。労働者が臥床することができる**休養室又は休養所**を**男性用と女性用に区別**して設ける必要があるのは、常時使用する労働者が、①**男性女性合わせて50人以上**、または②**女性30人以上**の場合である。設問の場合は、どちらにも該当していないので、違反しない。

(2) × **違反している**。気積は、設備の占める容積および床面から**4mを超える高さ**にある空間を除き、**作業者1人につき10㎥以上**が必要である。したがって、この問いの場合は、50人×10㎥以下で、500㎥が必要である。設問の400㎥では、基準を満たしていない。

(3) × **違反している**。日常に行う清掃のほか、大掃除は6か月以内ごとに1回行う。

(4) × **違反している**。食堂の面積は、**1人につき床面積1㎡以上**としているので、この基準をクリアしていない。

(5) × **違反している**。窓の開口部が**20分の1以上**あれば換気設備を設けなくても違反してないが、設問では25分の1なので換気設備の設置が必要。

問題 3 【令和3年後期(第2種)】

1回目 2回目 3回目

事務室の空気環境の調整に関する次の文中の□内に入れるA及びBの数値の組合せとして、法令上、正しいものは(1)～(5)のうちどれか。

「空気調和設備又は機械換気設備を設けている場合は、室に供給される空気が、次に適合するように当該設備を調整しなければならない。

①1気圧、温度25℃とした場合の当該空気1㎥中に含まれる浮遊粉じん量が［ A ］mg以下であること。

②1気圧、温度25℃とした場合の当該空気1㎥中に含まれるホルムアルデヒドの量が［ B ］mg以下であること。」

	A	B
(1)	0.15	0.1
(2)	0.15	0.3
(3)	0.5	0.1
(4)	0.5	0.3
(5)	0.5	0.5

問題 4 【令和2年前期(第2種)】

1回目 2回目 3回目

事務室の空気環境の調整に関する次の文中の□内に入れるA及びBの数値の組合せとして、法令上、正しいものは(1)～(5)のうちどれか。

「①空気調和設備又は機械換気設備を設けている場合は、室に供給される空気が、1気圧、温度25℃とした場合の当該空気中に占める二酸化炭素の含有率が100万分の［ A ］以下となるように、当該設備を調整しなければならない。

② ①の設備により室に流入する空気が、特定の労働者に直接、継続して及ばないようにし、かつ、室の気流を［ B ］m/s以下としなければならない。」

	A	B
(1)	1,000	0.3
(2)	1,000	0.5
(3)	2,000	0.5
(4)	5,000	0.3
(5)	5,000	0.5

A 正解は(1)

1気圧、温度25℃とした場合の基準値。

・浮遊粉じん量　　　　0.15mg以下

・ホルムアルデヒド量　0.1mg以下…濃度の測定は新築、増築、大規模模様替え、大規模修繕を行った場合には、これを完了し使用開始から初めに到来する6月1日～9月30日の間に1回（**所定の時期に1回**）行う。

A 正解は(2)

空気調和設備に設けている室における1気圧、温度25℃とした場合の基準値。

・一酸化炭素含有率　100万分の**10**以下　（**10**ppm以下）

・二酸化炭素含有率　100万分の**1,000**以下（**1,000**ppm以下）

・室の気流　　　　　**0.5**m/s以下

頻出ポイントを選び出し
覚えよう!

医師による面接指導/ストレスチェック

表題を「長時間労働者に対する医師の面接指導」と読み替えれば、出題の背景を知ることができ、正解も目の前に。最近はストレスチェック後の面接指導も頻出です。

1 なぜ、これほど出題が多いのか

「医師による面接指導」というだけでは、意味が漠然としていますね。では、こう言い換えてみましょう。「**長時間労働者に対する医師による面接指導**」と。法律（労働安全衛生法）第66条の8にある規定ですが、それほど範囲の広い条項でもないのに、よく出題されました。

なぜ？　理由は過重な労働による**過労死**などが、社会問題になっているからです。最近はこうした労働を強いる企業を“ブラック企業”として非難する動きもあることはご存じでしょう。

2 どこが出るか、解答のコツは？

その上で、この問題の場合は、キーワードを5つ覚えましょう。**40／80／疲労の蓄積／申出（もうしで）／遅滞（ちたい）なく**です。

意味は「**40**時間（1週の法定労働時間）を超えた時間外・休日労働が月**80**時間を超える労働者に、**疲労の蓄積**が認められ、本人からの**申出**がある場合、**遅滞なく**医師による**面接指導**を行わなければならない」です。

そのほか、これまで出題された付随的ポイントは、①医師は、**事業場指定の産業医でなくてもいい**／②労働者が事業者指定の医師の指導を希望しない場合は、**他の医師の指導**でも可。ただし、**結果を証明する書面**を提出のこと。

ところで、同じ医師による面接指導ですが、ストレスチェックをした後も、必要であり、本人から申し出があれば、これも実施されることになりました。労働者の精神的疲労が増えている最近の風潮を踏まえて、出題回数がどんどん増えています。

7割ゲットできるポイント集！

- 事業者は、❶週40時間を超えた労働が1か月当たり80時間を超える労働者に疲労の蓄積が認められるとき、かつ❷労働者の申し出があった場合、医師による面接指導を行わなければなりません。ただし、医師から面接指導を受ける必要がないと認められたものは、除きます。

- **面接指導**とは、**問診**その他の方法で労働者の**心身の状況**を把握し、これをもとに、必要な指導を行うことをいいます。

> **❶面接指導は、労働者の申し出により実施します。**
> **❷事業者指定の産業医でなくても、他の医師による面接指導を受けることもできます。結果については、事業者に書面で提出します。**
> **❸事業者は、面接指導の結果に基づき、必要な措置について、遅滞なく医師から意見を聴かなければなりません。**
> **❹面接指導の結果に基づき、記録を作成し、5年間保存しなければなりません。この記録には、医師の意見を記載しなければなりません。**

- 面接指導における医師による確認事項は、以下の3つです。

> **❶勤務の状況　❷疲労の蓄積の状況　❸その他心身の状況**

- 医師等の意見は、衛生委員会、安全衛生委員会などへの報告が必要です。この点、ストレスチェック後の扱いと違うので、注意が必要です。

- 医師による面接指導に、「ストレスチェック後の面接指導」が加わりました。ストレスチェックの結果、一定の基準を超えるストレスを抱えた状態にあるとみなされた労働者のうち、本人から希望があったら、医師が面接による問診などを行い、心身の健康状況を把握・評価します。これらに基づき、本人に必要な指導を行い、事業主に対しては、事後措置に関して、面接指導の結果を踏まえた意見表明を行います。

- 長時間労働の場合、医師等の意見は、衛生委員会、安全衛生委員会などへの報告が必要です。一方、ストレスチェック後の状態は、報告してはいけません。結果を衛生管理者や、衛生委員会に報告することは、プライバシーの侵害になるからです。

問題 1 【令和6年後期】

1回目 2回目 3回目

労働安全衛生法に基づく労働者の心理的な負担の程度を把握するための検査（以下「ストレスチェック」という。）及びその結果等に応じて実施される医師による面接指導に関する次の記述のうち、法令上、正しいものはどれか。

(1) 常時50人以上の労働者を使用する事業場においては、6か月以内ごとに1回、定期に、ストレスチェックを行わなければならない。

(2) ストレスチェックを行うために必要な知識についての研修であって厚生労働大臣が定めるものを修了した労働衛生コンサルタントは、ストレスチェックの実施者となることができる。

(3) 事業場は、ストレスチェックの結果が、衛生管理者及びストレスチェックを受けた労働者に通知されるようにしなければならない。

(4) ストレスチェックを受ける労働者について解雇、昇進又は異動に関して直接の権限を持つ監督的地位にある者は、ストレスチェックの実施の事務に従事してはならない。

(5) 事業者は、ストレスチェックの結果、心理的な負担の程度が高い労働者全員に対し、医師による面接指導を行わなければならない。

問題 2 【令和4年後期（第2種）】

1回目 2回目 3回目

労働安全衛生法に基づく心理的な負担の程度を把握するための検査について、医師及び保健師以外の検査の実施者として、次のAからDの者のうち正しいものの組合せは(1)〜(5)のうちどれか。

ただし、実施者は、法定の研修を修了した者とする。

A 歯科医師

B 労働衛生コンサルタント

C 衛生管理者

D 公認心理師

(1) A，B　(2) A，D　(3) B，C　(4) B，D　(5) C，D

A 正解は(4)

(1) × ストレスチェックの実施は「**1年**以内ごとに1回」。

(2) × ストレスチェックの実施者は**a．医師、b．保健師と、c．歯科医師、d．看護師、e．精神保健福祉士、f．公認心理士**。ただし、c～f は厚生労働大臣が定める研修を終了した者に限る。

(3) × ストレスチェックの結果は、労働者**本人にのみ**通知される。

(4) ○ 検査を受ける労働者について解雇、昇進又は異動に関して直接の権限を持つ監督的地位にある者は、検査の実施の事務に従事してはならない。

(5) × 高ストレスと判断された労働者が「面接指導を**希望した**場合」は、事業者は面接を実施する。

A 正解は(2)

ストレスチェックの実施者は下記の通り。

a．**医師**、b．**保健師**のほか、厚生労働大臣が定める研修を修了したc．**歯科医師**、d．**看護師**、e．**精神保健福祉士**、f．**公認心理士**。

問題 3 【令和4年後期（第2種）】

1回目 2回目 3回目

労働時間の状況等が一定の要件に該当する労働者に対して、法令により実施することが義務付けられている医師による面接指導に関する次の記述のうち、正しいものはどれか。

ただし、新たな技術、商品又は役務の研究開発に係る業務に従事する者及び高度プロフェッショナル制度の対象者はいないものとする。

(1) 面接指導の対象となる労働者の要件は、原則として、休憩時間を除き1週間当たり40時間を超えて労働させた場合におけるその超えた時間が1か月当たり100時間を超え、かつ、疲労の蓄積が認められる者であることとする。

(2) 事業者は、面接指導を実施するため、タイムカードによる記録等の客観的な方法その他の適切な方法により、労働者の労働時間の状況を把握しなければならない。

(3) 面接指導の結果は、健康診断個人票に記載しなければならない。

(4) 事業者は、面接指導の結果に基づき、労働者の健康を保持するために必要な措置について、原則として、面接指導が行われた日から3か月以内に、医師の意見を聴かなければならない。

(5) 事業者は、面接指導の結果に基づき、当該面接指導の結果の記録を作成して、これを3年間保存しなければならない。

問題 4 【平成30年後期】

1回目 2回目 3回目

労働時間の状況等が一定の要件に該当する労働者に対して、法令により実施することが義務付けられている医師による面接指導に関する次の記述のうち、誤っているものはどれか。

(1) 面接指導の対象となる労働者の要件は、原則として、休憩時間を除き1週間当たり40時間を超えて労働させた場合におけるその超えた時間が1か月当たり80時間を超え、かつ、疲労の蓄積が認められる者であることとする。

(2) 面接指導は、労働時間の状況等が一定の要件に該当する労働者の申出により行うものとする。

(3) 医師は、対象となる労働者の面接指導を行うに当たり、勤務の状況、疲労の蓄積の状況の他、心身の状況について確認を行う。

(4) 事業者は、面接指導の結果に基づき、当該労働者の健康を保持するため必要な措置について、面接指導が行われた後、遅滞なく、医師の意見を聴かなければならない。

(5) 事業者は、面接指導の結果に基づき、その記録を作成し、3年間保存しなければならない。

A 正解は(2)

(1) × 面接指導の対象者は、**1週間当たり40時間を超えて**労働させた場合における、その超えた時間が**1か月当たり80時間を超え**、かつ、疲労の蓄積が認められる者。

(2) ○ 事業者は、タイムカードによる記録やPC等の使用時間の記録等の客観的な方法その他の適切な方法により、**労働者の労働時間の状況を把握**しなければならない。

(3) × 面接指導の結果は記録しておかなければならないが、健康診断個人票とは別のものに記録、作成しておく。

(4) × 面接指導が行われた後、「遅滞(ちたい)なく」医師の意見を聴かなければならない。「遅滞なく」とは、概ね1か月以内と理解しておけばよい。

(5) × 面接指導の結果の記録は、**5年間**保存しなければならない。

A 正解は(5)

(1)(2)(3)(4)までは、この制度の基本的な事項なので、真面目に勉強して確実に○を付けたい。

(3)について付加しておけば、担当する**医師**は、労働者の業務内容、労働時間、疲労の状況を確認したうえで、**必要に応じて疲労やメンタルヘルス**についての**調査**、**診察**、**臨床検査**を追加し、**脳・心臓疾患**や**精神疾患**のリスクを評価することが求められる。

誤りは(5)の「3年間」。一般健康診断の結果は5年間保存なので、これと同じく「**5年間**」である。

労働基準法（労働時間、年次有給休暇）

「年次有給休暇の計画的付与」と「時間外労働の規定が適用されない労働者」については頻出です。“働き方改革”で会社側に5日間の有給を義務付けられたのも出題の可能性が。

1 どこが出るか、どんな出方をするか

まずは、頻出の2項目について、紹介しましょう。

①労働者の**過半数を代表する者**（組合その他）と**使用者**との**書面による協定**があれば、使用者は、**年次有給休暇**のうち**5日を超える部分**については、休暇を与える**時季を定める**ことができる（**計画的付与**（けいかくてきふよ）という）。また、時季指定義務もある。これは、年次有給休暇が年に10日以上付与される労働者に対し、事業者が最低5日を時季を指定して取得させる。

②労働時間休憩および休日に関する規定は、**機密の事務を取り扱う**労働者と、**監督・管理の地位**にある労働者については、適用されない。その場合、所轄労働基準監督署長の**許可も必要ない**。

一方、**監視**または**断続的労働**に従事する労働者については、**労働時間**に関する規定や**休憩**、**休日**に関する規定を**除外**できるが、ただし**労働基準監督署長の許可**が条件（前者は経営サイド、後者は一般の労働者だから）。

2 ここに注意！

変形労働時間制についての出題が増えています。ただし、変形労働時間制と**女性労働者の保護**を組み合わせた問題が、同じような文で出題されます。

問題文は、「1か月単位の変形労働時間制のもとでも、妊娠中または産後1年を経過しない女性については、時間外労働は2時間以内に限られる」などですが、答えは×。こうした規定はありません。ただ、それよりも強い規制があり、上記の女性が**請求した場合**には、**法定労働時間を超えて**、**労働させることはできません**（先述の適用除外者は別）。なお、1か月単位の変形労働時間制は、**協定**の書面を**所轄労働基準監督署長に届け出**なければなりません。

7割ゲットできるポイント集！

- 年次有給休暇とは、給与をもらいながら休暇をとれる労働者の権利です。
- 時季は、労働者が申し出た日が原則ですが、会社側には時季を変更してもらう時季変更権（じきへんこうけん）があります。

有休の権利は……
（※最近は、有給休暇日数の計算が必要な問題も出題されますので、計算法の勉強も必要です。）

いつから発生するか

①6か月継続して勤務／②全労働日の8割以上出勤

何日与えるのか

①スタートは10日／②1年勤務ごとに1日プラス／③3年6か月からは2日プラス／**6年6か月以上なら最高20日まで ⇐ここを覚えよう！**

継続勤務年数	6か月	1年 6か月	2年 6か月	3年 6か月	4年 6か月	5年 6か月	6年 6か月
付与日数 （フルタイム労働者）	10日	11日	12日	14日	16日	18日	20日 （最高日数）

※短時間労働者（勤務時間週30時間未満）の有給休暇日数の計算式

$$\text{フルタイム労働者の有給休暇日数} \times \frac{\text{週の出勤日}}{5.2}$$

- 日本の有給休暇取得率が低いため、働き方改革の一環として、労働基準法が改正されました。会社側が最低5日間の有給を消化させるよう義務化されました（違反は1人当たり30万円の罰金）。
- 労働時間とは「労働者が使用者の指揮命令の下に置かれている時間」のこと。

法定労働時間	週に40時間、1日8時間（原則。ほんの一部に例外あり）
変形労働時間	①1か月単位の変形労働時間制 ②1年単位の変形労働時間制 ③1週間単位の非定型的変形労働時間制 ※労使協定を結んだ上で採用し、労働基準監督署長へ届け出る。 ※妊産婦が適用除外になる、という規定はないが、妊産婦が請求した場合、法定労働時間を超えて労働させることはできない。ただし、監督または管理の地位にある労働者はこの限りでない。
フレックスタイム制	3か月以内（精算期間）の総労働時間を決め、範囲内で労働者が各日の始業・終業時刻を選択できる制度。※労使協定が必要。そして清算期間が1か月を超える場合は労働基準監督署長への届出が必要。
みなし労働時間	専門業務型裁量労働制と企画業務型裁量労働制がある。それと、外勤などで、労働時間を算定しがたい場合、所定時間労働したものとみなす制度がある。※労働基準監督署長へ届け出る（一部例外あり）。

問題 1 【令和5年後期】

1回目 2回目 3回目

週所定労働時間が25時間、週所定労働日数が４日である労働者であって、雇入れの日から起算して５年６か月継続勤務したものに対して、その後１年間に新たに与えなければならない年次有給休暇日数として、法令上、正しいものは次のうちどれか。

ただし、その労働者はその直前の１年間に全労働日の８割以上出勤したものとする。

(1) 12日
(2) 13日
(3) 14日
(4) 15日
(5) 16日

問題 2 【令和3年後期】

1回目 2回目 3回目

労働基準法における労働時間等に関する次の記述のうち、正しいものはどれか。

(1) 1日8時間を超えて労働させることができるのは、時間外労働の協定を締結し、これを所轄労働基準監督署長に届け出た場合に限られている。
(2) 労働時間に関する規定の適用については、事業場を異にする場合は労働時間を通算しない。
(3) 労働時間が8時間を超える場合においては、少なくとも45分の休憩時間を労働時間の途中に与えなければならない。
(4) 機密の事務を取り扱う労働者については、所轄労働基準監督署長の許可を受けなくても労働時間に関する規定は適用されない。
(5) 監視又は断続的労働に従事する労働者については、所轄労働基準監督署長の許可を受ければ、労働時間及び年次有給休暇に関する規定は適用されない。

A　正解は(2)

6か月以上継続勤務し、直前の1年間に全労働日の8割以上出勤した労働者に対してその後1年間に新たに与えなければならないのが**年次有給休暇**である。6か月継続勤務したときがスタートで10日、1年勤務ごとに1日プラス、3年6か月からは2日プラス。計算式は、10＋1＋1＋2＋2＋2＝18となる…と考えた人、ちょっと待ったーっ‼

問題文の、週所定労働時間が25時間、週所定労働日数が4日という条件に注目！　**週所定労働時間が30時間未満**で、1週間の所定労働時間が4日以下のものと、1年間の所定労働日数が216日以下の**短時間労働者**については、**比例付与**の対象となり、労働日数に比例した年次有給休暇が与えられるのである。

計算式は次の通り。

$$\text{フルタイム労働者の有給休暇付与日数(18)} \times \frac{\text{1週間の所定労働日数（4）}}{\text{省令で定められた日数（5.2）}}$$

$18 \times \dfrac{4}{5.2}$ ＝13.84…（小数点以下は切り捨て）→13　よって正解は(2)。

A　正解は(4)

機密の事務を取り扱う労働者は、なぜ**所轄労働基準監督署長の許可が必要**でないのか。監視又は断続的労働に従事する労働者については、なぜ**許可が必要**なのか。多くの方はわかっているだろうが、前者は**会社側に立って**仕事をするからである。このように、**理由を考えて**答えを出すことが必要だ。私が「考える勉強」というのは、こういうことである。

(1)　×　**機密の事務を取り扱う労働者**と、**監督・管理の地位にある労働者**については、この規定は適用が除外される。また、監視または、断続的労働で所轄労働基準監督署長の許可を受けた者も、**適用除外**となる。

(2)　×　労働時間は**通算**される。

(3)　×　労働時間が8時間を超える場合は、45分ではなく、**少なくとも60分**の休憩時間を、労働時間の途中に与えなければならない。

(4)　○　冒頭で述べた通り、**機密の事務**を取り扱う労働者と、**監督・管理**の地位にある労働者については、労働時間に関する規定が**適用されない**。なぜなら、会社側に立って働くからである。

(5)　×　適用されないのは、労働時間、休憩および休日についての規定である。年次有給休暇は、休日とは別の規定なので、許可を受けても受けなくても、変更されることはない。

問題 3 【令和2年後期】 ※一部改変しました

1回目 2回目 3回目

労働基準法における労働時間等に関する次の記述のうち、正しいものはどれか。

ただし、労使協定とは、「労働者の過半数で組織する労働組合(その労働組合がない場合は労働者の過半数を代表する者)と使用者との書面による協定」をいうものとする。

(1) 1日8時間を超えて労働させることができるのは、時間外労働の労使協定を締結し、これを所轄労働基準監督署長に届け出た場合に限られている。

(2) 労働時間に関する規定の適用については、事業場を異にする場合は労働時間を通算しない。

(3) 所定労働時間が7時間30分である事業場において、延長する労働時間が1時間であるときは、少なくとも45分の休憩時間を労働時間の途中に与えなければならない。

(4) 監視又は断続的労働に従事する労働者であって、所轄労働基準監督署長の許可を受けたものについては、労働時間、休憩及び休日に関する規定は適用されない。

(5) フレックスタイム制の清算期間は、1か月以内の期間に限られる。

問題 4 【平成30年後期】

1回目 2回目 3回目

年次有給休暇に関する次の記述のうち、労働基準法上、正しいものはどれか。

(1) 法令に基づく育児休業又は介護休業で休業した期間は、出勤率の算定に当たっては、全労働日から除外して算出することができる。

(2) 休暇の期間については、原則として、最低賃金又は平均賃金の100分の60の額の手当を支払わなければならない。

(3) 労働者の過半数で組織する労働組合(その労働組合がない場合は労働者の過半数を代表する者)と使用者との書面による協定により休暇を与える時季に関する定めをした場合は、休暇のうち3日を超える部分については、その定めにより休暇を与えることができる。

(4) 休暇の請求権は、これを1年間行使しなければ時効によって消滅する。

(5) 一週間の所定労働時間が25時間で、一週間の所定労働日数が4日である労働者であって、雇入れの日から起算して3年6か月間継続勤務し、直近の1年間に、全労働日の8割以上出勤したものには、継続し、又は分割した10労働日の休暇を新たに与えなければならない。

A 正解は(4)

(1) × この規定が適用されない労働者がいる。一つは、**監督**もしくは**管理の地位にある者**または**機密の事務を取り扱う者**である。また、**監視**または**断続的労働**に従事する者で、使用者が**所轄労働基準監督署長**の**許可**を受けた場合も、その労働者は適用が除外される。
まったく違う規定だが、**災害**その他避けることができない事由によって、**臨時の必要**がある場合は、使用者は、**所轄労働基準監督署長**の**許可**を受けて、必要な限度内で、時間外労働や休日労働をさせることも**できる**。

(2) × 労働時間は、**通算**される。最近は、副業を認める企業も増えているが、実際に、どうやって**通算**するかについては、いい方法が確立されていないのが現状だ。

(3) × 使用者は、労働時間が**6時間**を超える場合は少なくとも**45分**、**8時間**を超える場合は少なくとも**1時間**の休憩時間を、労働時間の**途中**に与えなければならない、という基本の規定を思い出そう。設問の場合は、労働時間の合計が8時間半なのだから、少なくとも1時間の休憩時間を与えなければならない。

(4) ○ (1)で解説した通りである。

(5) × **フレックスタイム制**の清算期間は、**3か月以内**となった。

A 正解は(5)

(1) × 育児休業や介護休業、労災により休業した期間、産前産後休業を取得した期間、有給休暇を取得した日は**出勤**したものとみなして算出する。

(2) × 有給休暇を取得した日の賃金は、**①通常の賃金を支払う**、**②平均賃金を支払う**、**③健康保険法の標準報酬日額**、のいずれかの賃金額を支払う。

(3) × 有給休暇の計画的付与の対象は、休暇のうち**5日**を超える部分。

(4) × 有給休暇の消滅時効は**2年**。

(5) ○ 1週間の所定労働時間が30時間未満で、週の所定労働日数が4日未満の労働者の有給休暇日数の算出式は次の通り。

$$\text{フルタイム労働者(週の労働時間が30時間以上)の有休日数} \times \frac{\text{週の労働日数}}{5.2}$$

第3章 関係法令(有害業務に係るもの以外のもの)

問題 5 【平成29年前期】

1回目 2回目 3回目

週所定労働時間が32時間で、週所定労働日数が4日である労働者であって、雇入れの日から起算して3年6か月継続勤務した労働者に対して、その後1年間に新たに与えなければならない年次有給休暇日数として、法令上、正しいものは⑴～⑸のうちどれか。

ただし、その労働者はその直前の1年間に全労働日の8割以上出勤したものとする。

⑴ 10日

⑵ 11日

⑶ 12日

⑷ 13日

⑸ 14日

問題 6 【平成28年前期】

1回目 2回目 3回目

1か月単位の変形労働時間制について、労働基準法上、誤っているものはどれか。

ただし、常時使用する労働者数が10人以上の規模の事業場の場合とし、「労使協定」とは、「労働者の過半数で組織する労働組合（その労働組合がない場合は労働者の過半数を代表する者）と使用者との書面による協定」をいう。

⑴ この制度を採用する場合には、労使協定又は就業規則により、1か月以内の一定の期間を平均し1週間当たりの労働時間が40時間を超えないこと等、この制度に関する定めをする必要がある。

⑵ この制度を採用した場合、この制度に関する定めにより特定された週又は日において1週40時間又は1日8時間を超えて労働させることができる。

⑶ この制度に関する定めをした労使協定は、所轄労働基準監督署長に届け出る必要はないが、就業規則は届け出る必要がある。

⑷ この制度を採用した場合であっても、妊娠中又は産後1年を経過しない女性が請求した場合には、監督又は管理の地位にある者等労働時間に関する規定の適用除外者を除き、当該女性に対して法定労働時間を超えて労働させることはできない。

⑸ この制度で労働させる場合、育児を行う者等特別な配慮を要する者に対して、育児等に必要な時間を確保できるよう配慮をしなければならない。

A 正解は(5)

フルタイム労働者（週の勤務時間が30時間以上）の有休付与日数

継続勤務年数	0.5	1.5	2.5	3.5	4.5	5.5	6.5
付与日数	10	11	12	14	16	18	20（限度）

まず、**勤務開始から6か月後に10日**である。次に**1年勤務ごとに、1日がプラス**になる。つまり、1年6か月なら10日プラス1日で11日。2年6か月ならさらに1日プラスになり12日。

ところで、**3年6か月からは1年ごとに2日プラス**になる。したがって、3年6か月継続勤務の労働者は、最初の6か月10日＋次の1年間1日＋その次の1年間1日＋3年6か月後の2日で、計14日の有給休暇をとることができるので、(5)が正解である。

なお、この労働者は週所定労働時間が**週32時間**なので、**比例付与**の対象ではないことも。押さえておかなければならないポイントである。

比例付与の対象となるのは、1週間の所定労働時間が**30時間未満**で、1週間の所定労働時間が**4日**以下等の労働者である。

A 正解は(3)

(1)　○　**法定労働時間**は、1週40時間、1日8時間であるが、月初・中・月末で**忙しさが違う**事業や、季節による繁忙の差が激しい事業では、**労使協定**(ろうしきょうてい)を結んだうえで**変形労働時間**を採用することができる。

(2)　○　1か月以内の**期間を平均**して、1週当たりの労働時間が40時間を**超えない定め**をした場合は、**ある週**において40時間または**ある日**において8時間を**超えて労働**させることができる。ただし、「1か月以内の一定の期間を平均し1週間当たりの労働時間が40時間を超えないこと等」のしばりがある。

(3)　×　変形労働時間制には、**1か月単位の変形労働時間制**、**1年単位の変形労働時間制**、**1週間単位の非定型的変形労働時間制**の3つのタイプがあるが、どのタイプも**労働基準監督署への届け出**が必要である。

(4)　○　これらの**妊産婦が請求したとき**は、いっさい**法定労働時間を超えて労働させることはできない**。ただし、**適用除外者**には**適用されない**ことも忘れずに押さえておこう。

(5)　○　例えば、生後1年に達しない子どもを育てる女性の労働者は、通常の休憩時間以外に、**1日2回**の**育児のための時間**を**請求できる**。

出る順予想ランキング 第7位

頻出ポイントを選び出し覚えよう！

衛生委員会/安全衛生教育

「衛生委員会」からは、議長や委員の選出の基準が頻出です。「安全衛生教育」については、ここ10回以上出題がありません。余裕のある人は目を通しておきましょう。

1 どこが出るか、どんな出方をするか(1)

衛生委員会は、本来、衛生管理体制の一翼を担う組織で、安全衛生管理体制に入るものですが、出題数があまりに多いので、ここに独立させました。同時に、安全衛生教育を合併させたのは、編集上の都合です。

さて、衛生委員会についてですが、**以下の2問の出題頻度が、圧倒的**です。

1）衛生委員会の議長以外の**委員の半数**は、**労働者の過半数**（過半数で組織する労働組合か、それがないときは労働者の過半数を代表する者）の**推薦に基づき、事業者が、指名する**。キーワードは、赤字で示した用語です（半数でなく、全委員として出題されます。もちろん誤りです）。

2）議長は、原則、①総括安全衛生管理者、または②**事業場において事業の実施を統括管理する者**か、それに**準ずる者**の中から指名する（総括安全衛生管理者の場合は、「準ずる者」では不適任なことを思い出すこと）。

このほか、委員は衛生管理者、産業医、作業主任者などから指名しますが、これらのすべてを、衛生委員に**指名しなければならないわけではない**こと。これも、要マークです。

2 どこが出るか、どんな出方をするか(2)

安全衛生教育の実施時機は**雇入れ時**と**職務転換時**であり、また特別教育（有害業務など）があります。その時機や対象が健康診断と似ていますが、混同しないように注意しましょう。例えば、雇入れ時の安全衛生教育の対象者は**労働者全員**です（健康診断は**常時使用する労働者**のみ）。業種による教育科目の省略規定は、令和6年4月に法改正で削除されます。

7割ゲットできるポイント集！

- 職場の安全と健康の確保のために、事業場に自主的に設置する組織を衛生委員会あるいは安全委員会といいます。職場での危険や健康障害の防止のための対策を調査・審議し、事業者に意見を述べる組織です。

	衛生委員会	安全委員会
設置基準	全業種 常時50人以上	第1号業種なら　常時50人以上 第2号業種なら　常時100人以上
調査・審議事項	健康障害防止 健康保持増進衛生など	危険防止や安全などについて

※いまのところ、安全委員会についての出題はないので、勉強しなくてよいです。

- 事業者は、労働者に対して安全衛生教育を行う義務があります。また、労働者は、自主的な参加を求められます。
- 安全衛生教育は、業種や規模に関係なく、どの事業者も行わなければなりません。
- 安全衛生教育は、以下の3つの機会に強制的に実施されます。

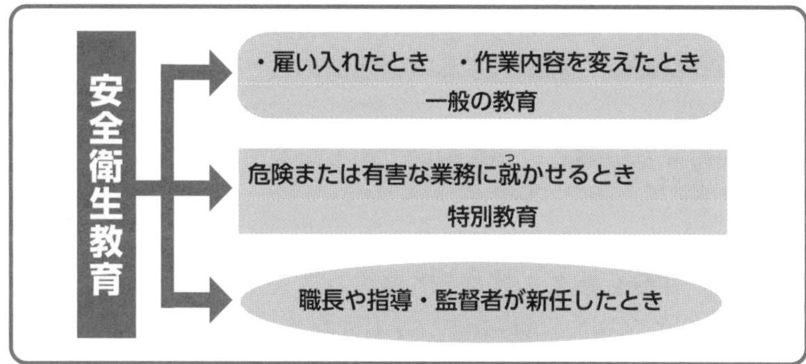

雇入れ時の教育のなかみ

❶機械、原材料などの危険性や有害性と取扱方法
❷安全装置、有害物抑制装置や保護具の性能と取扱方法
❸作業手順について
❹作業開始時の点検について
❺作業に関して発生するおそれのある疾病（しっぺい）の原因および予防について
❻整理、整頓および清潔の保持について
❼事故時などの応急措置と退避について
❽その他、その事業に関する安全または衛生のために必要な事項

問題 1 【令和4年前期（第2種）】

1回目 2回目 3回目

衛生委員会に関する次の記述のうち、法令上、正しいものはどれか。

(1) 衛生委員会の議長は、衛生管理者である委員のうちから、事業者が指名しなければならない。

(2) 衛生委員会の議長を除く委員の半数は、事業場に労働者の過半数で組織する労働組合があるときにおいてはその労働組合、労働者の過半数で組織する労働組合がないときにおいては労働者の過半数を代表する者が指名しなければならない。

(3) 衛生管理者として選任しているが事業場に専属でない労働衛生コンサルタントを、衛生委員会の委員として指名することはできない。

(4) 衛生委員会の付議事項には、労働者の精神的健康の保持増進を図るための対策の樹立に関することが含まれる。

(5) 衛生委員会は、毎月1回以上開催するようにし、議事で重要なものに係る記録を作成して、これを5年間保存しなければならない。

問題 2 【令和4年前期（第2種）】

1回目 2回目 3回目

雇入れ時の安全衛生教育に関する次の記述のうち、法令上、正しいものはどれか。（一部改題）

(1) 常時使用する労働者が10人未満である事業場では、教育を省略することができる。

(2) 1か月以内の期間を定めて雇用する者については、危険又は有害な業務に従事する者を除き、教育を省略することができる。

(3) 法令であげる教育科目について十分な知識及び技能のある者については、該当する教育科目の一部を省略することができる。

(4) 旅館業の事業場においては、教育事項のうち、「作業開始時の点検に関すること」については省略することができる。

(5) 教育を行ったときは、教育の受講者、教育内容等の記録を作成して、これを1年間保存しなければならない。

A 正解は(4)

(1) × 衛生委員会の議長は、衛生管理者資格を持っていなくてもよい。衛生委員会の議長は、原則として、**総括安全衛生管理者**または、それ以外の者で、事業場において**その事業の実施を統括管理する者**もしくはこれに**準ずる者**であればよい。

(2) × 衛生委員会の**議長**を除く委員だが、その**半数**は事業場の労働組合または労働者の過半数を代表する者の**推薦に基づき事業者が指名**しなければならない。

(3) × 事業場に**専属でない労働衛生コンサルタント**を衛生委員会の委員として指名することは、その事業場の**衛生管理者として選任されている者**なら可能。

(4) ○ 衛生委員会の付議事項には、「労働者の精神的健康の保持増進を図るための対策の樹立に関すること」がある。他に、過去に出題された事項として、「長時間労働に従事する労働者の健康障害の防止を図るための対策の樹立」もチェックしておきたい。

(5) × 議事で重要なものに係る記録の保持期間は、**3年間**。

A 正解は(3)

(1) × 事業者は、労働者を雇(やと)い入れたときは、遅滞(ちたい)なく、労働者が従事する業務に関する安全または衛生のため必要な事項について、教育を行わなければならない。これは、**10人未満でも（1人でも）省略できない**。

(2) × 雇入れ時の教育は**すべての労働者に実施**しなければならない。省略はできない。

(3) ○ 十分な知識・技能のある者については省略できる。主に、**過去に従事していた業務への再度の職務転換時**に適用されることが多い。

(4) × 業種によって教育科目の省略が可能な法令は令和6年4月施行の法改正により廃止。それまでは**旅館業**のほか、**卸売・小売業**、**ゴルフ場業**などでは省略できる。

(5) × 雇入れ時の安全衛生教育には、記録についての規定はない。よって、作成も保存も義務はない。
特別教育の場合は、3年間保存する義務がある。

試験前夜に目を通したい必須重要ポイント

確認したら☑しよう!!

□雇入れ時の健康診断は、原則として省略できない(年齢が何歳でも、どの項目も)。

□雇入れ時の健康診断は、3か月前までの健康診断なら、結果の提出で代置できる。

□雇入れ時の健康診断は、所轄労働基準監督署長への報告義務はない。

□作業場の巡視は、原則として衛生管理者は毎週１回以上、産業医は毎月１回以上。

□旅館業、百貨店は、第２号業種なので、300人以上から総括安全衛生管理者の選任が必要。銀行や金融関係は、第3号業種なので、1,000人以上。

□医療業、清掃業、運送業の衛生管理者は、第1種でなければならない。第2種では不可(なお、衛生工学衛生管理者、労働衛生コンサルタントなら可)。

□旅館業、百貨店、スーパー、銀行は、第2種でもよい(特に旅館業に注意)。

□事務所等で、直接外気に向かって開放できる窓の面積が常時床面積の1/15なら、換気設備を設けなくてよい。基準の1/20を超えている(以下と錯覚しないこと)。

□ねずみ、昆虫等の生息状況等は、6か月以内に1回「調査」する必要がある。

□衛生委員会の議長を除く委員の半数は、労働者の過半数(組合等)の推薦で、事業者が指名する。

□議長は、総括安全衛生管理者、事業の実施を統括管理する者、またはこれに準ずる者のうちから、事業者が指名する。

□安全衛生教育は、第3号業種だけ4項目の省略が可(例えば、作業手順に関すること)。旅館業、百貨店は、第2号業種なので、いっさい省略できない。

□長時間労働者に対する医師による面接指導は、40/80/疲労の蓄積/申出/遅滞なく、という、5つのキーワードが大切(意味は、164ページを再見のこと)。

□1ヵ月単位の変形労働時間制は、妊産婦でも適用される。ただし、請求があれば、法定労働時間を超える労働はさせられない。この場合は実質的には不適用となる。

□フレックスタイム制は、妊産婦でも適用される(時間外労働は拒否できる)。

□年次有給休暇は、5日を超える部分は、労使協定があれば、使用者が時季を定められる。計画的付与という。一方、5日間は与えるのが義務となった。

□監視、断続的労働に従事する労働者に対し、時間外の規定等を適用除外にするには、労働基準監督署長の許可が必要。

□労働基準監督署長に届ける就業規則に付する労働者代表の意見は、反対でもよい。

□使用者は、6週間(多胎妊娠は14週間)以内に出産する予定の女性が請求した場合は、休業させなければならない。また、産後8週間を経過しない女性は、請求がなくても休業させなければならない(一部例外あり)。

第4章

労働衛生（有害業務に係るもの）

出る順予想ランキング

大枠を把握し、焦点を絞って勉強しましょう！

化学物質の健康障害等/リスクアセスメント

化学物質からは「化学物質による健康障害」が頻出です。一酸化炭素、シアン化水素、ベンゼン、二硫化炭素をマークしましょう。また、リスクアセスメントも、要マークです。

1 どこが出るか、どんな形で出るか

出題分野は、次の3つです。①**化学物質による健康障害**が一番多く、最近ふえてきたのが②**リスクアセスメント**です。③の**化学物質等安全データシート(SDS)**は、最近ほとんど出題されていないので、省略してもかまわないかもしれません。

2 解答のコツ！　勉強のコツ！

まず、①ですが、過去10回では、約20もの化学物質が登場しています。これらがもたらす健康障害を、逐一覚えることは並大抵ではありません。そこで、登場回数と正解肢となる可能性に相関関係があるかどうか、調べてみました。

その結果、間違いなく相関関係がありました。例えば、正解肢となった**一酸化炭素**、**シアン化水素**、**弗化水素**（ふっかすいそ）、**ベンゼン**、**二硫化炭素**は、いずれもよく出題されています。そのほか、硫化水素、ノルマルヘキサン、二酸化窒素、硫化水素、二酸化硫黄なども、顔をのぞかせています。しかし、これらをすべて覚え切るのは無理なので、ある程度的をしぼって記憶するようにしましょう。

②の**リスクアセスメント**は、SDSの全物質が対象になります。ただし、今のところ問題数も少なく、傾向と対策は（残念ながら）立てられません。ただ2問続けて厚生労働省の「作業評価基準」が誤りとして出題されているので、この言葉が出てきたら×をつけてもよいでしょう。

③の**化学物質等安全データシート(SDS)**は、最近、なぜか出題がありません。攻略法は、日本語名だと長いので、英語名で覚えた方がラクです(セーフティ・データ・シート)。

7割ゲットできるポイント集！

●有害な化学物質と健康障害について、下の表にまとめました。

物質名	症状
石綿	肺がん、胸膜中皮腫
一酸化炭素	ヘモグロビンとの結合による酸素運搬阻害、物忘れ（後遺症）
塩化ビニル	麻酔作用、レイノー現象、指の骨の溶解、肝血管肉腫、肺がん
コールタール	皮膚がん、肺がん、膀胱がん
酢酸メチル	視力低下、視野狭窄
シアン化水素	細胞内呼吸障害、（大量の場合）頭痛、けいれん、昏睡
二硫化炭素	麻酔作用、精神障害、動脈硬化
ノルマルヘキサン	多発性神経炎（末梢神経障害）
弗化水素	気管支炎、肺水腫、腎障害、骨硬化、斑状歯
ベンゼン	麻酔作用、造血器障害、再生不良性貧血、白血病
二酸化硫黄	慢性気管支炎、歯牙酸蝕症
二酸化窒素	気道障害、肺水腫
塩素（塩素ガス）	気管支けいれん、肺炎、 上気道浮腫（酸性のものと混ざると塩素ガスが発生する）
N,N－ ジメチルホルムアミド	頭痛、めまい、肝機能障害

●化学物質を一定量継続的に吸収していくと、ある時点で吸収量と排泄量が釣り合い、一定以上に濃度が上がらない状態になります。

●体内の化学物質の濃度が最初の1/2になるまでに要する時間を、生物学的半減期といいます。

●SDS（セーフティ・データ・シート）とは、化学物質による労働災害や健康障害の防止を目的に、化学物質の危険性や取り扱い方について、製造メーカーに危険有害性に関する表示や交付を義務付けたものです。

●リスクアセスメントは、まず危険性または有害性（これをハザードといい、発生する恐れのある負傷や疾病の重大性）の特定から始まります。見積もり方法を勉強しておきましょう。ＩＬＯの化学物質リスク簡易評価法なども、覚えておくとよいかもしれません。

問題 1 【令和6年前期】

1回目 2回目 3回目

厚生労働省の「化学物質等による危険性又は有害性等の調査等に関する指針」に関する次の記述のうち、誤っているものはどれか。

(1) リスクアセスメントの基本的手順のうち最初に実施するのは、労働者の就業に係る化学物質等による危険性又は有害性を特定することである。

(2) ハザードは、労働災害発生の可能性と負傷又は疾病の重大性(重篤度)の組合せであると定義される。

(3) 化学物質等による疾病のリスク低減措置の検討では、化学物質等の有害性に応じた有効な保護具の使用よりも作業手順の改善、立入禁止等の管理的対策を優先する。

(4) 化学物質等による疾病のリスク低減措置の検討では、法令に定められた事項を除けば、危険性又は有害性のより低い物質への代替等を最優先する。

(5) 化学物質等による疾病のリスク低減措置の検討に当たっては、より優先順位の高い措置を実施することにした場合であって、当該措置により十分にリスクが低減される場合には、当該措置よりも優先順位の低い措置の検討は必要ない。

問題 2 【令和2年後期】

1回目 2回目 3回目

厚生労働省の「化学物質等による危険性又は有害性等の調査等に関する指針」において示されている化学物質等による疾病に係るリスクを見積もる方法として、適切でないものは次のうちどれか。

(1) 発生可能性及び重篤度を相対的に尺度化し、それらを縦軸と横軸として、あらかじめ発生可能性及び重篤度に応じてリスクが割り付けられた表を使用する方法

(2) 発生可能性及び重篤度を一定の尺度によりそれぞれ数値化し、それらを加算又は乗算等する方法

(3) 発生可能性及び重篤度を段階的に分岐していく方法

(4) 対象の化学物質等への労働者のばく露の程度及び当該化学物質等による有害性を相対的に尺度化し、それらを縦軸と横軸とし、あらかじめばく露の程度及び有害性の程度に応じてリスクが割り付けられた表を使用する方法

(5) 調査の対象とした化学物質等への労働者の個人ばく露濃度を測定し、測定結果を厚生労働省の「作業環境評価基準」に示されている当該化学物質の管理濃度と比較する方法

A 正解は(2)

(1) ○ 正しい。「化学物質等による危険性又は有害性等の調査等に関する指針について」において、事業者は調査及びその結果に基づく措置として実施するものとして最初に書かれていることは、**労働者の就業に係る危険性又は有害性の特定**である。

(2) × ハザードとは**発生する恐れのある負傷又は疾病の重大性（重篤度）**のこと。「労働災害発生の可能性」は含まない。

(3) ○ 優先順位が高い順にア～エまでの対策がある。

ア **危険性又は有害性のより低い物質への代替**、化学反応のプロセス等の運転条件の変更、取り扱う化学物質等の形状の変更等又はこれらの併用によるリスクの低減

イ 化学物質等に係る機械設備等の防爆構造化、安全装置の二重化等の工学的対策又は化学物質等に係る機械設備等の密閉化、局所排気装置の設置等の衛生工学的対策

ウ **作業手順の改善**、立入禁止等の管理的対策

エ 化学物質等の有害性に応じた**有効な保護具の使用**

(4) ○ 上記(3)の解説の通り、ア が最優先となる。

(5) ○ 「化学物質等による危険性又は有害性等の調査等に関する指針について」の項目「10・リスク低減措置の検討及び実施」において、『当該措置により十分にリスクが低減される場合には、**当該措置よりも優先順位の低い措置の検討まで要するものではない**こと。また、リスク低減に要する負担がリスク低減による労働災害防止効果と比較して大幅に大きく、両者に著しい不均衡が発生する場合であって、措置を講ずることを求めることが著しく合理性を欠くと考えられるときを除き、可能な限り高い優先順位のリスク低減措置を実施する必要があるものとする』と規定されている。

A 正解は(5)

リスクアセスメントについては、平成26年の安衛法改正以降出題されるようになったが、まだ出題例が少ない。

問題文を**テキスト代わり**にして**勉強**することをお薦めしたい。

正解の(5)は、リスクアセスメントとは直接関係のない「**作業環境評価基準**」の「**管理濃度**」を引き合いに出しており、誤りである。

他の4肢とは領域を異にしている分野からの出題なので、カンのいい人は何となく正解くさいとわかるかもしれない。

問題 3 【令和6年前期】

1回目 2回目 3回目

化学物質による健康障害に関する次の記述のうち、誤っているものはどれか。

(1) シアン化水素による中毒では、細胞内での酸素利用の障害による呼吸困難、けいれんなどがみられる。

(2) 硫化水素による中毒では、意識消失、呼吸麻痺(ひ)などがみられる。

(3) 弗(ふっ)化水素による慢性中毒では、骨の硬化、斑状歯などがみられる。

(4) 二酸化硫黄による慢性中毒では、慢性気管支炎、歯牙酸蝕(しょく)症などがみられる。

(5) 二酸化窒素による中毒では、末梢(しょう)神経障害などがみられる。

問題 4 【令和4年後期】

1回目 2回目 3回目

化学物質による健康障害に関する次の記述のうち、誤っているものはどれか。

(1) 一酸化炭素は、赤血球中のヘモグロビンと強く結合し、体内組織の酸素欠乏状態を起こす。

(2) シアン化水素による中毒では、細胞内での酸素利用の障害による呼吸困難、けいれんなどがみられる。

(3) 硫化水素による中毒では、意識消失、呼吸麻痺(ひ)などがみられる。

(4) 塩化ビニルによる慢性中毒では、慢性気管支炎、歯牙酸蝕(しょく)症などがみられる。

(5) 弗(ふっ)化水素による慢性中毒では、骨の硬化、斑状歯などがみられる。

問題 5 【令和2年前期】

1回目 2回目 3回目

化学物質と、それにより発症するおそれのある主たるがんとの組合せとして、正しいものは次のうちどれか。

(1) ベンゼン……………………………白血病

(2) ベンジジン…………………………胃がん

(3) ベンゾトリクロリド…………………膀胱(ぼうこう)がん

(4) コールタール………………………肝血管肉腫

(5) 石綿…………………………………皮膚がん

A 正解は(5)

(1) ○ 正しい。シアン化水素は細胞の酸素代謝を直接阻害する（細胞内呼吸障害)。**呼吸困難**、**けいれん**など。

(2) ○ 正しい。硫化水素中毒の症状として、**呼吸器障害**、**呼吸中枢麻痺**、**意識消失**がある。

(3) ○ 正しい。弗化水素の症状である**骨の硬化**、**斑状歯**はよく出題されている。

(4) ○ 正しい。(最近は二酸化硫黄の出題率が上がってきているので、要注意)。

(5) × 誤り。二酸化窒素の症状は、**気道障害**や**肺水腫**など。

A 正解は(4)

(1) ○ 赤血球のヘモグロビンが酸素を各組織に運ぶが、一酸化炭素は酸素より200倍以上もヘモグロビンと結びつきやすいため、**ヘモグロビンの酸素運搬力が低下**して酸素不足になるのが**一酸化炭素中毒**。

(2) ○ **シアン化水素中毒**は細胞の酸素代謝が阻害されることにより**呼吸困難**やけいれんの症状を引き起こす。

(3) ○ **硫化水素**の濃度により、中毒症状に違いがある。50～150ppmで頭痛や吐き気、300ppmで意識不明、1,000ppmを超えると失神や**呼吸停止**で死に至ることがある。

(4) × **塩化ビニル**は**発がん性**であることを覚えておく。肝臓がん、**肝血管肉腫**、肺がんなど。他の症状として、肝機能障害など。

(5) ○ **弗化水素**の慢性中毒症状である**骨硬化症**と**斑状歯**は、しっかり覚えておきたい。他の物質の症状として選択肢に書かれていて誤っているものはどれか、と出題されることが多い。

※この問題にある一酸化炭素、硫化水素、シアン化水素は呼吸に影響を与える。二酸化硫黄、二酸化窒素は気管支・呼吸器に影響を与えるものとして関連づけておけば覚えやすい。

A 正解は(1)

化学物質と、それにより発症するおそれのあるがんとの組合せ。

石綿………………**肺がん**、**胸膜中皮腫**
コールタール……**皮膚がん**、**肺がん**
ベンゼン…………**白血病**
塩化ビニル………………**肝血管肉腫**
ベンジジン………………**膀胱がん**
ベンゾトリクロリド……**肺がん**

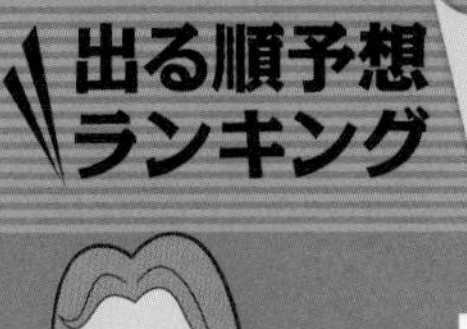

大枠を把握し、焦点を絞って勉強しましょう！

有害因子による健康障害（粉じん・一酸化炭素中毒を含む）※

オーソドックスな問いが多く、点が取りやすい分野です。よく出題される肢と、有害因子名を列挙しましたので、参考にして、勉強の効率化を図りましょう。

※主な健康障害については、それぞれ1つの項目として立っており、別頁で研究しています。この項目は、「その他の有害因子」についてまとめたものです。

1 どこが出るか、どんな形で出るか

有害因子は、数多くありますが、それらがもたらす健康障害について、文章の形で出題されます。

「正しいもの」「誤ったもの」についてですが、以前は「誤ったもの」の肢を選ばせる問題が多く見られました。最近は、むしろ**「正しいもの」**を選ばせることが増えました。それはそれとして、過去には全く同一問題での出題が3回続いたこともあります。

これは極端なケースですが、この分野の出題は同じ有害因子を取り上げ、問い掛ける観点もほぼ同じ。そういう肢が多く見られます。他にも同一問題としては出題されなくても、肢をいろいろに組み替えるだけという問題が多いのです。

勉強する側にとっては、取り組みやすい分野ともいえるでしょう。

2 解答のコツ！　勉強のコツ！

もっと勉強効率を上げるためには、正解肢になる率の多い有害因子に絞って学習するという方法もあります。勉強の内容が、深さも広さも、それほどないので、そこまでする必要もないかもしれませんが、一応拾ってみました。該当するのは、次のものです。参考になさってください。

金属熱　酸素欠乏　一酸化炭素中毒　けい肺（遊離けい酸）
減圧症　熱痙攣（けいれん）（混合問題）　低体温症

このほか、正解肢にはなりませんでしたが、次の有害因子あるいは健康障害が、肢として出題されています。**鉛（なまり）中毒、凍瘡（とうそう）、レイノー現象（振動工具）、赤外線、電離放射線、じん肺一般**

7割ゲットできるポイント集！

●粉じんを吸入すると、肺に線維増殖性変化が生じ、じん肺にかかります。

粉じんの種類	じん肺
遊離けい酸（SiO_2）	けい肺
けい酸化合物	石綿肺、滑石肺、珪藻土肺
アルミニウムとその化合物	アルミニウム肺、アルミナ肺、鑞石肺
鉄化合物	溶接工肺、硫化鉱肺、硫化焼鉱肺
鉛とその化合物	鉛じん肺
炭素	黒鉛肺、炭素肺、炭坑夫じん肺、活性炭肺

●有毒ガスには、窒息性ガスと刺激性ガスによる障害があります。

窒息性ガス	化学的窒息物質…酸素濃度にかかわらず、それ自体で窒息を引き起こす（一酸化炭素、シアン化水素、硫化水素） 単純窒息性物質…それ自体は無害だが、酸素濃度を低下させて窒息を引き起こす（二酸化炭素、メタン、プロパン、エタンなど）
刺激性ガス	塩素…………気管支炎、咽頭痛、胸苦しさ、呼吸困難、肺水腫 二酸化硫黄…上気道の刺激、慢性気管支炎、歯牙酸蝕症 二酸化窒素…気道障害、肺水腫

●高温環境下では熱中症（熱痙攣、熱虚脱、熱射病、熱疲労）、低温環境下では凍傷、凍瘡、低体温症、冷房病があります（ただし、この科目での出題は、今のところ熱痙攣、凍瘡に限られます）。

高温環境下での障害（熱中症）	熱射病	熱調節機能の変調により、発汗停止、体温上昇、意識障害、うわごとなどの症状を起こす。
	熱虚脱	皮膚温の上昇により、皮膚に血液がたまって血液循環が弱くなり、脳に血が行かなくなる。頻脈、血圧低下、頭痛、めまい、耳鳴り、失神などを起こす。
	熱痙攣	発汗により、塩分、水分が不足しているタイミングで、水分のみを補給することで、血中の塩分濃度が低下し、筋肉の痙攣を起こす。
低温環境下での障害	凍傷	0℃以下の寒冷によって組織の凍結壊死が起きることをいう。
	凍瘡（しもやけ）	0℃以上の低温（5℃前後）で、湿気などによって起こる皮膚の疾患。
	低体温症	体内温が35℃以下に冷やされて、意識喪失、筋硬直が起きることをいう。
	冷房病	室内と外気温の温度差や、過度な冷房によって頭痛、関節痛が起きることをいう。

問題 1 【令和5年前期】

1回目 2回目 3回目

作業環境における有害要因による健康障害に関する次の記述のうち、正しいものはどれか。

(1) レイノー現象は、振動工具などによる末梢(しょう)循環障害で、冬期に発生しやすい。

(2) けい肺は、鉄、アルミニウムなどの金属粉じんによる肺の線維増殖性変化で、けい肺結節という線維性の結節が形成される。

(3) 金属熱は、鉄、アルミニウムなどの金属を溶融する作業などに長時間従事した際に、高温環境により体温調節機能が障害を受けることにより発生する。

(4) 電離放射線による造血器障害は、確率的影響に分類され、被ばく線量がしきい値を超えると発生率及び重症度が線量に対応して増加する。

(5) 熱けいれんは、高温環境下での労働において、皮膚の血管に血液がたまり、脳への血液の流れが少なくなることにより発生し、めまい、失神などの症状がみられる。

問題 2 【令和2年後期】

1回目 2回目 3回目

粉じんによる健康障害に関する次の記述のうち、誤っているものはどれか。

(1) じん肺は、粉じんを吸入することによって肺に生じた線維増殖性変化を主体とする疾病である。

(2) じん肺の自覚症状は、初期にはあまりみられないが、進行すると咳(せき)、痰(たん)、呼吸困難などがみられる。

(3) じん肺の合併症には、間質性肺炎、慢性閉塞性肺疾患（COPD）などがある。

(4) 石綿粉じんは、肺がん、胸膜中皮腫などの重篤な疾病を起こすおそれがある。

(5) 米杉、ラワンなどの木材粉じんは、ぜんそくを起こすことがある。

A 正解は(1)

(1) ○ **レイノー現象（白指症）**は**機械的な振動**と**寒冷のばく露**が重なることにより血管が収縮し、末梢神経障害を起こす。

(2) × けい肺は遊離けい酸（ＳｉＯ２）の粉じんによるじん肺。アルミニウムによるものはアルミニウム肺。

(3) × **金属熱**は主に亜鉛や銅のヒュームを吸入したことに対する肺のアレルギー反応とされている。
高温環境により体温調節機能が障害を受けたためではない。

(4) × 電離放射線による**造血器障害**は、**確定的影響**に分類される。

(5) × 熱けいれんは、大量の発汗の後に水のみを補給した際に、血液の塩分濃度が低下して起こる。

A 正解は(3)

一見したところ難問に思えるのは、(3)の正誤の判断がつきにくいからだ。しかし、他の(1)(2)(4)(5)を見てみると、いずれも基本的知識ばかり。これらが正しいとなると、消去法で残った(3)が正解とわかる。

(1) ○ じん肺とは、**粉じん**を吸入することで、肺の組織が**繊維増殖性変化**を起こし、肺の**酸素交換**ができなくなる疾病である。

(2) ○ 初期には、**自覚症状**がほとんど**感知できない**のが、怖いところ。進行すると、**咳**、**痰**、**呼吸困難**が見られるようになる。

(3) × 間質性肺炎、慢性閉塞生肺疾患とも、じん肺の合併症には**ならない**。
間質性肺炎とは、肺の**間質**という部位を中心に炎症を起こす疾患の総称。**慢性閉塞性肺疾患**とは、**気管支や肺**に障害が起きて呼吸がしにくくなる疾患で、**喫煙**の影響が大きい。しかし一方、じん肺には、多くの合併症に**かかりやすい**という面がある。

(4) ○ 石綿は、**アスベスト**ともいう。
問題文の内容は、基本中の基本の知識なので、しっかり覚えよう。なお、**中皮腫**も原発生の**がん**で、**胸膜**や腹膜に発生する。

(5) ○ あまり出題されない肢だが、覚えておこう。

問題 3 【令和2年後期】

1回目 2回目 3回目

作業環境における有害要因による健康障害に関する次の記述のうち、誤っているものはどれか。

(1) 窒素ガスで置換したタンク内の空気など、ほとんど無酸素状態の空気を吸入すると徐々に窒息の状態になり、この状態が5分程度継続すると呼吸停止する。

(2) 減圧症は、潜函（かん）作業者、潜水作業者などに発症するもので、高圧下作業からの減圧に伴い、血液中や組織中に溶け込んでいた窒素の気泡化が関与して発生し、皮膚のかゆみ、関節痛、神経の麻痺（ひ）などの症状がみられる。

(3) 金属熱は、金属の溶融作業などで亜鉛、銅などの金属の酸化物のヒュームを吸入することにより発生し、悪寒、発熱、関節痛などの症状がみられる。

(4) 電離放射線による中枢神経系障害は、確定的影響に分類され、被ばく線量がしきい値を超えると重篤度が線量の増加に応じて増加する。

(5) 振動障害は、チェーンソー、削岩機などの振動工具によって生じる障害で、手のしびれなどの末梢（しょう）神経障害やレイノー現象などの末梢循環障害がみられる。

問題 4 【平成22年前期】

1回目 2回目 3回目

一酸化炭素中毒に関する次の記述のうち、誤っているものはどれか。

(1) 一酸化炭素は、空気より重い無色の気体で、刺激性が強く、極めて毒性が高い。

(2) 一酸化炭素中毒は、一酸化炭素が血液中の赤血球に含まれるヘモグロビンの酸素運搬能力を低下させ、体内の各組織に酸素欠乏状態を引き起こすことにより発生する。

(3) 一酸化炭素とヘモグロビンの親和性は、酸素とヘモグロビンの親和性の200倍以上にも及ぶ。

(4) 一酸化炭素中毒では、息切れ、頭痛から始まり、虚脱や意識混濁がみられる。

(5) 喫煙者の血液中のヘモグロビンは、非喫煙者と比べて一酸化炭素と結合しているものの割合が高い。

A　正解は(1)

(1)　×　空気中の酸素濃度が**18%未満**の状態を**酸素欠乏**というが、**16%以下**になると頭痛や吐き気が現れ、10%以下では意識消失や窒息、けいれんなどが、**6%以下**では一呼吸で死亡することが多い。問題文の無酸素状態は**6%以下**なので、記述のように状態が緩慢に進みはしない。

(2)　○　**減圧症**は、浮上による**減圧**に伴い、血液中に溶け込んでいた**窒素**が**気泡**となり。**血管**を**閉塞**したり**組織**を**圧迫**したりすることで起こる。予防対策は、減圧をゆっくり均一に行うこと。

(3)　○　これらのヒュームを吸入して数時間後に症状が出るが、間もなく**発汗**とともに**解熱**する。

(4)　○　電離放射線による障害は、**被ばく線量**が**一定の値（しきい値）以上**になると障害が現れる**確定的影響**と、しきい値がなく**被ばく線量**が**多くなるほど**発生率が高まる**確率的影響**がある。中枢神経系障害は、確定的影響に分類される。

(5)　○　**自覚症状**が、**他覚所見より**先行して発症しがちである。また、**夏期**より**冬期**に発生しやすい。機械的な振動に**寒冷**が加わると、血管が強く収縮するためである。

A　正解は(1)

(1)　×　一酸化炭素は、**空気とほぼ同じ重さ**の気体で、**無色無臭**であり、極めて**毒性が高い**。

(2)　○　一酸化炭素は、血液中の赤血球に含まれる**ヘモグロビンの酸素運搬能力を低下**させる。そのため、体内の各組織に**酸素欠乏状態**を引き起こす。

(3)　○　**一酸化炭素**と**ヘモグロビン**の親和性は、**酸素**とヘモグロビンの親和性より200倍以上も**大きい**。したがって、酸素との結合を押しのけてしまうわけである。

(4)　○　一酸化炭素中毒では、**息切れ**、**頭痛**が初期症状。やがて**虚脱**や**意識混濁**（こん・だく）に進み昏睡状態になる。

(5)　○　**たばこの煙**には、微量ながら**一酸化炭素**が含まれている。したがって、喫煙者の血液中の**ヘモグロビン**は、非喫煙者と比べて一酸化炭素と結合している割合が**高い**。

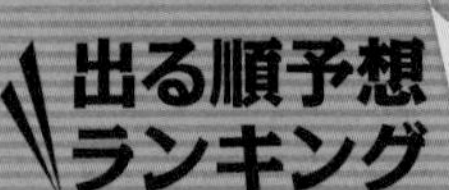

大枠を把握し、焦点を絞って勉強しましょう！

作業環境管理（測定と評価・改善ほか）

この項目は、とび切りの難問です。まずは、管理濃度、管理区分、A測定、B測定などの行政用語の意味を、日常語に置き換えて理解するところからスタートしましょう。

1 どこが出るか、どんな形で出るか

作業環境測定およびその評価についての知識は、衛生管理の中で誰でも手こずる**最も難解な**項目です。その知識を完全理解しようとして、学習に長時間あてることは、試験対策上は、得策ではありません。

むしろ、**出やすい問題に絞り**、50％程度の得点率を予定しましょう。

2 解答のコツ！

絶対に必要なのは、**管理濃度**と、**管理区分**という用語の意味を把握すること。〈管理濃度〉は、「個々の労働者のばく露の限界を表すものではありません」（出題済）。正しくは、「**この濃度までならOKだが、超えたら×**」という**作業環境を管理**する上の都合で設けられた、行政上の**基準**（**モノサシ**）です。

もう1つの〈管理区分〉は、測定した結果の**成績簿**です。例えて言えば、**第1管理区分**は「**優**」、**第2管理区分**は「**良**」、**第3管理区分**は「**不可**」です。

同時に、**A測定**、**B測定**も、覚える必要があります。A測定とは、その作業場所における有害物質の**平均的な濃度**のこと、B測定とは、**濃度が最高と見られる時と場所での測定数値**のこと。さて、その上で、以下の出題をどうぞ。

「B測定の測定値（最高値という意味）が管理濃度（基準という意味）を超えている場合は、A測定（平均値という意味）の結果に関係なく、第3管理区分（不可という意味）となる」　○ or ×？　答えは×です。この問題が複数回出題されました。

問題を解くときは、括弧内のように、法律用語を意味としてとらえ直して判断します。すると、最高値が**基準を超えた**としても、これだけでは**不可にはならない**という決まりです。正解は「**1.5倍を超えている**」ときです。

7割ゲットできるポイント集！

- 作業環境測定は労働者の健康管理のため、定期的に実施するよう義務付けられています。
- 作業環境測定には、A測定とB測定があります。

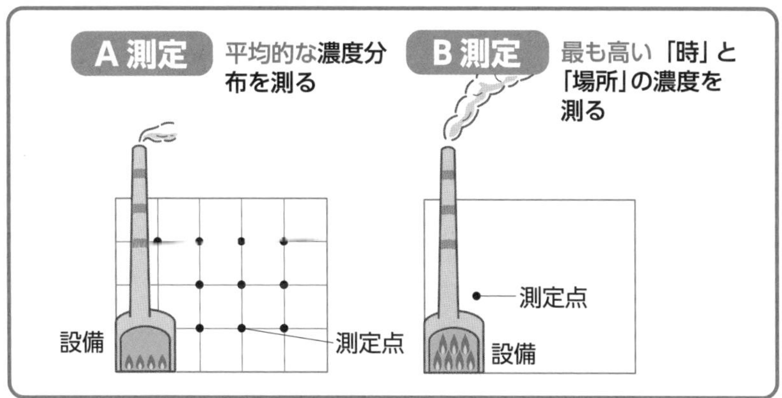

- 作業環境測定の評価は、第1管理区分（優秀）、第2管理区分（まあ良）、第3管理区分（ダメだ、こりゃ）のどれかに区分されます。繰り返しますが、「管理区分」とは、評価の結果のことです。

管理区分	作業場の状態	事後に講ずる措置
第1管理区分（優秀）	ほとんど（95%以上）の場所で、有害物質濃度が、管理濃度を超えない	現在の管理の継続的維持に努める（現状維持）。
第2管理区分（まあ良）	有害物質濃度の平均値が、管理濃度を超えない	施設、設備、作業工程、作業方法の点検を行い、作業環境を改善するための必要な措置を講ずるよう努める（第1管理区分を目指す努力義務）。
第3管理区分（ダメだ、こりゃ）	有害物質濃度の平均が、管理濃度を超えている	①設備、施設、作業工程、作業方法の点検を行い、作業環境を改善するために必要な措置を講ずる。 ②有効な呼吸用保護具を使用する。 ③産業医などが必要と認める場合、健康診断を実施、その他労働者の健康保持のための必要な措置を講ずる。

※「優秀」「まあ良」「ダメだ、こりゃ」は、著者が勝手に加えた言葉です。

- 測定の際は、空間変動（測定点による変動）、時間変動（測定時刻による変動）、日内（にちない）変動（同一条件下で起こる変動）、日間変動（季節、天候、繁忙（はんぼう）日、閑散日による変動）に注意します（あまり出題されませんが）。

問題 1 【令和4年前期】

1回目 2回目 3回目

労働衛生対策を進めていくに当たっては、作業環境管理、作業管理及び健康管理が必要であるが、次のAからEの対策例について、作業環境管理に該当するものの組合せは(1)～(5)のうちどれか。

A　粉じん作業を行う場所に設置した局所排気装置のフード付近の気流の風速を測定する。

B　アーク溶接作業を行う労働者に防じんマスクなどの保護具を使用させることによって、有害物質に対するばく露量を低減する。

C　鉛健康診断の結果、鉛業務に従事することが健康の保持のために適当でないと医師が認めた者を配置転換する。

D　放射線業務において、管理区域を設定し、必要のある者以外の者を立入禁止とする。

E　有機溶剤を使用する塗装方法を、有害性の低い水性塗料の塗装に変更する。

(1)　A，D　　(2)　A，E　　(3)　B，C

(4)　B，D　　(5)　C，E

問題 2 【令和3年後期】

労働衛生対策を進めるに当たっては、作業管理、作業環境管理及び健康管理が必要であるが、次のAからEの対策例について、作業管理に該当するものの組合せは(1)～(5)のうちどれか。

A 振動工具の取扱い業務において、その振動工具の周波数補正振動加速度実効値の3軸合成値に応じた振動ばく露時間の制限を行う。

B 有機溶剤業務を行う作業場所に設置した局所排気装置のフード付近の吸い込み気流の風速を測定する。

C 強烈な騒音を発する場所における作業において、その作業の性質や騒音の性状に応じた耳栓や耳覆いを使用させる。

D 有害な化学物質を取り扱う設備を密閉化する。

E 鉛健康診断の結果、鉛業務に従事することが健康の保持のために適当でないと医師が認めた者を配置転換する。

(1)　A，B　　(2)　A，C　　(3)　B，C

(4)　C，D　　(5)　D，E

A 正解は(2)

作業とは「人の行動」、作業環境とは「場所や物質」のこと。**「作業管理」とは人の作業そのものを管理**すること。作業方法や作業内容を、労働者の健康や安全が確保できるように定める。作業時間や作業姿勢、作業方法の変更や保護具の適正な使用などにより、有害な物質のばく露や健康障害を防止・軽減する。

「作業環境管理」は作業を行う場所や空間、物質などを管理の対象としている。有害要因を工学的な対策等によって作業環境から除去したり、良好な作業環境を維持するために作業する環境を調査したりする。

A　作業環境管理。気流の風速を測定…作業する場所の調査

B　作業管理。保護具の使用…作業方法

C　健康管理。健康の保持のための配置転換…健康管理

D　作業管理。立入禁止は作業させないという作業方法

E　作業環境管理。有害性の低い塗料への変更…物質の変更

A 正解は(2)

A　**作業**管理。ばく露時間の制限は作業時間の管理

B　**作業環境**管理。気流の測定は場所の調査

C　**作業**管理。耳栓や耳覆いの使用は作業方法の管理

D　**作業環境**管理。設備の密閉化は場所・空間の管理

E　**健康**管理

得点力をもっとUPする ワンポイント知識

有害物質のばく露防止のための基本的な方法は、以下の7つです（重要度の高い順）。これらをいくつか組み合わせると、より効果的です。

❶有害物質の**製造・使用**を中止し、**有害性の少ない**物質へ転換する。
❷有害な**生産工程**、**作業工程**を改良する。
❸有害物質を取り扱う設備を**密閉化**または**自動化**する。
❹有害な生産工程を**隔離**または**遠隔操作**する。
❺**局所排気装置**または**プッシュプル型換気装置**を設置する。
❻**全体換気**によって有害物質を希釈する。
❼作業行動を改善し、**二次発じん・異常ばく露**を防止する。

問題 3 【令和6年前期】

1回目 2回目 3回目

厚生労働省の「作業環境測定基準」及び「作業環境評価基準」に基づく作業環境測定及びその結果の評価に関する次の記述のうち、誤っているものはどれか。

(1) 管理濃度は、有害物質に関する作業環境の状態を単位作業場所の作業環境測定結果から評価するための指標として設定されたものである。

(2) A測定は、単位作業場所における有害物質の気中濃度の平均的な分布を知るために行う測定である。

(3) B測定は、単位作業場所中の有害物質の発散源に近接する場所で作業が行われる場合において、空気中の有害物質の最高濃度を知るために行う測定である。

(4) A測定の第二評価値が管理濃度を超えている単位作業場所の管理区分は、B測定の結果に関係なく第三管理区分になる。

(5) B測定の測定値が管理濃度を超えている単位作業場所の管理区分は、A測定の結果に関係なく第三管理区分になる。

問題 4 【令和3年後期】

1回目 2回目 3回目

厚生労働省の「作業環境測定基準」及び「作業環境評価基準」に基づく作業環境測定及びその結果の評価に関する次の記述のうち、正しいものはどれか。

(1) 管理濃度は、有害物質に関する作業環境の状態を単位作業場所の作業環境測定結果から評価するための指標として設定されたものである。

(2) 原材料を反応槽へ投入する場合など、間欠的に有害物質の発散を伴う作業による気中有害物質の最高濃度は、A測定の結果により評価される。

(3) 単位作業場所における気中有害物質濃度の平均的な分布は、B測定の結果により評価される。

(4) A測定の第二評価値及びB測定の測定値がいずれも管理濃度に満たない単位作業場所は、第一管理区分になる。

(5) B測定の測定値が管理濃度を超えている単位作業場所は、A測定の結果に関係なく第三管理区分に区分される。

A 正解は(5)

(1) ○ 管理濃度とは、作業場所の作業環境管理の良否を判断する際の**管理区分を決定する**ために、物質ごとに設定された濃度による指標。作業環境の状態を単位作業場所の作業環境測定結果から評価する。

(2) ○ A測定は単位作業場所の有害物質の濃度の**平均的な分布**を知るための測定。

(3) ○ B測定は単位作業場所の有害物質の発生源に近接した作業位置での**最高濃度**を知るための測定。

(4) ○ A測定・B測定の結果の評価は**悪い方**を取るので、Aが悪ければBが良くてもAの結果となる。

(5) × B測定の測定値が1.5倍以下であれば、**第二管理区分**となる場合もある。

	A測定の第一評価値が管理濃度未満	A測定の第二評価値が管理濃度以下かつ第一評価値が管理濃度以上	A測定の第二評価値が管理濃度を超えている
B測定値が管理濃度未満	第一管理区分	第二管理区分	第三管理区分
B測定値が管理濃度以上かつ管理濃度の1.5倍以下	第二管理区分	第二管理区分	第三管理区分
B測定値が管理濃度の1.5倍を超えている	第三管理区分	第三管理区分	第三管理区分

A 正解は(1)

難しそうに見えるが、作業管理の測定と評価の問題の答えを発見するのは、それほど難しくない。A測定やら、B測定やら、難しそうな用語が出てくるが、これらの肢に正解があるのは、むしろ稀。それより、もっと基本的な定義である「**管理濃度**」に目をつけよう。**「管理濃度は、この（汚染）濃度までならOKだが、超えたら×」と行政が定めた指標**で、もっとも基本的な定義なので覚えてしまおう。したがって、

(1) ○ 記述の通りで、正しい。

(2) × 空気中の有害物質の**最高濃度**を知るための測定はB測定で、

(3) × 空気中の**平均的な濃度分布**を測るのはA測定である。

(2)と(3)は、「**最高**」と「**平均**」が逆になっている

(4) × ここで、「評価値」が初めて顔を出すが、「評価値」については、ほとんどの場合、無視してもいい。

(5) × 問題文は、**B測定の測定値**が管理濃度を**超えている**ときは、**1.5倍以下**でも、A測定の結果に関係なく、その単位作業場所は第三管理区分となると読める。しかし、これは誤り。「**1.5倍**」という数字が重要！

超えていれば、第三管理区分となる。

問題 5 【平成30年後期】

1回目 2回目 3回目

厚生労働省の「作業環境測定基準」及び「作業環境評価基準」に基づく作業環境測定及びその結果の評価に関する次の記述のうち、誤っているものはどれか。

(1) 管理濃度は、有害物質に関する作業環境の状態を単位作業場所の作業環境測定結果から評価するための指標として設定されたものである。

(2) 単位作業場所は、作業場の区域のうち労働者の作業中の行動範囲、有害物の分布等の状況等に基づき定められる作業環境測定のために必要な区域をいう。

(3) B測定は、有害物の発散源に近接する場所において作業が行われる場合に、有害物の濃度が最も高くなると思われる時間に、その作業が行われる位置において行う測定である。

(4) A測定の第二評価値及びB測定の測定値がいずれも管理濃度に満たない単位作業場所は、A測定の第一評価値に関係なく第一管理区分になる。

(5) B測定の測定値が管理濃度の1.5倍を超えている単位作業場所の管理区分は、A測定の結果に関係なく第三管理区分となる。

問題 6 【平成26年後期】

1回目 2回目 3回目

有害物質を発散する屋内作業場の作業環境改善に関する次の記述のうち、誤っているものはどれか。

(1) 粉じんを発散する作業工程では、密閉化や自動化を局所排気装置等の設置に優先して検討する。

(2) 局所排気装置を設ける場合、ダクトが太すぎると搬送速度が不足し、細すぎると圧力損失が増大することを考慮して、ダクト径を決める。

(3) 局所排気装置に設ける空気清浄装置は、ダクトに接続された排風機を通過した後の空気が通る位置に設置する。

(4) 有害物質を取り扱う装置を構造上又は作業上の理由で完全に密閉できない場合は、装置内の圧力を外気圧より低くする。

(5) 局所排気装置を設置する場合は、給気量が不足すると排気効果が低下するので、排気量に見合った給気経路を確保する。

A 正解は(4)

難問である。A測定、B測定までは理解していても、第一評価値、第2評価値まで理解が及んでいる人は少ないだろう。だが、**諦めずに**食い下がってみよう。

(1)(2)は、**基本の定義**で、頭に入っている人もいるはずだ。ひとまず○を付ける。(3)になると、**B測定**が出てくるが、これは197ページで紹介したように、「**最も高い時と場所の濃度**」のことだから、○である。

(4)は読んでも大部分の人はチンプンカンプン。**ひとまず、抜かして**(5)を見る。すると、これは過去問でも頻出の肢であり、本書でも「解答のコツ！」で紹介しているが、正しい肢○なのである。

ここで、**全体を見なおす**と、(4)を除いて、(1)(2)(3)(5)はみな**○**。したがって、(4)が誤っており、正解にたどり着く。**消去法**を使った解答術である。

A 正解は(3)

(1) ○ **設備の密閉化や自動化**ができればそれに越したことはない。それらが難しい場合に、局所排気装置等の換気装置の設置を検討することになる。

(2) ○ 局所排気装置は、**ダクトが太すぎると搬送速度が遅くなり、細すぎると圧力損失が増大する**。ダクト径を設計するときは、この基本を踏まえて行わなければならない。

(3) × 排風は、空気清浄装置で**有害物質を清浄したあと**に行う。問題文は順序が逆になっている。

(4) ○ 装置内の圧力を外気より圧力の低い負圧にすると、隙間から**有害物質が発散しにくくなる**ので、正しい。

(5) ○ 局所排気装置は、吸引器気流によって有害物質を吸い込むのだから、そのための給気量は**排気量に見合って**いなければ効果が低減する。

大枠を把握し、
焦点を絞って
勉強しましょう！

有害物質の空気中の状態

有害物質の状態について、頻出する有害物質を軸に勉強しましょう。また、まれに「ミスト」か「ヒューム」かを問う問題も出ます。それぞれの性状を理解しましょう。

1 どこが出るか、どんな出方をするか(1)

ここは、右ページの表で、名称別に、①**気体・液体・固体**の別、②**性状**（性質と状態)、③**代表的物質**のそれぞれをよく勉強するのが、正統な学習法ではあります。しかし、それでなくても、覚えることが多いのに、「こんなにたくさん覚えきれないよ（わ)」というのが、正直なところかも…？

で、公表問題を見てみると、極めて近似の問題が多いのに気がつきます。登場する有害物質は、**塩素**、**アンモニア**、**アセトン**、**ホルムアルデヒド**、**硫酸ジメチル**、**トリクロルエチレン**、**ジクロロベンジジン**、**臭化メチル**、**ニッケルカルボニル**などです。

たとえば、**臭化メチルは粉じんでない**（**ガス**が○)、**硫酸ジメチルは粉じんでない**（**蒸気**が○)、ジクロロベンジジンはガスでない（**粉じん**が○）など。

そこで、問題に頻出するこれらの物質を第1段階として押さえ、時間の余裕があれば、少しずつ記憶の輪を広げていくのが賢明です（**雪だるま式記憶術**)。

2 どこが出るか、どんな出方をするか(2)

このように、物質名をあげて、それがガスか、蒸気か、粉じんかを問う、いわば単純な問題のほかに、**文章でつづった5肢択一形式**も、まれに出題されます。ここでの出題の正解肢は、**ミスト**と**ヒューム**（**ともに気体でない**）を問うものばかりです。

今後も、この文章形式の出題はあるかもしれません。ミストとヒュームが「誤っているもの」として問われるのは継続するでしょう。ですので、**ミスト**（**液体**）と**ヒューム**（**固体**）については、性状をしっかり理解し、記憶してしまいましょう。

7割ゲットできるポイント集！

●有害物質は、気体、液体、固体のいずれかの状態で存在します。気体は、ガスや蒸気、液体はミスト、固体は粉じんかヒュームです。

空気中の有害物質

	分類	状態	性状	代表的物質
気体状物質	ガス	気体	25℃、1気圧の常温・常圧で、気体（臨界温度が25℃以下）であるもの	臭化メチル、塩素、塩化ビニル、ホスゲン、ホルムアルデヒド、シアン化水素、硫化水素、アンモニア、一酸化炭素、二酸化硫黄、エチレンオキシドなど
	蒸気		25℃、1気圧の常温・常圧で、液体または固体（臨界温度が25℃以下）の物質が、蒸気圧に応じて揮発または昇華して気体となっているもの	硫酸ジメチル、トルエン、トリクロルエチレン、水銀、ニッケルカルボニル、ベンゼン、アセトン、アクリロニトリル、二硫化炭素など
粒子状物質	ミスト	液体	液体の微細な粒子が空気中に浮遊しているもの	硫酸ミスト、硝酸ミスト、クロム酸、シアン化合物、硫酸ジメチルなど
	粉じん	固体	固体有害物質に研磨、切削、粉砕など機械的な作用を加えて発生した、空気中に浮遊する固体微粒子	ジクロロベンジジン、石綿、無水クロム酸、アクリルアミド、弗化ベリリウム、二酸化マンガンなど
	ヒューム		気体（金属の蒸気など）が空気中で凝固などの変化を起こし、空気中に浮遊している固体微粒子	酸化鉛、酸化鉄などの溶融金属から発生する金属ヒューム

●化学物質の体内への侵入経路は、①呼吸器（経気道侵入）、②消化器（経口侵入）、③皮膚（経皮侵入）を経ての3つです。侵入経路によって有毒性の程度は異なります。

経気道侵入	空気中の有害ガス、蒸気、粉じんなどが、呼吸器を通じて肺に達し、すぐに血液中に侵入する。拡散・吸収が早く、重症になりやすい。
経口侵入	吸入されたものの一部が口腔内に留まったり、手指に付着したものが口腔内に入り、消化器を経由して体内に入る。消化液で薄められる、肝臓の解毒作用を受けるなどを経るので、危険度は中程度。
経皮侵入	水や脂肪に溶けた物質が皮膚に付着し、汗腺や脂肪腺から吸収される。シアン化物、四アルキル鉛などに注意。

問題 1 【令和6年前期】

1回目 2回目 3回目

化学物質とその常温・常圧(25℃、1気圧)での空気中における状態との組合せとして、誤っているものは次のうちどれか。

ただし、ガスとは、常温・常圧で気体のものをいい、蒸気とは、常温・常圧で液体又は固体の物質が蒸気圧に応じて揮発又は昇華して気体となっているものをいうものとする。

(1) アセトン ………………………………… ガス
(2) 塩素 ……………………………………… ガス
(3) テトラクロロエチレン ………………… 蒸気
(4) ナフタレン ……………………………… 蒸気
(5) フェノール ……………………………… 蒸気

問題 2 【令和4年後期】

1回目 2回目 3回目

次の化学物質のうち、常温・常圧(25℃、1気圧)の空気中で蒸気として存在するものはどれか。

ただし、蒸気とは、常温・常圧で液体又は固体の物質が蒸気圧に応じて揮発又は昇華して気体となっているものをいうものとする。

(1) 塩化ビニル
(2) ジクロロベンジジン
(3) アクリロニトリル
(4) 硫化水素
(5) アンモニア

問題 3 【令和3年後期】

次の化学物質のうち、常温・常圧(25℃、1気圧)の空気中で蒸気として存在するものはどれか。

ただし、蒸気とは、常温・常圧で液体又は固体の物質が蒸気圧に応じて揮発又は昇華して気体となっているものをいうものとする。

(1) 塩化ビニル
(2) ホルムアルデヒド
(3) 二硫化炭素
(4) 二酸化硫黄
(5) アンモニア

A　正解は(1)

(1)　×　アセトンは、常温・常圧では**蒸気**として存在する。

(2)　○　塩素は**ガス**。

(3)　○　テトラクロロエチレンは**蒸気**。

(4)　○　ナフタレンは**蒸気**。

(5)　○　フェノールは**蒸気**。

(3)**テトラクロロエチレン**と(4)**ナフタレン**は、衛生管理者試験においてほぼ初出の物質。

A　正解は(3)

(3)のアクリロニトリルは常温・常圧では蒸気として存在する。特定化学物質第２類。他の4物質は次の通り。

塩化ビニル……………………**気体**……ガス
ジクロロベンジジン……**固体**……粉じん
硫化水素………………………**気体**……ガス
アンモニア……………………**気体**……ガス

A　正解は(3)

物質の空気中の状態については、必ず出題される問題である。ミストとヒュームは、物質名としてではなく、文章問題で顔を出すことが多い。

他は、物質名として出題されることが多い。よく出る物、まぎらわしい物を中心に覚えるとよい。よく出るのは、**塩化ビニル**、**シアン化水素**、**トルエン**など。紛らわしいのは、**二酸化硫黄**と**二硫化炭素**だ。二つのうち、どちらかを覚えれば、他はそうでないとわかる。「サン（酸）イ（硫）」または「リュウ（硫）タン（炭）」（一捨記憶法）と覚えよう。逆でもよい。

なお、「一捨記憶法」とは、似ている肢が二つある場合は、片方を覚えれば、他方は自然と覚えられるという技術のことだ。無理して両方を覚えなくともすむ。

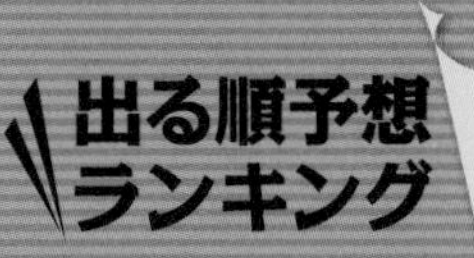

大枠を把握し、
焦点を絞って
勉強しましょう！

呼吸用保護具・労働衛生保護具

「呼吸用保護具・労働衛生保護具」は、よく出題されます。内容は多岐にわたりますが、問いは何回も重ねて出題されるので、過去問を多く解くことが、得点のコツです。

1 どこが出るか、どんな形で出るか

この項目からは、**毎回と言っていいほど1問が出題**されます（呼吸用保護具8に、労働衛生保護具2の割合です）。それだけに、これも、絶対に取らなければならない1問といいたいところですが、出題範囲はやや多岐にわたります。なので、頻出問題だけに的を絞るという、“近道（ショートカット）勉強法”は、成立しない分野です。

ただ、唯一のラッキー問題は、**防毒マスクの吸収缶の色**。これは、対象とする有害物質（10種類）ごとに、色が決められていますが、**有機ガス用**は**黒色**、**一酸化炭素用**は**赤色**。これが、3回に1回ほど出題されています。

覚えやすい知識ですから、絶対に覚えてしまいましょう。もしこれが出題されたら、ラッキーですが、そのラッキーが3割は期待できるのです。

また、防音保護具には、**耳覆い**(みみおお)**（イヤーマフ）**と**耳栓**(みみせん)がありますが、その併用の可否がよく問われます。もちろん、**併用しても問題がありません**。基本的に、騒音の大きさで、併用できるか、できないかが分かれるわけではありません。

2 解答のコツ！

正解肢は、やや多種にのぼりますので、残念ながら、「ここだけ覚えればいい」という、キメの案内はできません。ただ、正解肢だけでなく、問題の肢全体をみると、問われている内容は、何回も**重ねて出題**されています。

ですので、過去の出題問題を丁寧に解いて勉強するのがコツ。そうすれば、ここの一問をゲットするのは、難しいことではありません。問題の難易度は、☆1つ（解答しやすい）から、せいぜい☆2つ程度といえましょう。

7割ゲットできるポイント集！

●**呼吸用保護具**には、2つの方式があります。

❶ろ過式呼吸用保護具

- 必ず酸素濃度が18％以上の場所で使用する。
- 不十分な結果が予想される場合は下記を使用する。

❷給気式呼吸用保護具

- 酸素濃度18％未満の場所でも使用できる。
- 送気マスクは、着用者が作業している場所と別の場所からホースで新鮮な空気を供給する。重いので、行動範囲に制約を受ける。

●**労働衛生保護具**は、作業環境や作業方法を改善しても不十分な場合に、補完手段として用います。分類としては、作業管理の領域に入ります。

有害要因	労働衛生保護具の種類
粉じん・ガス・蒸気	呼吸用保護具、保護手袋、保護靴、保護衣
ふく射熱	防熱面、耐熱面
腐食性の液体	保護帽、保護手袋、保護靴、保護眼鏡、保護衣、保護クリーム
有害光線	遮光（しゃこう）保護眼鏡
騒　音	耳栓、耳覆い（イヤーマフ）、防音ヘルメット
振　動	防振手袋
酸　欠	送気マスク、自給式呼吸器

●**防毒マスクは、有毒ガスやその蒸気を吸収缶で除去します。吸収缶は、対象ガスに応じて色分けして区分されています。**

吸収缶の区分	色分け	吸収缶の区分	色分け
亜硫酸ガス用	黄赤	シアン化水素用	青
アンモニア用	緑	臭化メチル用	茶
一酸化炭素用	赤	ハロゲンガス用	灰／黒
一酸化炭素・有機ガス用	赤／黒	有機ガス用	黒
酸性ガス用	灰	硫化水素（りゅうかすいそ）用	黄

●**吸収缶が除毒能力を喪失するまでの時間を破過時間という。**

問題 1 【令和6年前期】

1回目 2回目 3回目

呼吸用保護具に関する次の記述のうち、誤っているものはどれか。

(1) 隔離式防毒マスクは、直結式防毒マスクよりも有害ガスの濃度が高い大気中で使用することができる。

(2) ガス又は蒸気状の有害物質が粉じんと混在している作業環境中で防毒マスクを使用するときは、防じん機能を有する防毒マスクを選択する。

(3) 防毒マスクの吸収缶の色は、アンモニア用は緑色で、有機ガス用は黒色である。

(4) 使い捨て式防じんマスクは、粒径1μm程度のヒュームには使用できない。

(5) 防じんマスクは、面体と顔面との間にタオルなどを挟んで着用してはならない。

問題 2 【令和4年後期】

1回目 2回目 3回目

労働衛生保護具に関する次の記述のうち、正しいものはどれか。

(1) 保護めがねは、紫外線などの有害光線による眼の障害を防ぐ目的で使用するもので、飛散粒子、薬品の飛沫(まつ)などによる障害を防ぐ目的で使用するものではない。

(2) 保護クリームは、皮膚の露出部に塗布して、作業中に有害な物質が直接皮膚に付着しないようにする目的で使用するものであるので、有害性の強い化学物質を直接素手で取り扱うときには、必ず使用する。

(3) 防じんマスクは作業に適したものを選択し、高濃度の粉じんのばく露のおそれがあるときは、できるだけ粉じんの捕集効率が高く、かつ、排気弁の動的漏れ率が低いものを選ぶ。

(4) 複数の種類の有毒ガスが混在している場合には、そのうち最も毒性の強いガス用の防毒マスクを使用する。

(5) エアラインマスクは、清浄な空気をボンベに詰めたものを空気源として供給する呼吸用保護具で、自給式呼吸器の一種である。

A 正解は(4)

(1) ○ 隔離式防毒マスクは、直結式防毒マスクよりも有害ガスの**濃度が高い大気中**で使用できる。

(2) ○ 『防じんマスクの使用が義務付けられている業務であっても、近くで有毒ガス等の発生する作業等の影響によって、有毒ガス等が混在する場合には、改めて作業環境の評価を行い、有効な防じん機能を有する防毒マスク、防じん機能を有するG-PAPR又は給気式呼吸用保護具を使用する。』

※「防じんマスク、防毒マスク及び電動ファン付き呼吸用保護具の選択、使用等について」令和５年５月25日基発0525第３号

(3) ○ ガスの吸収缶の色は対象ガスによって分けられている。
有機ガス用・**黒**、一酸化炭素用・**赤**、硫化水素用・**黄**、青酸用・**青**、アンモニア用・**緑**。

(4) × 防塵マスクはヒュームに対しても**有効**である。

(5) ○ 面体と顔面との間にタオルなどを挟むと、粉じんなどが面体の接顔部から面体内へ**漏れ入る恐れ**があるので使用してはならない。

A 正解は(3)

(1) × **保護めがね**は薬品の飛沫や飛散粒子、粉じんを防ぐ目的もある。有害な光線や熱から保護する役割も持つ。

(2) × **保護クリーム**の目的は正しく記載されている。「有害性の強い化学物質を直接素手で取り扱うとき」は保護クリームの使用ではなく、**化学防護手袋**を使用する。

(3) ○ 作業環境中の粉じんの種類や作業内容、発散状況などを考慮して適切な**防じんマスク**を選ぶ。高濃度のばく露のおそれがあるときは、粉じん捕集効率が高く、かつ、排気弁の動的漏れ率が低いものを選ぶ。

(4) × 複数のガスが混在している場所では、すべてに有効な防毒マスクを使用するか、給気式呼吸用保護具を使用する。

(5) × **エアラインマスク**は**送気式**マスクの一種。

問題 3 【令和3年後期】

1回目 2回目 3回目

呼吸用保護具に関する次の記述のうち、正しいものはどれか。

(1) 防毒マスクの吸収缶の色は、一酸化炭素用は黒色で、有機ガス用は赤色である。

(2) 高濃度の有害ガスに対しては、防毒マスクではなく、送気マスクか自給式呼吸器を使用する。

(3) 型式検定合格標章のある防じんマスクでも、ヒュームのような微細な粒子に対して使用してはならない。

(4) 防じんマスクの手入れの際、ろ過材に付着した粉じんは圧縮空気で吹き飛ばすか、ろ過材を強くたたいて払い落として除去する。

(5) 防じんマスクは作業に適したものを選択し、顔面とマスクの面体の高い密着性が要求される有害性の高い物質を取り扱う作業については、使い捨て式のものを選ぶ。

問題 4 【令和元年後期】

1回目 2回目 3回目

呼吸用保護具に関する次の記述のうち、正しいものはどれか。

(1) 防じんマスクは作業に適したものを選択し、顔面とマスクの面体の高い密着性が要求される有害性の高い物質を取り扱う作業については、使い捨て式のものを選ぶ。

(2) 防じんマスクの面体の接顔部に接顔メリヤスを使用すると、マスクと顔面との密着性が良くなる。

(3) 2種類以上の有害ガスが混在している場合には、そのうち最も毒性の強いガス用の防毒マスクを使用する。

(4) 吸収缶が、除毒能力を喪失するまでの時間を破過時間という。

(5) ハロゲンガス用防毒マスクの吸収缶の色は、黄色である。

A 正解は(2)

呼吸用保護具に関する基本の知識が問われる、いわばサービス問題。

(1) × **防毒マスク**の吸収缶の色は、一酸化炭素用は**赤**、有機ガス用は**黒**。一酸化炭素用と有機ガス用の吸収缶の色について、今回も出題された。絶対に覚えておこう。

(2) ○ 記述の通りでこれが正解。

(3) × **防じんマスク**は、有害な**粉じん**や**ヒューム**などの微細な粒子状物質を吸引し、ろ過材によって除去するもの。よって、**ヒューム**にも有効。

(4) × このような行為は、ろ過材に付着した粉じんが周囲に**まき散らされて**しまうので、決して**やってはいけない**。

(5) × 防じんマスクには**取り替え式**と**使い捨て式**があり、顔面とマスクの面体の**密着性**が要求される**有害性**の高い物質を取り扱う作業では、より**精度が高い**取り替え式を選ぶのが正しい。

A 正解は(4)

(1) × 防じんマスクは、**取り替え式**と**使い捨て式**のものがあるが、顔面とマスクの面体に高い**密着性**が要求される物質（有害性も高い）を取り扱う作業では、精度の高い取り替え式のものを選ぶべきである。

(2) × 顔と面体との間にタオルなどを当てたり、面体接顔部に**接顔メリヤス**等を使用すると、**密着性**が悪くなる。

(3) × 有害ガスが**2種類以上**であれば、どちらにも対処しなければならない。そこで、ワンランク上の呼吸用保護具である**送気マスク**または**自給式呼吸器**を使用するのがよい。

(4) ○ これは基本的用語であるから、必ず記憶しておきたい。

(5) × 防毒マスクの吸収缶は、種類によって色分けされている。**ハロゲンガス用**は、**灰または黒**である。前々ページの表で、主なものを確認しておきたい。

大枠を把握し、焦点を絞って勉強しましょう！

局所排気装置

局所排気装置は、数多く出題されます。ときには模式図による出題もみられます。カード利用の勉強法で図と装置の名称を、確実に覚え込んでください。理解にも役立ちます。

1 どこが出るか、どんな形で出るか

局所排気装置からは、ここ10回中10回出題されています。出題の頻度は時により前後しますが、ほぼ必ず出題される分野です。この装置は、作業場から有害物質（粉じんやガスなどの化学物質）を取り除くための装置。**発散源**に近い所に**吸い込み口**を設け、**有害物質**が**拡散**する前に**吸い込み**、外部に排気します。

一方、**全体換気装置**というのもあるのは、ご存じですよね。全体と局所･･･言葉の感じから、なんとなく全体換気の方が有効で、局所換気はそれに次ぐと考えていませんか。

けっこう多い誤解ですが、それはここでは当てはまりません。換気については、**局所排気装置が“エース投手”**で、**全体換気は“控えピッチャー”**。

全体換気装置は、局所排気装置等で補足しきれなかったときに、残った有害物質を**薄めて**（希釈して）、天窓から追い出す、2次的方法に過ぎないのです。

2 勉強のコツ！　解答のコツ！

数年前は、**模式図による出題も見られました**。問題例をみていただければ、わかるように、フード型の何種類かの模式図を示し、その名称を当てさせるもの。この傾向が、今後も続くかどうかはわかりませんが、**勉強をまず、この模式図をしっかり頭に入れること**から始めるのも、悪くはありません。

覚え方は、**単語カード式**が絶対です。装置を1つずつに分け、**表面に模式図**を張りつけ、裏面に名称を書く。ついでに、その特徴も記載し、文章問題が出題されたときにも備えるのがいいでしょう（なお、模式図も参考書によって違いますが、**試験に出されるのと同じ右ページの図**で覚えましょう）。

7割ゲットできるポイント集！

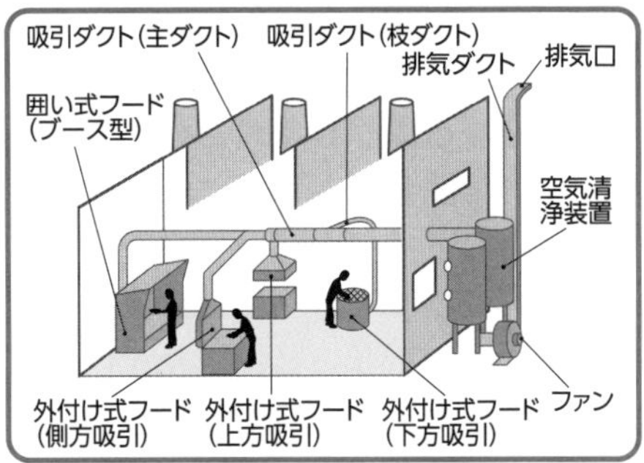

- 局所排気装置とは、作業者に有害物質がばく露される前に、発生源付近(局所)で、有害物質を吸引・除去する装置をいいます。
- 局所排気装置の基本構成は、①フード⇒②吸引ダクト⇒③空気清浄装置⇒④ファン⇒⑤排気ダクト⇒⑥排気口です。
  - ■フード(吸気口)：有害物などの汚染空気を吸入して、装置内に導く
  - ■ダクト(管)：吸引された汚染空気を管で排気口に運ぶ
  - ■空気清浄装置：ダクトで運ばれてきた汚染空気中の粉じんやガスを除去し、清浄空気として排出させる
  - ■ファン(排風機(はいふうき))：フードに吸引力を与える気流を起こす動力源
  - ■排気ダクト：ファンから搬送されてくる空気を排気口へ導く
- フードには、囲い式（カバー型/ドラフトチェンバー型/グローブボックス型/建築ブース型）と外付け式（ルーバー型/グリッド型)、スロット型、レシーバー式（キャノピー型/グラインダー型（カバー型））があり、囲い式フードがいちばん除去効果は高いです。
- 下の図で勉強しましょう。コピー機で1ページ大に拡大→カード式で。

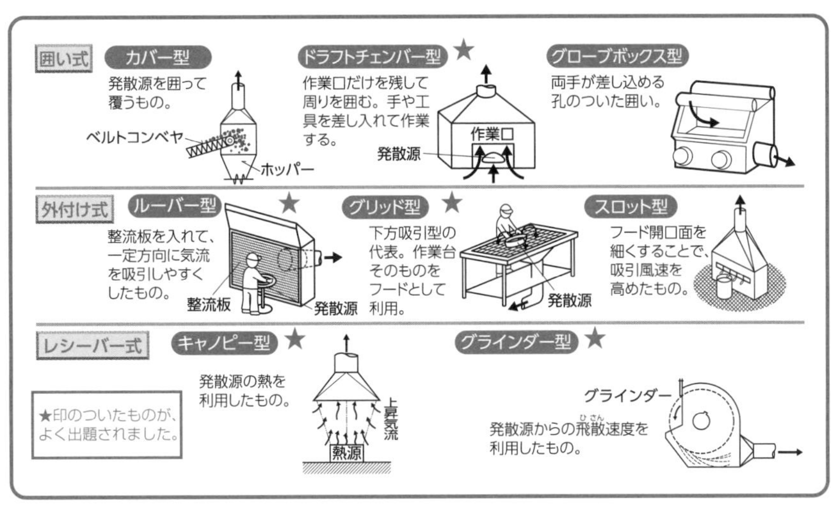

第4章 労働衛生(有害業務に係るもの)

問題 1 【令和6年前期】

1回目 2回目 3回目

局所排気装置に関する次の記述のうち、正しいものはどれか。

(1) キャノピ型フードは、発生源からの熱による上昇気流を利用して捕捉するもので、レシーバ式フードに分類される。

(2) スロット型フードは、作業面を除き周りが覆われているもので、囲い式フードに分類される。

(3) 囲い式フードの排気効果を型別に比較すると、ドラフトチェンバ型は、カバー型より排気効果が大きい。

(4) ダクトの形状には円形、角形などがあり、その断面積を大きくするほど、ダクトの圧力損失が増大する。

(5) 空気清浄装置を付設する局所排気装置を設置する場合、排風機は、一般に、フードに接続した吸引ダクトと空気清浄装置の間に設ける。

問題 2 【令和4年後期】

1回目 2回目 3回目

局所排気装置に関する次の記述のうち、正しいものはどれか。

(1) ダクトの形状には円形、角形などがあり、その断面積を大きくするほど、ダクトの圧力損失が増大する。

(2) フード開口部の周囲にフランジがあると、フランジがないときに比べ、効率良く吸引することができる。

(3) ドラフトチェンバ型フードは、発生源からの飛散速度を利用して捕捉するもので、外付け式フードに分類される。

(4) スロット型フードは、作業面を除き周りが覆われているもので、囲い式フードに分類される。

(5) 空気清浄装置を付設する局所排気装置を設置する場合、排風機は、一般に、フードに接続した吸引ダクトと空気清浄装置の間に設ける。

A 正解は(1)

(1) ○ 正しい。焼肉店などで網から上る煙を、天井からぶらさがっているフードが集煙するのに似た形状。

(2) × スロット型は**外付け式**に分類される。掃除機の吸い込み口の隣で作業をするようなイメージ。

(3) × フードを効果の**高い**順に並べると、**囲い式カバー型**・グローブボックス型 ＞ **囲い式ドラフトチェンバー型**・建築ブース型 ＞ 外付け式 ＞ レシーバー式

(4) × 圧力損失は長さに比例し、直径に**反比例**する（断面積を大きくするほど、圧力損失は**減少**する）。

(5) × 設置順は、吸引ダクト → 空気清浄装置 → **排風機**。

A 正解は(2)

(1) × ダクトは、その**断面積を小さくする**ほど**圧力損失が増大**する。圧力損失は、**ダクトの長さが長いほど**、また**ベンド（曲がり）が多い**ほど**大きく**なり、角形のダクトは、円形のダクトより圧力損失が大きくなる。

(2) ○ **フランジ**とは、**フード開口部の周囲にとりつけたつば**のこと。フランジを付けることにより、フランジがないときに比べて、少ない排風量で効果を上げることができる。

(3) × **ドラフトチェンバー型フード**は、**囲いフード**に分類され、**外付け式フード**ではない。作業口を除いて周りが覆われているもので、発生源から飛散速度を利用して捕捉する仕組みではない。

(4) × スロット型フードは外付け式。有害物質の発散源の外側にスロット型のフードを取り付けたもの。吸い込み気流で吸引する。

(5) × 排風機は空気清浄機の後に設ける。

他に覚えておきたい知識として、**建築ブース型フード**は、作業面を除き周囲が覆われている方式。分類としては**囲い式**になる。また、ダクトの配管について、**主ダクト**と**枝ダクト**との合流角度は**45°**を超えないのがよい。**ダクトの長さ**はできるだけ短く、**曲がり（ベント）部分**をできるだけ少なくするように配管するのが望ましい。

問題 3 【平成29年前期】

局所排気装置の基本的な構成に関する次の文中の［　　］内に入れるAからCの語句の組合せとして、正しいものは⑴～⑸のうちどれか。

「局所排気装置は、有害物の発生源の近くにフードを設けて定常的な吸引気流をつくり、有害物が拡散する前に吸引除去するものであり、空気清浄装置を付設した場合の基本的な構成は、発生源の側から順に次のとおりである。

フード　→　吸引ダクト（枝ダクト　→　主ダクト）→

［ A ］　→　［ B ］　→　［ C ］　→　排気口

	A	B	C
⑴	ファン	空気清浄装置	排気ダクト
⑵	排気ダクト	空気清浄装置	ファン
⑶	排気ダクト	ファン	空気清浄装置
⑷	ファン	排気ダクト	空気清浄装置
⑸	空気清浄装置	ファン	排気ダクト

問題 4 【平成26年前期】

次の図は局所排気装置のフードを模式的に表したものである。各図のフードの型式の名称の組合せとして正しいものは⑴～⑸のうちどれか。

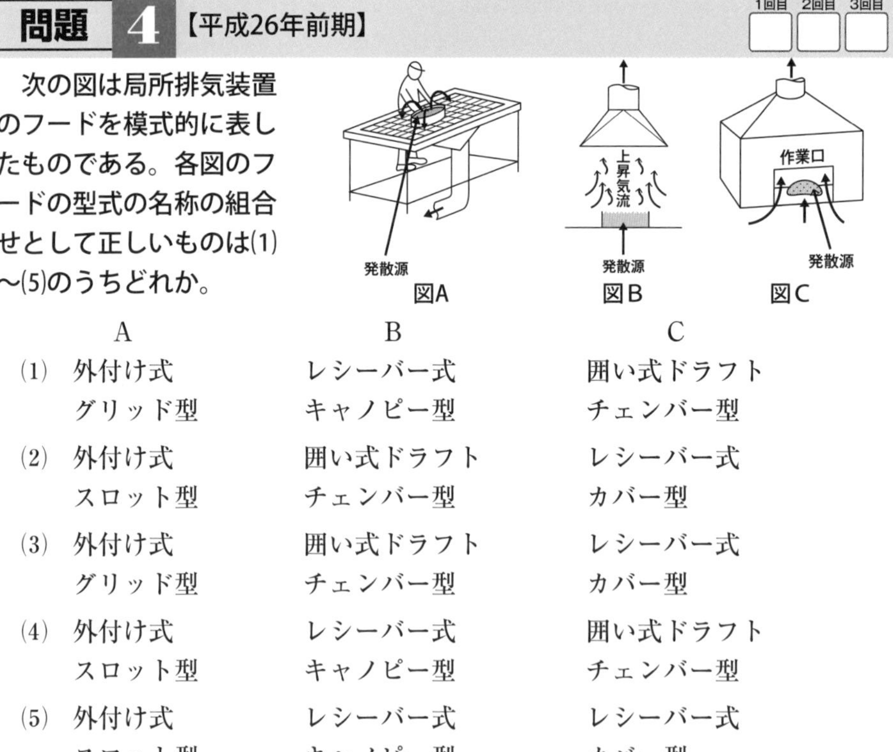

図A　図B　図C

	A	B	C
⑴	外付け式 グリッド型	レシーバー式 キャノピー型	囲い式ドラフト チェンバー型
⑵	外付け式 スロット型	囲い式ドラフト チェンバー型	レシーバー式 カバー型
⑶	外付け式 グリッド型	囲い式ドラフト チェンバー型	レシーバー式 カバー型
⑷	外付け式 スロット型	レシーバー式 キャノピー型	囲い式ドラフト チェンバー型
⑸	外付け式 スロット型	レシーバー式 キャノピー型	レシーバー式 カバー型

A 正解は(5)

フードと吸引ダクトは、問題文に示されているので、そこから先が問われている。

215ページの中段の説明にもあるように、**ダクト**で運ばれてきた汚染された物質は、**空気清浄装置**で除去される。

そして、**ファン**は空気清浄装置の後の、清浄空気が通る位置に設置される。

排気ダクトは、ファンから搬送されてくる空気を排気口へ導き、大気中に放出する。

覚えにくいかもしれないが、ここは「**フ**(フード) **ダ**(ダクト) **ク**(空気清浄装置) **ファ**(ファン)**ハ**(排気ダクト)」と、**九九方式**で、丸暗記するのがよいと思う。

(なお、九九方式とは、著者が推奨している記憶法の一つで、九九を唱えて覚えたように、何度も口ずさんで覚えてしまう方法のことである)

A 正解は(1)

図Aの模式図は、外付け式グリッド型。図Bの模式図は、レシーバー式キャノピー型。図Cの模式図は、囲い式ドラフトチェンバー型である。

局所排気装置のフードは、囲い式、外付け式、レシーバー式に大別できる(レシーバー式を、外付け式の一種とする分け方もあるが、試験対策的には3つに分けた方がわかりやすい)。

囲い式は、**カバー型**、**グローブボックス型**、**ドラフトチェンバー型**、**建築ブース型**に分類できる。問題1の解説で述べたように、この順に効果が大きい(「カ・グ・ド・ケ」と覚え込むとよい)。

外付け式は**スロット型**、**ルーバー型**、**グリッド型**、**円形型**、**長方形型**に分類できる。

また、**レシーバー式**のフードには、**キャノピー型**、**グラインダー型**(カバー型ともいう)、**円形型**、**長方形型**の種類がある。

なお、レシーバー式を外付け式の一部として軽くみると、失敗するので注意すること。キャノピー型やグラインダー型の出題率が高い。

大枠を把握し、焦点を絞って勉強しましょう!

有機溶剤による健康障害

有機溶剤の出題は「健康障害」についてが半分で、メタノール、酢酸メチル、二硫化炭素が目立ちます。あと、ごく一般的な有機溶剤の吸収のされ方もよく出ます。

1 どこが出るか、どんな出方をするか

有機溶剤は、関係法令(有機溶剤中毒予防規則)でも出題されますが、こちらの科目(労働衛生)での出題は、**健康障害**が半分くらいです。以前は、**ノルマルヘキサン(n-ヘキサン)**が多かったのですが、**メタノール**と**酢酸メチル**(いずれも視力を低下させる)、**二硫化炭素**も目立っています。

「メタノールによる健康障害では、**視力低下**、**視野狭窄**などが見られる」は○。また「メタノールによる障害は脳血管障害である」は×です。

もう1つ、出題の多かった肢は、次のものです。「(有機溶剤の人体に対する影響では)皮膚、粘膜の刺激作用による黒皮症、鼻中隔穿孔などがみられる」。

これは×で、**黒皮症**、**鼻中隔穿孔**は**砒素**によって起こされるものですが、砒素は有機溶剤ではなく、**金属**に分類されます。今後も注意が必要でしょう。

2 解答のコツ! ここにご注意

こんな問題もよく出題されます。「**キシレン**について生物学的モニタリングを行う場合、指標となる尿中代謝物は、馬尿酸である」。これは×で、正しくは**メチル馬尿酸**が○。メチルがつくかつかないかで、○×が分かれます。

メチル馬尿酸は、第10位の「生物学的モニタリング」の項に出る「**有機溶剤代謝物」の1種**です(237ページ)。

メチル馬尿酸と有機溶剤代謝物は、違う物質ではなく、**個別物質**(例:メチル馬尿酸)と**全体名称**(有機溶剤代謝物)の関係にあることにご注意ください。

なお、これ以外は、有機溶剤の比重(**空気より重い**)、**脂溶性**、**揮発性**、**経皮吸収**(いずれも○)が幅広く問われます。確認しておきましょう。

7割ゲットできるポイント集！

●有機溶剤の一般的特性と障害は、以下の通りです。

特性	性質および障害の内容
脂溶性	油脂をよく溶かし、揮発性、引火性がある。
刺激性	溶剤が付着したり、高濃度蒸気に触(ふ)れると、皮膚や粘膜に炎症が起きる。
蒸発性	蒸発速度が速く、気中濃度を高める性質がある（空気より重い）。
吸収性	皮膚や呼吸器から吸収されやすく、脂肪の多い組織である脳などに入り込み中枢(ちゅうすう)神経系に麻酔作用を起こす。麻酔作用は、揮発性が高いほど、酩酊状態が強い。
有害性	皮膚・粘膜等の刺激と、中枢神経の麻酔作用がある。肝臓・腎臓障害を起こすものが多い。ベンゼンは造血器障害（再生不良性貧血症）を起こす。

●有機溶剤の種類と疾病(しっぺい)・症状については、以下の通りです。

有機溶剤	性質および障害の内容
二硫化炭素	急性中毒で精神障害、慢性中毒で動脈硬化、微細動脈瘤が見られる。
トリクロロエチレン	気道から侵入し、三叉神経麻痺や脳萎縮を起こす。高濃度ばく露により、角膜知覚異常、肝臓や腎臓に障害を起こす。
トルエン	不眠、末梢神経の異常。高濃度ばく露では、麻酔作用によって頭痛、めまい、眠気、脱力感、幻覚等を起こす。
ノルマルヘキサン	眼や呼吸器の粘膜への刺激作用。繰り返しのばく露で多発性神経障害（末梢神経障害）、頭痛、めまい、筋力低下、歩行障害を起こす。
酢酸メチル	粘膜の刺激作用と麻酔作用があり、視力低下や視野狭窄(きょうさく)が起こる。
メタノール（メチルアルコール）	皮膚、粘膜の刺激作用がある。吸入等で視神経障害（失明）や痙攣(けいれん)、昏睡、多発性神経炎を生じる。
ベンゼン	急性作用で麻酔作用を起こし、慢性作用では食欲不振のほか、造血機能障害が現れ、再生不良性貧血、白血病が現れる。
N,N－ジメチルホルムアミド	主に肺から吸収され、頭痛やめまい、消化不良、肝機能障害などを起こす。

●職業がんは、その業務に特有のがんのことで、やや若年で発症するのが特徴です。

●潜伏期間は10年以上と長く、離職後に発症することが多いです。

●晩発性障害ともいいます。

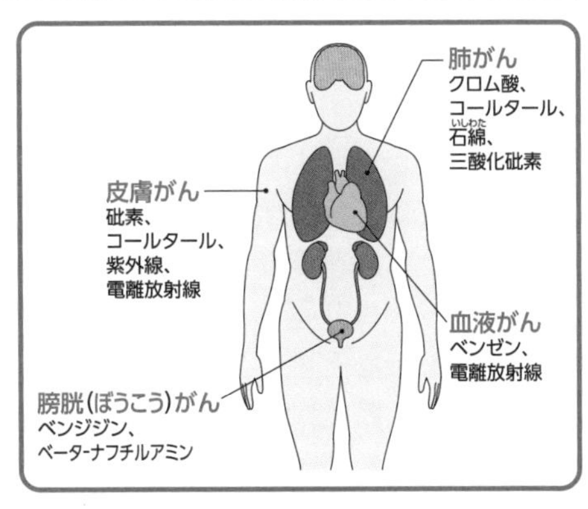

第4章 労働衛生（有害業務に係るもの）

問題 1 【令和6年前期】

1回目 2回目 3回目

有機溶剤に関する次の記述のうち、正しいものはどれか。

(1) 有機溶剤の多くは、揮発性が高く、その蒸気は空気より軽い。

(2) 有機溶剤は、脂溶性が低いため、脂肪の多い脳などには入りにくい。

(3) メタノールによる障害として顕著なものには、網膜の微細動脈瘤（りゅう）を伴う脳血管障害がある。

(4) 二硫化炭素は、動脈硬化を進行させたり、精神障害を生じさせることがある。

(5) N,N－ジメチルホルムアミドによる障害として顕著なものには、視力低下を伴う視神経障害がある。

問題 2 【令和4年前期】

1回目 2回目 3回目

有機溶剤に関する次の記述のうち、正しいものはどれか。

(1) 有機溶剤の多くは、揮発性が高く、その蒸気は空気より軽い。

(2) 有機溶剤は、全て脂溶性を有するが、脳などの神経系には入りにくい。

(3) メタノールによる障害として顕著なものには、網膜の微細動脈瘤（りゅう）を伴う脳血管障害がある。

(4) テトラクロロエチレンのばく露の生物学的モニタリングの指標としての尿中代謝物には、トリクロロ酢酸がある。

(5) 二硫化炭素による中毒では、メトヘモグロビン形成によるチアノーゼがみられる。

問題 3 【令和2年後期】

1回目 2回目 3回目

有機溶剤の人体に対する影響に関する次の記述のうち、誤っているものはどれか。

(1) 脂溶性があり、脂肪の多い脳などに入りやすい。

(2) 高濃度ばく露による急性中毒では、中枢神経系抑制作用により酩酊（めいてい）状態をきたし、重篤な場合は死に至る。

(3) 低濃度の繰り返しばく露による慢性中毒では、頭痛、めまい、記憶力減退、不眠などの不定愁訴がみられる。

(4) 皮膚や粘膜に対する症状には、黒皮症、鼻中隔穿（せん）孔などがある。

(5) 一部の有機溶剤は、肝機能障害や腎機能障害を起こす。

A 正解は(4)

(1) × 有機溶剤の蒸気は空気より**重い**。

(2) × 有機溶剤は脂溶性が**高く**、脂肪の**多い**脳などに蓄積しやすい。

(3) × メタノールによる障害には、視覚障害、昏睡や発作を含む意識障害がある。**脳血管障害はない**。

(4) ○ 二硫化炭素の障害には躁うつ病、多発性神経障害、神経衰弱などがある。また**動脈硬化**を進行させる（衛生管理者試験では初出の知識）。

(5) × N,N－ジメチルホルムアミドの障害に**視神経障害はない**（肝機能障害を起こす）。

A 正解は(4)

(1) × **有機溶剤の蒸気は空気より重い**。揮発性が高いのは、その通り。

(2) × 脂溶性を有する有機溶剤は、脂質が多い脳や神経系に障害を起こす。

(3) × **メタノール**による健康障害には**視覚障害**や吐き気、めまい、昏睡や意識障害など。

(4) ○ **テトラクロロエチレン**の尿中代謝物は、**トリクロロ酢酸**。237ページ参照。

(5) × **二硫化炭素**による中毒症状は、**精神障害**（情緒不安定、幻覚など）がある。チアノーゼとは血液中の酸素が不足するなどして、唇や指先が青紫色になる状態。呼吸障害や寒冷ばく露、低血糖などの原因がある。

A 正解は(4)

(1) ○ 有機溶剤の基本的性質は、**脂溶性**と**水溶性**をともに有していることだ。脂溶性の面では、脂肪の多い**脳**に入りやすいことがよく出題される。

(2) ○ 記述文の通り。なお、中枢神経系の症状には、**頭痛**、**めまい**、**失神**、**麻酔作用**、**意識障害**などもある。

(3) ○ 頭痛やめまい、失神、麻酔作用、**意識障害**、記憶力減退、**不眠**などの不定愁訴が、しばしば見られる。

(4) × 有機溶剤で、これらの症状は起こらない。これらを起こすのは、**砒素**である。なお、砒素は**金属**で、有機溶剤ではない。

(5) ○ **肝機能**障害や**腎機能**障害を起こすものもある。例えば、トリクロルエチレンなどが、それである。

大枠を把握し、焦点を絞って勉強しましょう！

騒音による健康障害/放射線による健康障害

騒音関係からは「騒音性難聴」「等価騒音レベル」が頻出。放射線からは「電離放射線」「レーザー」が頻出です。たった4項目のマスターで、合格可能性がグーンとアップします！

1 どこが出るか、どんな形で出るか(1)

まずは、以下の問題をみてください。最初は、騒音関係の問題です。

①「騒音性難聴は、騒音により内耳(ないじ)の前庭(ぜんてい)や半規管(はんきかん)の機能に障害を受けたことにより生じる」(答えは×。**前庭や半規管**は、**平衡感覚**を受け持ち、**聴覚**は**蝸牛**(かぎゅう)が受け持つことは、労働生理でも学んだこと。忘れた方は再確認を)。

②「等価(とうか)騒音レベルは、単位時間当たりのピーク値の騒音レベルを表し、変動する騒音に対する人間の生理・心理的反応とよく対応する」(答えは×。後段の「**変動する騒音に対する人間の生理・心理的反応とよく対応する**」は正しいが、前半の「ピーク値」が誤り。ピークではなく**平均（等価）値**である)。

続いて、有害光線等の問題です。

③「電離放射線の被ばくによる白内障(はくないしょう)は、早期障害に分類され、被ばく後1～2月後に現れる」答えは×。**白内障**は**晩発障害**(ばんぱつ)で、長期間後に現れる。

④「レーザー光線は、赤外線域から紫外線域までの連続的な波長を有し、位相の異なるエネルギー密度の高い光線で、網膜火傷(やけど)を起こすことがある」答えは×。網膜火傷を起こすという件は正しいが、連続的な波長ではなく**単一の波長**であって、**位相が異なってはおらず、そろっている**。

2 どこが出るか、どんな形で出るか(2)

男性または妊娠する可能性がないと診断された女性の被ばく限度（実効線量の限度）は、5年間の累計で100mSv（ミリシーベルト）かつ1年間で50mSvである（緊急作業に従事する場合を除く）。また一般女性の場合は3か月に5mSv、妊娠と診断された女性は1mSv。

7割ゲットできるポイント集！

- 音の強さは、音波の振幅によって決まり、単位はdB(デシベル)を使います。音の高低は、空気の振動数によって決まり、単位はHz(ヘルツ)を使います。
- 常に変動する騒音について、その評価には等価騒音レベル（単位時間当たりの平均的騒音レベル）を用います。
- 等価騒音レベルが85dB以上の作業場では、難聴を起こすおそれがあります。

騒音による疾病(しっぺい) ⇒騒音性難聴	●4,000Hz付近の高音域の聴力損失をいう。初期段階では、気がつきにくく、治りにくい。 ●低周波音より、高周波音の方が難聴になりやすい。
振動による疾病 ⇒局所振動障害	●末梢循環障害(レイノー現象など)、末梢神経障害、骨・関節・筋障害などの症状が見られる。 ●チェーンソーや削岩機など、手持ちの振動工具を長く使うと、起こりやすい。

- 放射線のうち、物質内で電離作用を起こすものを電離放射線、起こさないものを非電離放射線といいます。

分類	名称	症状
電離放射線	ガンマ線	皮膚障害、白内障、がん、遺伝的障害
	エックス線	
非電離放射線	紫外線	電光性眼炎(でんこうせいがんえん)、皮膚色素沈着、光線過敏性皮膚炎、皮膚がん
	赤外線	白内障、皮膚火傷、熱中症
	マイクロ波	白内障、組織壊死、睾丸障害、深部発熱、局所熱作用
	レーザー	網膜火傷・剥離(はくり)、失明、角膜火傷、白内障、皮膚火傷、熱凝固(ぎょうこ)

光を作り出す装置から発生する電磁波。単一波長光線で、その波長は180nmから1㎜までの波長域にある。指向性・集束性があり、その光線は7クラスに分類される。

- 放射線障害には、身体的影響と遺伝的影響があります。身体的影響は、被ばく後数週間以内に現れる造血器障害や皮膚障害、消化管障害(早期障害)、また、長期間潜伏して発症する白内障や発がん(晩発障害)などがあります。

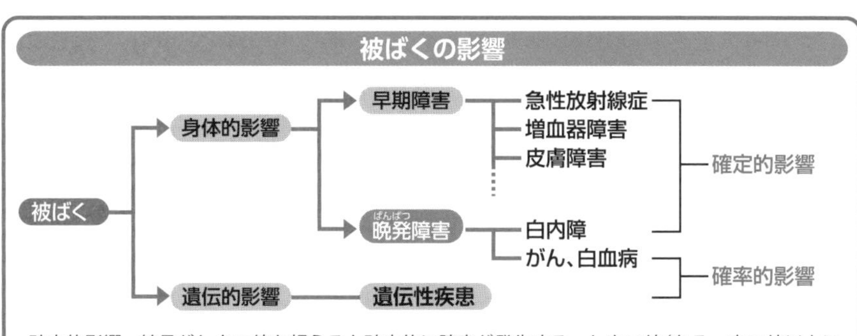

問題 1 【令和5年後期】

1回目 2回目 3回目

管理区域内において放射線業務に従事する労働者の被ばく限度に関する次の文中の［　］内に入れるAからDの語句又は数値の組合せとして、法令上、正しいものは(1)～(5)のうちどれか。

「男性又は妊娠する可能性がないと診断された女性が受ける実効線量の限度は、緊急作業に従事する場合を除き、［　A　］間につき［　B　］、かつ、［　C　］間につき［　D　］である。」

	A	B	C	D
(1)	1年	50mSv	1か月	5mSv
(2)	3年	100mSv	3か月	10mSv
(3)	3年	100mSv	1年	50mSv
(4)	5年	100mSv	1年	50mSv
(5)	5年	250mSv	1年	100mSv

問題 2 【令和5年後期】

1回目 2回目 3回目

レーザー光線に関する次の記述のうち、誤っているものはどれか。

(1) レーザー光線は、おおむね1nmから180nmまでの波長域にある。

(2) レーザー光線は、単一波長で位相のそろった人工光線である。

(3) レーザー光線の強い指向性や集束性を利用し、高密度のエネルギーを発生させることができる。

(4) 出力パワーが最も弱いクラス1又はクラス2のレーザー光線は、可視光のレーザーポインタとして使用されている。

(5) レーザー光線にさらされるおそれのある業務は、レーザー機器の出力パワーなどに基づくクラス分けに応じた労働衛生上の対策を講じる必要がある。

得点力をもっとUPする ワンポイント知識

- 電離放射線
  - 電磁波
    - エックス線
    - ガンマ線
  - 粒子線

A　正解は(4)

解答は(4)の組合せ。他に放射線に関する数値として「管理区域」となる要件を覚えておく。

管理区域とは、外部放射線による実効線量と空気中の放射性物質による実効線量の合計が、**3か月間につき1.3mSv**を超えるおそれのある区域。実効線量の算定は**1㎝線量当量**によって行う。

A　正解は(1)

これまでレーザー光線について、ここまで細かく問うものはなかった。今後の出題に注意。

(1)　×　レーザー光線は、**180nmから1㎜**までの波長域にあり、単一波長で位相のそろった指向性の強いものである。

(2)　○　正しい。人工光線である。

(3)　○　レーザー光線は指向性に優れ、エネルギーの集中度を高めることができる。**レーザー溶接**や**レーザー切断**などの工業用に実用化されている。

(4)　○　レーザー光線は7クラスに分けられている。レーザーポインタで「光学機器を用いても目に障害が生じるリスクが増加しない」のは、**クラス2**まで。

(5)　○　安全衛生教育、特殊健康診断・健康管理、作業管理、作業環境管理が**レーザー機器のクラス**により求められている。

得点力をもっとUPする ワンポイント知識

- 人が聞くことができる音の周波数は、**20Hzから20,000Hz**である。また、**通常の会話領域**は、ほぼ**250Hzから4,000Hz**とされる。
- 騒音性難聴は、初期には**会話音域よりも高い4,000Hz付近**の聴力から低下する。そのため、自覚しにくく発見が遅れがちになる。
- **等価騒音レベル**とは、不規則かつ大幅に騒音レベルが変動している場合に、**ある時間範囲**について、騒音レベルのエネルギーを**平均したもの**である。周波数別に平均値を出すわけではない。

問題 3 【令和5年後期】

1回目 2回目 3回目

作業環境における騒音及びそれによる健康障害に関する次の記述のうち、誤っているものはどれか。

(1) 騒音レベルの測定は、通常、騒音計の周波数重み付け特性Aで行い、その大きさはdBで表す。

(2) 騒音性難聴は、初期には気付かないことが多く、また、不可逆的な難聴であるという特徴がある。

(3) 騒音は、自律神経系や内分泌系へも影響を与えるため、騒音ばく露により、交感神経の活動の亢（こう）進や副腎皮質ホルモンの分泌の増加が認められることがある。

(4) 騒音性難聴では、通常、会話音域より高い音域から聴力低下が始まる。

(5) 等価騒音レベルは、中心周波数500Hz、1,000Hz、2,000Hz及び4,000Hzの各オクターブバンドの騒音レベルの平均値で、変動する騒音に対する人間の生理・心理的反応とよく対応する。

問題 4 【令和元年後期】

1回目 2回目 3回目

電離放射線に関する次の記述のうち、誤っているものはどれか。

(1) 電離放射線の被ばくによる生体への影響には、身体的影響と遺伝的影響がある。

(2) 電離放射線の被ばくによる身体的影響のうち、白内障は晩発障害に分類される。

(3) 電離放射線の被ばくによる発がんと遺伝的影響は、確定的影響に分類され、その発生には、しきい値があり、しきい値を超えると発生率及び症状の程度は線量に依存する。

(4) 電離放射線に被ばく後、数週間程度までに現れる造血器系障害は、急性障害に分類される。

(5) 造血器、消化管粘膜など細胞分裂の頻度の高い細胞が多い組織・臓器は、一般に、電離放射線の影響を受けやすい。

A　正解は(5)

(1)　○　作業環境下の騒音測定は常に、人の聴力を考慮したA特性で測定する。その単位は**dB（A）**。

(2)　○　**騒音性難聴**は、内耳の蝸牛管にある有毛細胞や膜が、85dB以上の音に長期間ばく露されることにより変性したり破壊されたりして発症する。**有毛細胞**や**膜**は一度破壊されると再生しないため、不可逆的（元に戻らない）な障害となる。また、会話音域は通常は500Hzから2,000Hz程度であるが、騒音性難聴の初期は4,000Hz近辺の高音域から聞こえにくくなるため、障害の発生に気づかないことが多い。

(3)　○　騒音は精神的疲労を生じさせ、**自律神経系**や内分泌系に影響し、**交感神経**の活動の亢進や**副腎皮質**ホルモンの分泌の増加が認められる。

(4)　○　上記(2)の解説を参照。

(5)　×　**等価騒音レベル**は不規則に変化する騒音を評価するための指標で、「測定時間内における変動騒音の平均2乗音圧に等しい平均2乗音圧を与える連続定常音の騒音レベル」をいう（覚えなくていい）。**中心周波数**どうこうは関係がない。

A　正解は(3)

(1)　○　記述の通り、**身体的影響**と**遺伝的影響**がある。**身体的影響**は、**急性障害**（造血器障害など）と**晩発障害**（白内障、白血病など）に分けられる。

(2)　○　晩発障害には、**白内障**、**白血病**、**甲状腺がん**等の悪性腫瘍がある。

(3)　×　遺伝的影響は、**遺伝子突然変異**や**染色体異常**を指し、これらは必ず起こるわけではない。したがって**確定的影響**とはいえない。起こる確率があるという意味で、**確率的影響**に分類される。
また、しきい値とは、**影響の出る最低の線量の値**のことだが、しきい値を超えると発現する脱毛や白内障を**確定的影響**という。

一方、しきい値がなく、被ばく線量が多くなるほど発生率が高まる白血病などのことを**確率的影響**という。

したがって、問題文の後段も、**確定的影響**の説明で、**確率的影響**の説明になっていない、という意味で誤りである。

(4)　○　造血器障害は、**30日以内**に起こる**急性障害**である。

(5)　○　はじめての出題だが、記述の通りである。

大枠を把握し、
焦点を絞って
勉強しましょう！

金属による健康障害/熱中症

金属による健康障害からは「鉛中毒」、「マンガン中毒」が、熱中症からは「熱痙攣」と「熱射病」がよく出題されます。この4点はがっちり押さえましょう。

1 どこが出るか、どんな形で出るか(1)

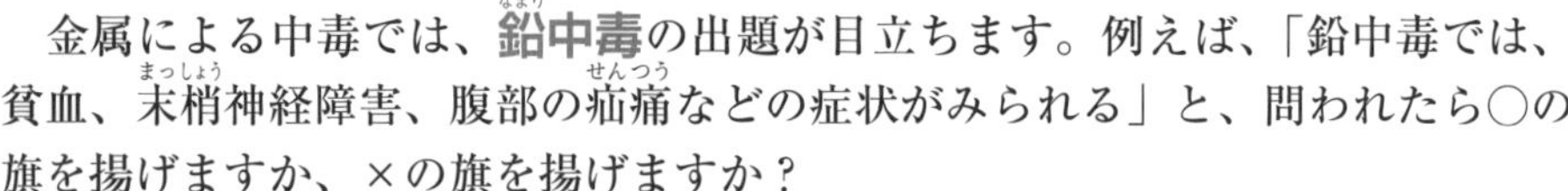

金属による中毒では、**鉛中毒**の出題が目立ちます。例えば、「鉛中毒では、貧血、末梢神経障害、腹部の疝痛などの症状がみられる」と、問われたら○の旗を揚げますか、×の旗を揚げますか？

正解は○。ただ、問題文中の「**末梢神経障害**」を「**伸筋麻痺**」と変えて出題されることもありますのでご注意を。両者は同じ事象を言い換えただけです。

そのほか、**マンガン中毒**（**脳の障害、筋肉の障害、パーキンソン病様症状**）や、**二硫化炭素**（**急性ばく露では精神障害、長期間ばく露では動脈硬化、微細動脈瘤を伴う虚血性疾患**）なども出題されます。

2 どこが出るか、どんな形で出るか(2)

熱中症については、この分野は極端な傾向が見られます。過去に**2回とも同じ問題**が出題されたことがあります。

「熱中症の１つとされる障害で、暑熱な環境下で**多量に発汗**したとき、**水分だけが補給**され、血液中の**塩分濃度が低下した**場合に生じるものは、なに？」

勉強が進んでいる方は、難なく答えられるはずですよね。そう、**熱痙攣**です。これは、後出する第5章の温熱条件の箇所でも出題されます。

ついでに、といってはなんですが、もう１つ押さえておきたいこと。それは、いろいろな熱中症の症状のなかで、**最も重篤**な症状にいたるものは何でしょうか。これは、**体温が上昇**し、**汗も出なくなり**、**意識障害**、**呼吸困難**に陥る**熱射病**です。

7割ゲットできるポイント集！

- 粉じんやヒュームとなった金属を、長期にわたり、繰り返し吸引すると、健康障害を引き起こします。
- 中毒や疾病（しっぺい）を引き起こす金属には、鉛、水銀、カドミウム、クロムなどがあり、それぞれの物質ごとに違った臓器に健康障害を起こします。

鉛		貧血、代謝異常、末梢神経障害、伸筋麻痺、腹部の疝痛、腎障害
水銀	金属水銀	脳・神経系障害、精神障害、肺炎、口内炎
	有機水銀	脳・神経系障害、痺れ感、視野狭窄（きょうさく）、失調
	無機水銀	脳・神経系障害、尿細管障害、血尿、蛋白（たんぱく）尿、尿毒症
カドミウム		上気道炎、肺炎、肺気腫（しゅ）、腎障害、門歯・犬歯の黄色環
クロム		皮膚障害、鼻粘膜潰瘍、鼻中隔穿孔、肺がん、上気道がん
マンガン		脳損傷、筋のこわばり、ふるえ、歩行困難（パーキンソン病様症状）
ベリリウム		皮膚炎、皮膚潰瘍、肺炎、肺肉芽腫（はいにくがしゅ）
亜鉛・銅		金属熱（悪寒、発熱、関節痛）
二硫化炭素		精神障害、動脈硬化、微細動脈瘤（目の異常）

- 高温下では、調節機能の高温限界である43.3℃を超えると熱中症を起こし、生命の危険を伴うことがあります。

高温環境下での障害（熱中症）	熱射病（ねっしゃびょう）	熱調節機能の変調により、発汗停止、体温上昇（40℃以上）、意識障害、うわごと、呼吸困難などの症状を起こす。氷水に体を浸すなど、急速に体温を下げる必要がある。熱中症の中で、最も重篤。
	熱虚脱（ねつきょだつ）	皮膚温の上昇により血管が広がり、皮膚に血液がたまって血液循環が弱くなり、頻脈（ひんみゃく）、血圧低下、頭痛、めまい、耳鳴り、失神などを起こす。涼しい場所に移し、頭を低く足を高くした姿勢をとる。
	熱痙攣	発汗により、塩分、水分が不足しているタイミングで、水分のみを補給することで、血中の塩分濃度が低下し、筋肉の痙攣を起こす。涼しいところで安静（あんせい）にして、食塩水を補給すること。

- 高温環境下で、何日も作業を続けていると、だるさ、食欲不振、体重減少、衰弱など、熱疲労（熱衰弱）に陥るので、要注意です。

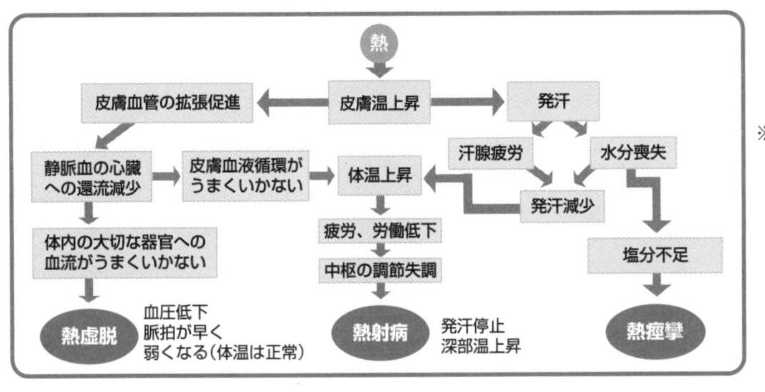

※理解のための参考です。覚える必要はありません。

問題 1 【令和4年後期】

1回目 2回目 3回目

金属などによる健康障害に関する次の記述のうち、誤っているものはどれか。

(1) 金属水銀中毒では、感情不安定、幻覚などの精神障害、手指の震えなどの症状がみられる。

(2) 鉛中毒では、貧血、末梢(しょう)神経障害、腹部の疝(せん)痛などの症状がみられる。

(3) マンガン中毒では、指の骨の溶解、肝臓の血管肉腫などがみられる。

(4) カドミウム中毒では、上気道炎、肺炎、腎機能障害などがみられる。

(5) 砒(ひ)素中毒では、角化症、黒皮症などの皮膚障害、鼻中隔穿(せん)孔などの症状がみられる。

問題 2 【令和3年後期】

1回目 2回目 3回目

金属による健康障害に関する次の記述のうち、誤っているものはどれか。

(1) カドミウム中毒では、上気道炎、肺炎、腎機能障害などがみられる。

(2) 鉛中毒では、貧血、末梢(しょう)神経障害、腹部の疝(せん)痛などがみられる。

(3) マンガン中毒では、筋のこわばり、震え、歩行困難などのパーキンソン病に似た症状がみられる。

(4) ベリリウム中毒では、溶血性貧血、尿の赤色化などの症状がみられる。

(5) 金属水銀中毒では、感情不安定、幻覚などの精神障害や手指の震えなどの症状・障害がみられる。

A 正解は(3)

類似問題が頻出している。このように、この項目では似たポイントが出ているので、頻出の物質はとくに注意しよう。

(1) ○ 金属水銀中毒では、**脳障害**や**手指の震え**などの神経系障害、**精神障害**、**肺炎**、**口内炎**などの症状・障害がみられる。

(2) ○ 鉛中毒では**貧血**、**末梢神経障害**、**腹部の疝痛**（鉛疝痛）などの他、**伸筋麻痺による垂れ手**、**腎障害**、**生殖毒性**などの症状がみられる。

(3) × マンガンは、脳に沈着しやすいので、慢性になると**精神症状**や、**筋のこわばり**、**震え**、**歩行困難**、**発語障害**といったパーキンソン病に似た症状がみられる。また、マンガン中毒になると**肺炎**を発症する。肝血管肉腫や指骨溶解の症状は塩化ビニルの障害。

(4) ○ カドミウムは、**肝臓や腎臓に蓄積**され、急性中毒では**上気道炎**や**肺炎**が、慢性中毒では**腎機能障害**や**肺気腫**、**歯の黄色環**などの症状がみられる。

(5) ○ 砒素中毒の症状は**皮膚障害（黒皮症、角化症）**や**鼻中隔穿孔**など。

A 正解は(4)

類似問題が、令和2年後期に一度出ている。このように、この項目では似たポイントが出ているので、頻出の物質はとくに注意しよう。

(1) ○ カドミウムは、急性では**上気道炎や肺炎**が、慢性では**腎機能障害や肺気腫**、**歯の黄色環**などの症状がみられる。

(2) ○ 鉛中毒では、**貧血**、**末梢神経障害**、**腹部の疝痛**（鉛疝痛）などのほか、**伸筋麻痺による垂れ手**、**腎障害**、**生殖毒性**などの症状がみられる。

(3) ○ マンガンは、慢性になると**精神症状**や、パーキンソン病に似た症状がみられる。また、**肺炎**を発症する。

(4) × 「ベリリウム？　どこかで聞いたことあるなぁ」。そう、これ製造に労働大臣の許可が必要な**特定物質第1類**である。他の肢に、第一類の出題はない。
ベリリウム中毒では、**皮膚炎**、**皮膚潰瘍**、**肺炎**、**肺肉芽腫**などの症状がみられる。

(5) ○ 金属水銀中毒では、**神経系障害**や**精神障害**の他、**肺炎**、**口内炎**など。

問題 3 【令和2年後期】

1回目 2回目 3回目

金属による健康障害に関する次の記述のうち、誤っているものはどれか。

(1) カドミウム中毒では、上気道炎、肺炎、腎機能障害などがみられる。

(2) 鉛中毒では、貧血、末梢神経障害、腹部の疝痛などがみられる。

(3) マンガン中毒では、筋のこわばり、ふるえ、歩行困難などのパーキンソン病に似た症状がみられる。

(4) ベリリウム中毒では、溶血性貧血、尿の赤色化などの症状がみられる。

(5) クロム中毒では、肺がん、上気道がんなどがみられる。

問題 4 【平成25年前期】

1回目 2回目 3回目

熱中症の一つとされる障害で、暑熱な環境下で多量に発汗したとき、水分だけが補給され血液中の塩分濃度が低下した場合に生じるものは、次のうちどれか。

(1) 熱射病

(2) 熱虚脱

(3) 熱痙攣

(4) 熱失神

(5) 熱疲労

A　正解は(4)

(1)　○　カドミウムは、肝臓や腎臓に蓄積される。急性中毒では、**肺炎**や上気道炎がみられ、慢性中毒では、**腎障害**、肺気腫、歯の**黄色環**などの症状が出る。

(2)　○　鉛中毒の症状には、**貧血**、**鉛疝痛**(腹痛)、**末梢神経障害**、伸筋麻痺による垂れ手、腎障害、生殖毒性などがある。

(3)　○　マンガンは、慢性中毒にかかると**脳**が侵され、精神症状、**筋のこわばり**を発症する。また、歩行障害、発語障害など、**パーキンソン病**に似た症状が起こる。

(4)　×　ベリリウム中毒では、**皮膚炎**、**皮膚潰瘍**、**肺炎**、肺肉芽腫などがみられる。溶血性貧血や尿の赤色化などの症状は、みられない。

(5)　○　クロムは、**発がん性**がある。皮膚への接触で、**水疱**や**潰瘍**を生じ、長期に暴露すると､アレルギー性の**接触性皮膚炎を**発症することもある。気道に吸い込むと、**咳**などの刺激症状、**鼻中隔の穿孔**、**肺がん**、**上気道がん**を発症したりする。

A　正解は(3)

(1)　×　**熱射病**(ねっしゃびょう)は、熱中症の中で最も危険な状態。**体温は40℃以上**になり、**発汗は停止**、**意識障害や痙攣**(けいれん)、**呼吸困難**などの症状が起こる。

(2)　×　**熱虚脱**(ねつきょだつ)は、**皮膚の血管が広がり**、そこに血液がたまって**脳への血流が不足**した状態。体温上昇はないが、**めまい**や**失神**などの軽いショック状態を起こし、**顔面蒼白**、**冷汗**、**血圧低下**などがみられる。

(3)　○　**熱痙攣**は、**血液中の塩分濃度が低下**し、**筋肉痙攣**を起こした状態。涼しいところで安静(あんせい)にし、**食塩水**を補給すると回復する。

(4)　×　**熱失神**は、熱中症の症状の一種で、熱中症の中では、初期症状とされている。高温環境下で作業している人が、**脳への血流が瞬間的に不十分になって**、**めまい**や**疲労**を訴え、**立ちくらみ**を起こした状態。

(5)　×　**熱疲労**は、発汗状態が長時間続いたときに、体内の**塩分**や**水分**が**失われ**、**ショック脱水症状**を起こした状態。顔面は蒼白になり、**全身倦怠感**、**脱力感**、**めまい**、**吐き気**、**嘔吐**、**頭痛**などの症状が起こる。

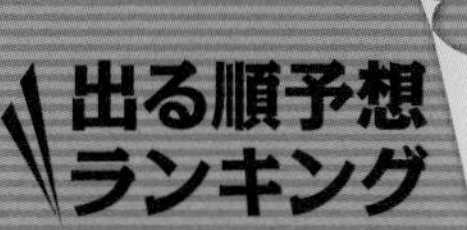

第10位

大枠を把握し、焦点を絞って勉強しましょう！

生物学的モニタリング・特殊健康診断

この章の特殊健康診断は、「生物学的モニタリング」の出題が多く、有機溶剤と鉛を中心に、よく出題されます。しかし、特殊健康診断全体についても、時に出題されます。

1 どこが出るか、どんな形で出るか

この科目で出題される特殊健康診断は、ほとんどが「**生物学的モニタリング**」です。この場合の生物学的モニタリングとは、**採尿(や採血)によって有害物の体内摂取量を把握する検査**のこと。有機溶剤と鉛(なまり)について、出題されます。

236ページの問題1をご覧ください。これが、代表的な出題形式です。以前は、文章による5肢択一式もありましたが、最近はほとんど、有害化学物質と生物学的モニタリングの指標として用いられる代謝物の組合せが正しいかどうかを問う問題が主流になっています。

もっとも、文章による五肢択一式も時として出題されますから、こちらもマークしておけば、"鬼に金棒"になるでしょう。

2 解答のコツ！

念のため、ここでポイントを、再度、確認しておきましょう。この6つのポイントだけは、絶対に押さえましょう。

①**有機溶剤**の**生物学的半減期**は、**短い**（長くても10時間以内）。
②**鉛**の**生物学的半減期**は、**長い**（数週間から数ヵ月。骨では**10年**の場合も）。
③**有機溶剤健康診断**では、**有機溶剤代謝物**（これは総称。具体名は右ページの表）がモニタリングされる。
④検査されるのは、**体内摂取量**である。高濃度ばく露ではない。
⑤**有機溶剤**の場合の生物学的モニタリングは、**採尿**によって行われる。**採血ではない**（**鉛〈重金属〉**の場合は、**採血**が中心だが、**採尿**も行われる）。
⑥尿中蛋白(たんぱく)や血清トリグリセライドの検査は、生物学的モニタリングではない。

7割ゲットできるポイント集！

● 特殊健康診断は、特定の有害業務に従事する労働者に対して、その作業によって健康を害することが無いよう、事業主が行わなければならない健康診断です。一般健康診断で行われる項目以外の特別項目について、行われます。
ただ、特殊健康診断については、第2章の「関係法令（有害業務に係るもの）」で中心的に出題されます。この章で出題されるのは、「生物学的モニタリング」についてだけです。的は絞りやすいわけです。

● 生物学的モニタリングとは、有害物質を吸引した作業者から、生体試料（試料とは、尿、血液等、検査の対象物のこと）を採取し、その中の有害物質濃度や代謝物を測定・評価することをいいます。

有害物質の種類	検査項目	
トルエン	馬尿酸	試験では「有機溶剤代謝物」と総称される場合もある。（鉛は重金属なので除く）
キシレン	メチル馬尿酸	
鉛	デルタアミノレブリン酸	
N, N-ジメチルホルムアミド	N-メチルホルムアミド	
スチレン	マンデル酸	
ノルマルヘキサン	2, 5-ヘキサンジオン	
テトラクロロエチレン	トリクロロ酢酸または総三塩化物	
1, 1, 1-トリクロルエタン	同上	
トリクロロエチレン	同上	

● 有害物質が、体の排泄・代謝等の生物学的な過程によって体外へ排出され、半分に減るのに要する時間を生物学的半減期といいます。有害物質の摂取量推定には、生物学的半減期の長いものと短いものを区別して対応しなければなりません。

特殊健康診断名	検査項目	生物学的モニタリングの対応
鉛健康診断	血液中の鉛量の検査	半減期が長いので、随時採血で可能。
	尿中のデルタアミノレブリン酸の検査	半減期が長いので猶予はある。
有機溶剤健康診断	尿中の有機溶剤代謝量の検査	半減期が短いので、採尿時刻の厳重なチェックが必要。

問題 1 【令和5年後期】

1回目 2回目 3回目

有害化学物質とその生物学的モニタリング指標として用いられる尿中の代謝物との組合せとして、正しいものは次のうちどれか。

(1) トルエン ……………………………… トリクロロ酢酸
(2) キシレン ……………………………… メチル馬尿酸
(3) スチレン ……………………………… 馬尿酸
(4) N,N-ジメチルホルムアミド ……… デルタ-アミノレブリン酸
(5) 鉛 ……………………………………… マンデル酸

問題 2 【令和4年前期】

1回目 2回目 3回目

特殊健康診断に関する次の記述のうち、正しいものはどれか。

(1) 有害物質による健康障害は、多くの場合、諸検査の異常などの他覚的所見より、自覚症状が先に出現するため、特殊健康診断では問診の重要性が高い。
(2) 特殊健康診断における生物学的モニタリングによる検査は、有害物の体内摂取量や有害物による健康影響の程度を把握するための検査である。
(3) 体内に取り込まれた鉛の生物学的半減期は、数時間と短いので、鉛健康診断における採尿及び採血の時期は、厳重にチェックする必要がある。
(4) 振動工具の取扱い業務に係る健康診断において、振動障害の有無を評価するためには、夏季における実施が適している。
(5) 情報機器作業に係る健康診断では、眼科学的検査などとともに、上肢及び下肢の運動機能の検査を行う。

得点力をもっとUPする ワンポイント知識

生物学的モニタリングには、ばく露モニタリングと影響モニタリングがあります。

❶ばく露モニタリング…有害物質の摂取量を測定するもの。

❷影響モニタリング…有害物質の代謝量を測定して、初期の軽度影響状態を把握するもの。

A　正解は(2)

生物学的モニタリングについての問題は、このところ、よく出題されるようになった。正しい語句を埋めると次の通り。

「特殊健康診断において有害物の体内接種量を把握する検査として、生物学的モニタリングがあり、トルエンについては、尿中の馬尿酸を測定し、鉛については尿中のデルタアミノレブリン酸を測定する。」

生物学的モニタリングは、**鉛と8種の有機溶剤**について実施されるが、全部を丸暗記するのは難しくても、出題頻度の高い有害化学物質名と採取する試料名、検査項目だけなら時間のない人も覚えられるだろう。覚えておきたいのは、次の通り。

トルエン…**尿中の馬尿酸**
キシレン…**尿中のメチル馬尿酸**
鉛…**尿中のデルタアミノレブリン酸**
N,N-ジメチルホルムアミド…**尿中のN-メチルホルムアミド**
スチレン…**尿中のマンデル酸**
ノルマルヘキサン…**尿中の2,5-ヘキサンジオン**

そこで、正しい組み合わせである(2)が正解だとわかる。

A　正解は(2)

(1)　×　有害物質による健康障害は自覚症状なしに病状が悪化していく場合が多い。

(2)　○　生物学的モニタリング検査は、有害物の体内摂取量や健康への影響の程度を把握するために実施する。
また、特殊健康診断の目的には、業務適性の判断と、その後の業務の影響を調べるための基礎資料を得るためもある。

(3)　×　**鉛の生物学的半減期は長い**。逆に**有機溶剤の生物学的半減期は短い**ので、採尿および採血の時期を厳重にチェックする。

(4)　×　振動障害の検査は冬季が適している。

(5)　×　情報機器作業に係る健康診断で、下肢の運動機能検査は検査項目に含まれていない。

試験前夜に目を通したい必須重要ポイント

確認したら☑しよう!!

□防毒マスクの吸収缶の色は、有機ガス＝黒色、一酸化炭素＝赤色、硫化水素＝黄色である。

□防毒マスクの吸収缶は、特定のガス以外には無力。どれにでも通用するわけではない。

□防音保護具の耳覆いと耳栓は、騒音の激しい場合には、併用すると効果的。

□化学物質の体内濃度が最初の1/2に減少するまでの期間を生物学的半減期という。

□SDSは、どんどん公開するべきである。「こんな有害性がある」と、誰にでも注意を喚起するのが、制度の趣旨であるから。

□作業環境測定のA測定（平均濃度）が管理濃度（基準）を超えていれば、B測定（最高濃度）がどうあれ“落第”と評価される（“落第”のことを、法令では第3管理区分という）。

□B測定は、管理濃度の1.5倍超なら、A測定がどうあれ落第（第3管理区分）である。

□酸素濃度が10％以下になると、意識消失や窒息に陥り、15～16％程度の酸素欠乏症では、一般に頭痛、吐き気などの症状が見られる。

□けい肺は、じん肺の一種で、遊離けい酸の粉じんを吸入することで起こる。

□一酸化炭素の重さは、空気とほぼ同じ（空気より重い⇒×）。無色・無臭である。

□電離放射線被ばくによる白内障は、早期障害ではなく晩発障害。早期障害には、見落としがちだが、皮膚障害もある。

□等価騒音レベルは、ある時間範囲の中で変動する騒音のレベルを平均化したもの。

□暑熱のため「多量に発汗⇒水分だけ補給」だと、塩分濃度も下がり、熱痙攣になる。

□鉛中毒では、貧血、末梢神経障害（伸筋麻痺）、腹部の疝痛、腎障害がみられる。

□有機溶剤の生物学的モニタリングの注意点。有機溶剤代謝物（これは総称。具体的物質は有機溶剤の種類で異なる）の量を採尿（採血はなし）する場合は、生物学的半減期が短いので、時刻を厳重にチェックする必要がある。

□鉛健康診断における生物学的モニタリングは、採尿で尿中のデルタアミノレブリン酸量を、採血で血液中の鉛量を検査する。鉛は生物学的半減期が長いので、随時の採血・採尿でよい。

□末梢神経障害による多発性神経炎を起こす有機溶剤は、ノルマルヘキサンである。

□有機溶剤の1つ、メタノールによる健康障害では、視力低下、視野狭窄が起こる。

□臭化メチル、硫酸ジメチルは、ともに粉じんではない。前者はガス、後者は蒸気。

□局所排気装置は、模式図による出題の可能性もある。215ページを再見して、確認しよう。

□ドラフトチェンバー型は囲い式であり、囲い式カバー型の次に効果が高い。

第5章

労働衛生（有害業務に係るもの以外のもの）

出る順予想ランキング

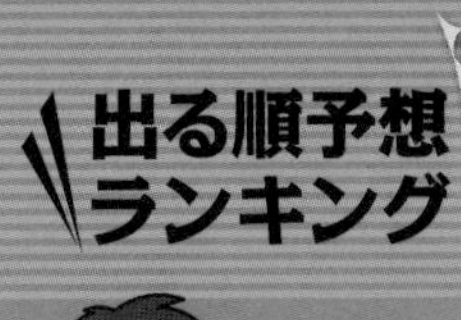

第1位

要点はくり返し学習、試験に備えましょう！

食中毒/感染症/止血

食中毒は、感染型と毒素型の代表例を覚えましょう。出題が多いのは腸炎ビブリオ菌です。ノロウィルスもよく出題されます。止血については、止血帯法が頻出です。

1 どこが出るか、どんな形で出るか(1)

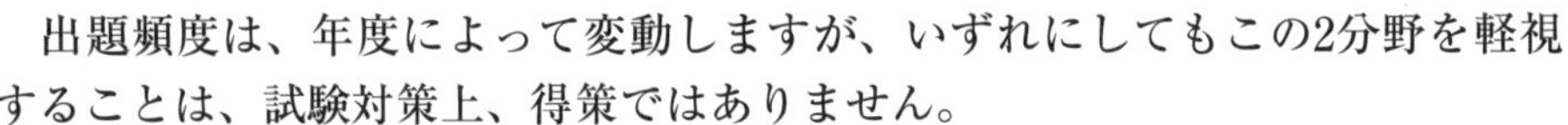

出題頻度は、年度によって変動しますが、いずれにしてもこの2分野を軽視することは、試験対策上、得策ではありません。

なぜなら、**問題が比較的身近**で、**とりつきやすい**からです。労働衛生統計や必要換気量などは、数式まで覚えても、得点するのは各1問だけ。それを考えると、この2分野からは、確実に点を取りたいものです。

とはいえ、食中毒は、対象となる菌をしぼりきれない悩みはあります。比較的出題が多いのは、**腸炎ビブリオ菌**です。これは、魚介類の汚染が原因の**感染型食中毒**。菌は、3%の食塩濃度でよく増殖する**病原性好塩菌**です。

感染型か毒素型かもよく出題されますので、代表2つまでは覚えましょう。**ノロウイルス**もよく出題されますので、これも要マークです。

コロナ禍以降は感染症の出題がとても増えています。

2 どこが出るか、どんな形で出るか(2)

止血では、**止血帯法**についての出題が目立ちます。この止血法は、太い動脈が切れて、心臓の鼓動につれて大量に出血する場合などに、採用される方法。**最後の手段**ともいえます。というのは、止血帯を施した先には、血流がいかなくなり、長時間続けると、**末端組織が壊されてしまう**からです。

止血帯は、細いと皮膚に食い込むので、**幅約3㎝以上**の物を使うのがいい、とされます。止血帯法で止血する場合は、**30分**に1回止血帯をゆるめ、血流の**再開**を図ります。出血が続いていたら再度**緊縛**を実施します。

7割ゲットできるポイント集！

●食中毒には、①感染型食中毒、②毒素型食中毒、③ウイルス性食中毒、④自然毒による食中毒、その他があります。

	名称	経路・症状など
感染型	サルモネラ菌	食肉、鶏卵から。急性胃腸炎様症状。
	腸炎（ちょうえん）ビブリオ菌	魚介類から。激しい腹痛、下痢（病原性好塩菌）。
	腸管（ちょうかん）出血性大腸菌	O-157、O-111など。食肉や堆肥が付着した野菜から。
毒素型	ボツリヌス菌	いずしや缶詰など、密閉性のものから（真空で増殖する）。神経症状を呈し、致死率が高い。
	（黄色）ブドウ球菌	おにぎり、仕出し弁当から。嘔吐から腹痛・下痢に。ただし、早期に回復することが多い。
ウイルス型	ノロウイルス	感染性胃腸炎。潜伏期は1～2日。発生ピークは日本では冬。激しい下痢や嘔吐を起こす。ウイルスの失活化にはエタノールや逆性石鹸はあまり効果がなく、塩素系消毒剤や煮沸消毒が有効。
自然毒	フグ毒	毒素はテトロドトキシン。
	植物系	きのこ、じゃがいもの芽、トリカブトも危険。

●出血の種類は、大きく分けて外出血と内出血があり、外出血には、①動脈出血、②静脈（じょうみゃく）出血、③毛細血管出血に分かれます。

内出血	血管から体内に流出する出血や、臓器からの出血が腹腔（ふくくう）内や胸腔（きょうくう）内にたまるなど。	
外出血	動脈出血	心臓の拍動に合わせて噴出、色は鮮紅色（せんこうしょく）で止血しにくく、命にかかわる。
	静脈出血	じわじわと持続的に暗赤色（あんせきしょく）の血液が流れる。出血量は多いが、命にかかわる心配はない。
	毛細血管出血	末梢（まっしょう）組織などからにじみ出る少量の出血。

●止血の方法には直接圧迫法、間接圧迫法、止血帯法があります。

直接圧迫法	出血部にハンカチや手ぬぐいなどを当てて圧迫する。最も効果的。
間接圧迫法	出血部より心臓に近い部分の動脈を指で強く圧迫して、血流を遮断する。動脈出血の場合に使われる。
止血帯法	四肢の切断など、太い動脈が切れて大量出血のおそれがある場合に使われる最後の手段。止血帯を用いて、止血する。

●感染症は、病原体（細菌やウイルス）が体内に侵入して増え、発熱や咳、下痢などの症状を引き起こすものです。

空気感染	・飛沫核感染…5μm以下の飛沫核が「長時間空中を浮遊し」空気の流れによって広範囲に拡散。この飛沫核を未感染者が吸入することにより感染を起こす。 ・粉じん感染…土壌や床から風などで舞い上がった汚染粉じんを吸入することで感染する。
飛沫感染	・5μm超過の大きな飛沫（ウイルスや菌などの飛沫核の周囲に、唾液などの水分がある）を未感染者が吸入することにより感染を起こす。鼻、咽頭粘膜、結膜などに付着する。 ※飛沫核より大きく重いので、空気中に長くは浮遊しない。
接触感染	・患者または患者が使用したものに触れることで感染する。

不顕性（ふけんせい）感染	病原体が体内に入るが症状が現れず、病原体が消滅して免疫ができるもの。感染が成立した場合、感染しているのに症状が現れない無症候性キャリアとなる。
日和見（ひよりみ）感染	抵抗力が弱いときや落ちているときに、普段なら多くの人には感染しない菌が病気を発症させることがある。これを日和見感染という。

●インフルエンザウイルスにはA、B、Cの３型があり、流行するのはA型とB型です。A型は人獣共通感染症です。ウイルスの排出期間は感染から約７日間で、その量は解熱とともに減少します。

問題 1 【令和6年前期】

1回目 2回目 3回目

ノロウイルスによる食中毒に関する次の記述のうち、正しいものはどれか。

(1) 食品に付着したウイルスが食品中で増殖し、ウイルスが産生した毒素により発症する。

(2) ウイルスの感染性は、長時間煮沸しても失われない。

(3) 潜伏期間は、１～２日である。

(4) 発生時期は、夏季が多い。

(5) 症状は、筋肉の麻痺(ひ)などの神経症状が特徴である。

問題 2 【令和4年前期】

1回目 2回目 3回目

感染症に関する次の記述のうち、誤っているものはどれか。

(1) 人間の抵抗力が低下した場合は、通常、多くの人には影響を及ぼさない病原体が病気を発症させることがあり、これを不顕性感染という。

(2) 感染が成立し、症状が現れるまでの人をキャリアといい、感染したことに気付かずに病原体をばらまく感染源になることがある。

(3) 微生物を含む飛沫(まつ)の水分が蒸発して、5μm以下の小粒子として長時間空気中に浮遊し、空調などを通じて感染することを空気感染という。

(4) 風しんは、発熱、発疹(しん)、リンパ節腫脹(ちょう)を特徴とするウイルス性発疹(しん)症で、免疫のない女性が妊娠初期に風しんにかかると、胎児に感染し出生児が先天性風しん症候群（CRS）となる危険性がある。

(5) インフルエンザウイルスにはＡ型、Ｂ型及びＣ型の三つの型があるが、流行の原因となるのは、主として、Ａ型及びＢ型である。

問題 3 【令和3年後期】

1回目 2回目 3回目

細菌性食中毒に関する次の記述のうち、誤っているものはどれか。

(1) 黄色ブドウ球菌による毒素は、熱に強い。

(2) ボツリヌス菌による毒素は、神経毒である。

(3) 腸炎ビブリオ菌は、病原性好塩菌ともいわれる。

(4) サルモネラ菌による食中毒は、食品に付着した細菌が食品中で増殖した際に生じる毒素により発症する。

(5) ウェルシュ菌、セレウス菌及びカンピロバクターは、いずれも細菌性食中毒の原因菌である。

A 正解は(3)

(1) × ノロウイルスは､ウイルスそのものによって発症する。**毒素型**ではない。

(2) × ウイルスの失活化には塩素系漂白剤（次亜塩素酸ナトリウム）、または**加熱処理（85℃、1分以上）**が有効。

(3) ○ 潜伏期間（感染から発症までの時間）は**24～48時間（1～2日）**。

(4) × 日本における発生のピークは**冬（寒い時季）**。

(5) × 神経症状や筋肉の麻痺は**ない**。ノロウイルスの症状には**吐き気・嘔吐**、**下痢**、**腹痛**などがある。

A 正解は(1)

(1) × **不顕性感染**とは、ウイルスなどの病原体に**感染しても症状が現れない**もの。日和見感染は、抵抗力が落ちているときなどに、普段なら症状が現れない弱い病原体に感染した際に症状が現れてしまうもの。

(2) ○ **感染している状態の人はキャリア**。

(3) ○ **空気感染（エアロゾル感染）**は、**5μm以下**の小さな飛沫核が長時間空中に浮遊し、これを吸い込むことで感染する。

(4) ○ 正しい。妊娠初期とはだいたい妊娠15週目くらいまでのこと。

(5) ○ 人に感染するインフルエンザウイルスにはA型、B型、C型の3つの型がある（人に感染しないD型もある）。流行するのはA型とB型。

A 正解は(4)

わりあい簡単な問題である。労働衛生統計で点をとっても1点、この問題でとっても1点。こちらのほうがはるかにコストパフォーマンスがいい。

(1) ○ 黄色ブドウ球菌は**熱**に強く**温めても**死滅しない、毒素型食中毒。**おにぎりや弁当**などに潜み、症状は早期に回復することが多い。

(2) ○ ボツリヌス菌は、神経毒を発生する。**致死率**が高く、**酸素のない食品中**で増殖するので、**缶詰**や**真空パック**が経路となることがある。

(3) ○ 腸炎ビブリオ菌は、**魚介類の汚染**が原因の感染型食中毒。**3%**の食塩濃度でよく増殖し、**病原性好塩菌**といわれる。

(4) × サルモネラ菌は、**食物に付着した細菌そのもの**が中毒症状を起こす感染型食中毒。毒素型というのが誤り。

(5) ○ 食中毒の原因は細菌性食中毒、ウイルス性食中毒、**自然毒**による食中毒があり、感染型と毒素型とは、細菌性食中毒をさらに分類したもの。**ウェルシュ菌**、**セレウス菌**、カンピロバクターは、**いずれも感染型**の細菌性食中毒の原因菌である。

問題 4 【令和3年後期】

1回目 2回目 3回目

出血及び止血法並びにその救急処置に関する次の記述のうち、誤っているものはどれか。

(1) 体内の全血液量は、体重の約13分の1で、その約3分の1を短時間に失うと生命が危険な状態となる。

(2) 傷口が泥で汚れているときは、手際良く水道水で洗い流す。

(3) 止血法には、直接圧迫法、間接圧迫法などがあるが、一般人が行う応急手当としては直接圧迫法が推奨されている。

(4) 静脈性出血は、擦り傷のときにみられ、傷口から少しずつにじみ出るような出血である。

(5) 止血帯を施した後、受傷者を医師に引き継ぐまでに30分以上かかる場合には、止血帯を施してから30分ごとに1～2分間、出血部から血液がにじんでくる程度まで結び目をゆるめる。

問題 5 【令和2年後期】

1回目 2回目 3回目

食中毒に関する次の記述のうち、誤っているものはどれか。

(1) サルモネラ菌による食中毒は、食品に付着した菌が食品中で増殖した際に生じる毒素により発症する。

(2) ボツリヌス菌による毒素は、神経毒である。

(3) 黄色ブドウ球菌による毒素は、熱に強い。

(4) 腸炎ビブリオ菌は、病原性好塩菌ともいわれる。

(5) ウェルシュ菌、セレウス菌及びカンピロバクターは、いずれも細菌性食中毒の原因菌である。

A 正解は(4)

この問題もまた、わりあい簡単な問題である。ここで1点ゲットしよう。

(1) ○ 体重の**約13分の1**、その**3分の1**を短時間に失うと生命が危険な状態になる。13分の1と3分の1という数字は覚えよう。

(2) ○ 日本の水道水はきれいなので、傷口を洗うのに適している。

(3) ○ 直接圧迫法は、**出血部にハンカチや手ぬぐい**などを当てて圧迫する方法で、簡単で最も効果的な止血法である。

(4) × 擦り傷のときにだけみられるとは限らない。

(5) ○ 止血帯法は、最後の手段。長時間、**止血帯**を用いて止血していると、止血帯を施した上肢や下肢が**壊死**してしまうおそれがある。**結び目**に札をつけ、**止血した時刻**を明記しておくこと。

A 正解は(1)

(1)がわりあい簡単な問なので、正答率は高いと思う。(5)が少し難問か。

(1) × サルモネラ菌は、**感染型**食中毒である。これは、食物に付着した細菌そのものが、中毒症状を起こすもの。毒素型ではない。

(2) ○ ボツリヌス菌は、缶詰、真空パック食品など、**酸素のない**食品中で増殖し、毒性の**強い**神経毒を産生する。この菌はまた、**致死率**が極めて**高い**ことでも知られる。

(3) ○ 黄色ブドウ球菌は、おにぎりや仕出し弁当などに潜む**毒素型**である。厄介なのは、熱に**強い**ので、温めても死滅しないことだ。

(4) ○ **魚介類**からの中毒が多い腸炎ビブリオ菌は、**塩分**を好むので、病原性好塩菌と言われる。

(5) ○ 食中毒の原因は、全体の70%以上を占める細菌性食中毒と、残りのウィルス性に分かれる。**感染型**と**毒素型**というのは、そのうち、**細菌性食中毒**を分類したものだ。ここにあげられている菌は、いずれも細菌性食中毒に含まれる。

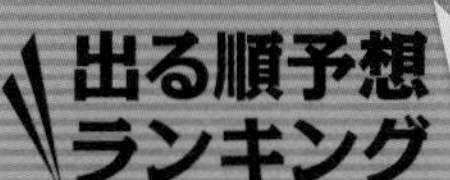

要点はくり返し学習、
試験に備えましょう！

厚生労働省のガイドライン（メンタルヘルスケア/情報機器作業/腰痛対策/受動喫煙防止）

厚生労働省の行政指導（ガイドライン、指針、報告書）の一部が法律（労働安全衛生法）になりました。行政が力を入れている分野なので、必ずどれかは出題されます。

1 どこが出るか、どんな形で出るか

試験によく出るのは、次の①～④です。

①**メンタルヘルスケア**　「（関係者は）不調が発生した労働者の同意を得ることなく、労働者の状況を取得できる」？　これは×。**本人の意思**が大切です。

②**情報機器作業**　「書類上及びキーボード上の照度は、**300ルクス以上**になるようにする」？　これは、○の正解肢です。なお、**これまでVDT作業と表現されてきた機器は、「ガイドライン」の17年ぶりのリニューアルにともない、情報機器に変更されました。**

照度の単位はルクスで、「1㎡の面が**1ルーメンの光束**で照らされる時の照度」です。

情報機器操作作業に従事する労働者に行われる健康診断項目は、a.業務歴・既往歴、b.自覚症状の有無、c.上肢の運動機能・圧痛点等の調査、d.眼科学的検査　の４項目です。

③**腰痛予防対策**　ここ4回、連続で出題されています。無視できなくなりました。「腰部保護ベルトは、全員に使用させるようにする」？　これは×です。

腰部に著しい負担のかかる作業に従事する労働者に行われる健康診断項目は、a.業務歴・既往歴の調査、b.自覚症の有無、c.脊柱の検査、d.神経学的検査、e.脊柱機能検査　の５項目です。

④**受動喫煙**　気流の測定や頻度は数字を、その他の対策は内容をチェックしておきましょう。

7割ゲットできるポイント集！

- 厚生労働省は、これまでも事業所におけるメンタルヘルスケアとして、労働者の心の健康の保持増進のための指針を推進してきました。
- メンタルヘルスケアでは、従来、次の4つのケアを効果的に進める必要があります。①セルフケア、②ラインによるケア、③事業場内産業保健スタッフ等によるケア、④事業場外資源によるケアです。
- メンタルヘルスケアでは、①心の健康問題の特性にとくに配慮する、②個人の健康情報の保護へ特段配慮する、③人事労務管理関係へ配慮するなどのことが必要です。
- 50人以上の事業場は、労働者のストレスチェックが義務化されました。
- 化学物質に関するリスクアセスメントの実施義務化も新設されました。
- 情報機器作業による健康障害には、**眼の疲れ、腕や肩・頸部（けいぶ）のこりや痛み、心理的な疲労**などの自覚症状が先行し、**眼精疲労（がんせいひろう）、頸肩腕症候群（けいけんわんしょうこうぐん）**など局所疲労が続きます。

❶**書類・キーボード面の照度を300ルクス以上とする**（「ディスプレイ画面の照度は500ルクス以下」は令和3年12月のガイドライン改訂において削除された）。
❷**ディスプレイ画面の上端高さは、目の高さと同じか、やや下になる高さが望ましい。画面までの視距離は、適切な視野範囲になるようにする。**
❸**照明器具などの光源が、ディスプレイ画面に映り込まないようにする。**
❹**一連続作業時間は、60分以内とし、次の作業までに10～15分の作業休止時間を設ける。**

- 改正健康増進法で受動喫煙の防止対策が強化されました。

気流…喫煙室等に向かう気流の風速を、出入口の上・中・下すべての地点で0.2m/s以上となるようにする。

効果測定…受動喫煙防止対策の効果を（全面禁煙、空間分煙、換気）概ね3か月以内ごとに１回以上、定期的に測定日を設けて実施。

施設ごとの措置

第一種施設（学校、病院、役所など）

敷地内は屋内、屋外とも禁煙。喫煙場所を屋外に設けるのは可。

第二種施設（オフィス、事務所、条件を満たした飲食店など）

屋内禁煙。喫煙専用室、加熱式タバコ専用喫煙室（飲食可）を設ければ喫煙可。喫煙室の出入口には標識を掲示する。

※20歳未満の者は、喫煙エリアには立入禁止（たとえ清掃の用でも）。

問題 1 【令和4年前期】

1回目 2回目 3回目

厚生労働省の「職場における腰痛予防対策指針」に基づく腰痛予防対策に関する次の記述のうち、正しいものはどれか。

(1) 作業動作、作業姿勢についての作業標準の策定は、その作業に従事する全ての労働者に一律な作業をさせることになり、個々の労働者の腰痛の発生要因の排除又は低減ができないため、腰痛の予防対策としては適切ではない。

(2) 重量物取扱い作業の場合、満18歳以上の男性労働者が人力のみにより取り扱う物の重量は、体重のおおむね50%以下となるようにする。

(3) 重量物取扱い作業の場合、満18歳以上の女性労働者が人力のみにより取り扱う物の重量は、男性が取り扱うことのできる重量の60%位までとする。

(4) 重量物取扱い作業に常時従事する労働者に対しては、当該作業に配置する際及びその後1年以内ごとに1回、定期に、医師による腰痛の健康診断を行う。

(5) 腰部保護ベルトは、重量物取扱い作業に従事する労働者全員に使用させるようにする。

問題 2 【令和4年前期】

1回目 2回目 3回目

厚生労働省の「職場における受動喫煙防止のためのガイドライン」において、「喫煙専用室」を設置する場合に満たすべき事項として定められていないものは、次のうちどれか。

(1) 喫煙専用室の出入口において、室外から室内に流入する空気の気流が、0.2m/s以上であること。

(2) 喫煙専用室の出入口における室外から室内に流入する空気の気流について、6か月以内ごとに1回、定期に測定すること。

(3) 喫煙専用室のたばこの煙が室内から室外に流出しないよう、喫煙専用室は、壁、天井等によって区画されていること。

(4) 喫煙専用室のたばこの煙が屋外又は外部の場所に排気されていること。

(5) 喫煙専用室の出入口の見やすい箇所に必要事項を記載した標識を掲示すること。

得点力をもっとUPする＞ワンポイント知識

「情報機器ガイドライン」の廃止→新設に伴い、膨大な改正がみられました。いくつかのポイントを記しておきます。

●対象は、事務における情報機器作業である。具体的には、情報機器作業――パ

A 正解は(3)

(1) × 腰痛の発生要因を低減できるよう、作業動作、作業姿勢、作業手順、作業時間等について、作業標準を策定する。

(2) × **満18歳以上の男性労働者**が人力のみにより取り扱う物の重量は、**体重のおおむね40%以下**となるように努める。

(3) ○ **満18歳以上の女性労働者**では、さらに**男性が取り扱うことのできる重量の60%**くらいまでとする。

(4) × 重量物取扱い作業、介護・看護作業等腰部に著しい負担のかかる作業に常時従事する労働者の健康診断は、当該作業に配置する際及びその後**6か月以内ごとに1回**、定期に実施する。

(5) × **腰部保護ベルト**は個人により効果が異なるため、一律に使用するのではなく、**個人ごとに効果を確認してから使用**の適否を判断する。

A 正解は(2)

(1) ○ 喫煙専用室の要件に「室外から室内に流入する空気の**気流が0.2m/s以上**であること」が定められている。

(2) × 室外から室内に流入する気流の測定についてはとくに定められていない。なお、非喫煙場所及び喫煙室の内部並びにその境界付近を対象として、3か月以内ごとに1回、空気環境の有害物質の測定を行う。
対象有害物は、浮遊粉じん濃度（基準値0.15㎎/㎥以下）、一酸化炭素濃度（基準値10ppm以下）。

(3) ○ 喫煙専用室の要件に「**壁、天井等で区画**されていること」がある。

(4) ○ 要件に「たばこの**煙が屋外又は外部の場所に排気**されていること」がある。

(5) ○ 喫煙専用室の出入口の見やすい場所に必要事項を記載した**標識を掲示**しなければならない。

他に、「**20歳未満**の者の喫煙エリアへの**立入禁止**（清掃など、喫煙を目的としない場合でも）」がある。

ソコンやタブレット端末等を使用して、データの入力・検索・照合等、文章・画像等の作成・編集・修正等、プログラミング・監視等を行う作業をいう。

- 作業管理としては、書類上及びキーボード上における照度を300ルクス以上を目安にすること。
- 必要に応じてマウス等をできるようにすること。数字を入力する作業が多い場合は、テンキー入力機器を利用することが望ましい。

問題 3 【令和3年後期】

1回目 2回目 3回目

厚生労働省の「情報機器作業における労働衛生管理のためのガイドライン」に基づく措置に関する次の記述のうち、適切でないものはどれか。

(1) ディスプレイとの視距離は、おおむね50cmとし、ディスプレイ画面の上端を眼の高さよりもやや下にしている。

(2) 書類上及びキーボード上における照度を400ルクス程度とし、書類及びキーボード面における明るさと周辺の明るさの差はなるべく小さくしている。

(3) 一連続作業時間が1時間を超えないようにし、次の連続作業までの間に5分の作業休止時間を設け、かつ、一連続作業時間内において2回の小休止を設けている。

(4) 1日の情報機器作業の作業時間が4時間未満である労働者については、自覚症状を訴える者についてのみ、情報機器作業に係る定期健康診断の対象としている。

(5) 情報機器作業に係る定期健康診断において、眼科学的検査と筋骨格系に関する検査のそれぞれの実施日が異なっている。

問題 4 【令和3年前期(第2種)】

1回目 2回目 3回目

厚生労働省の「労働者の心の健康の保持増進のための指針」に基づくメンタルヘルスケアの実施に関する次の記述のうち、適切でないものはどれか。

(1) 心の健康については、客観的な測定方法が十分確立しておらず、また、心の健康問題の発生過程には個人差が大きく、そのプロセスの把握が難しいという特性がある。

(2) 心の健康づくり計画の実施に当たっては、メンタルヘルス不調を早期に発見する「一次予防」、適切な措置を行う「二次予防」及びメンタルヘルス不調となった労働者の職場復帰支援を行う「三次予防」が円滑に行われるようにする必要がある。

(3) 労働者の心の健康は、職場配置、人事異動、職場の組織などの要因によって影響を受けるため、メンタルヘルスケアは、人事労務管理と連携しなければ、適切に進まないことが多いことに留意する。

(4) 労働者の心の健康は、職場のストレス要因のみならず、家庭・個人生活などの職場外のストレス要因の影響を受けている場合も多いことに留意する。

(5) メンタルヘルスケアを推進するに当たって、労働者の個人情報を主治医等の医療職や家族から取得する際には、あらかじめこれらの情報を取得する目的を労働者に明らかにして承諾を得るとともに、これらの情報は労働者本人から提供を受けることが望ましい。

A　正解は(3)

(1)　○　ディスプレイとの視距離は**おおむね40㎝以上**。また、ディスプレイ上端の高さは眼の高さと同じか**やや下が望ましい**。

(2)　○　書類上およびキーボード上は**300ルクス以上**で、周辺との差はなるべく**小さく**する。

(3)　×　一連続作業時間は1時間を超えないようにし、次の連続作業までに**10～15分**の作業休止時間（休憩ではない。ディスプレイを使う業務を休止する）を設けること。

(4)　○　1日の作業時間が4時間未満の者については、自覚症状を訴える者のみを情報処理作業者に対する定期健康診断の対象者として**かまわない**。

(5)　○　眼科的検査と筋骨格系に関する検査の実施日は異なっていても**問題はない**。

A　正解は(2)

(1)　○　心の健康問題の特性として、客観的な測定方法が十分確立しておらず、その評価には労働者本人から心身の状況に関する情報を取得する必要があり、**発生過程には個人差が大きく、プロセスの把握が難しい**。

(2)　×　一次予防…ストレスチェック制度の活用や職場環境の改善を通じて、「メンタルヘルス不調を**未然に防止**する」もの。
二次予防…メンタルヘルス不調を**早期に発見**し、適切な措置を行う。
三次予防…メンタルヘルス不調となった労働者の**職場復帰支援**など。

(3)　○　メンタルヘルスケアには4つの基本的考え方がある。
①心の健康問題の特性（この問題の選択肢(1)にある）、②労働者の個人情報の保護への配慮（選択肢(5)）、③人事労務管理との関係、④家庭、個人生活などの職場以外の問題（選択肢(4)）

得点力をもっとUPするワンポイント知識

腰痛の原因と対策

腰痛は、①**同一局所運動**、②**無理な作業姿勢**、③**重量物の取扱い**、④**日ごろの運動不足**に伴う筋力低下が、原因としてあげられます。

使用者は、①**配置前**と、②**定期的（6ヵ月以内ごとに1回）**に腰部の健康診断を行うべく行政指導されています。

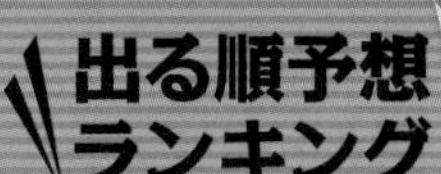

第3位

要点はくり返し学習、
試験に備えましょう!

メタボリックシンドローム/必要換気量/温熱条件

メタボリックシンドロームの出題が見られるようになりました。「必要換気量」は計算式が出されます。「温熱条件」は、至適温度をマークすること。両方とも、頻度は多くありません。

1 どこが出るか、どんな形で出るか(1)

編集の都合上、ここに合併しましたが、メタボリックシンドロームの出題が時折みられます。診断基準は、腹囲が男性**85㎝**以上、女性**90㎝**以上です(内臓脂肪面積が男女ともに100㎠に相当)。なお、腹部肥満とは、**内臓**脂肪の蓄積のことです。この腹囲に加え、血圧、血糖、脂質のうち2つ以上が基準値から外れると「メタボリックシンドローム」と診断されます。

肥満度を表す体格指数である**BMI(ボディマス指数)**を計算する問題もたまに出題されます。**BMI**値は**22**(18.5〜25未満)が標準で、**18.5**未満は「痩せ」、**25**以上は「肥満傾向」です。計算式は『体重(kg)を身長(m)の2乗で除』した値です。

$$\mathrm{BMI}=\frac{\mathrm{W}(\text{体重}\ \mathrm{kg})}{\mathrm{H}(\text{身長}\ \mathrm{m})^2}=\mathrm{W}\div(\mathrm{H}\times\mathrm{H})$$

必要換気量については、30年後期に久しぶりに、出題がありました。ただし、これまでに比べ一段上の難問です。本書には収録しませんでした。この1問のために、多大な時間を注ぎ込むのは得策ではない、と考えたからです。

それはそれとして、**必要換気量**は、計算する式の記憶が、すべてです。問題は、2種類に分かれます。1つは、式そのものを知っているかどうかを問う問題。その場合、用語も**英字のA、B、C、D**を使って**記号化された式**が出題されるので、実際に出題された**問題集**でそれに慣れることも大切(市販のテキスト類は、記号化しないで説明していたり、別な英字を使っていたりしますので、これで勉強すると、誤って覚えてしまいます。)。

正しい式をしっかり覚えれば、次に出題される計算の結果を当てる問題も、難しくはありません。

7割ゲットできるポイント集！

- メタボリックシンドロームの診断基準は、腹囲が男性で85㎝以上、女性で90㎝以上です（内臓脂肪面積100㎠に相当）。
- 気積(きせき)とは、労働者1人当たりに必要な部屋の空気容積をいいます。
- 事務所衛生基準規則では、労働者1人につき必要な気積を10m^3以上と定めています（ただし、床面から4mを超える高さの空間と設備の容積は除く）。

$$気積(m^3)=\frac{床面から4m以下の高さの部屋の容積-室内設備の容積(m^3)}{労働者数}$$

- 1時間に取り入れられる空気の量を換気量といい、**室内にいる労働者1人に対して、入れ替える必要のある空気量**を必要換気量といいます。

$$(Q)必要換気量(m^3/h)=\frac{(D)室内にいる人が呼出する二酸化炭素量(m^3/h)}{(B)室内の二酸化炭素基準濃度(0.1\%)-(A)外気の二酸化炭素濃度(0.03\%)}$$

- 必要換気量と気積から、その室内における1時間当たりの必要換気回数が求められます。

$$必要換気回数=\frac{必要換気量}{気積}$$

- 人間の温度感覚は、次の4つの要素で決まります。気温、湿度、気流、ふく射熱です。

- 上の4要素を総合した尺度を温熱指数といいます。

実効温度	温熱要素のうち、気温、湿度、気流の3要素を総合したもの（ふく射熱は考慮しない）。
TGE指数	高温作業場における指標。 TGE指数＝T×G×E （T＝作業場の平均温度、G＝その場の平均黒球温度、E＝平均エネルギー代謝率）
不快指数	気温と湿度から求められる、人間の不快度を示す指標。学問的に合理性があるとは認められないが、出題頻度は少なくない。

- 至適温度とは、暑からず寒からずな温度感覚。ただし、個人差があります。

- WBGT（湿球黒球温度）指数とは、気温に湿度、ふく射熱を加味した総合的指標で、**高温環境の評価**に用いられます。厚労省では、その活用を強く推奨しています（計算式を257ページのワンポイント知識で紹介）。

第5章 労働衛生（有害業務に係るもの以外のもの）

問題 1 【令和5年後期】

1回目 2回目 3回目

身長175㎝、体重80kg、腹囲88㎝の人のBMIに最も近い値は、次のうちどれか。

(1) 21
(2) 26
(3) 29
(4) 37
(5) 40

問題 2 【令和4年前期】

1回目 2回目 3回目

メタボリックシンドローム診断基準に関する次の文中の［　］内に入れるAからDの語句又は数値の組合せとして、正しいものは(1)～(5)のうちどれか。

「日本人のメタボリックシンドローム診断基準で、腹部肥満（［A］脂肪の蓄積）とされるのは、腹囲が男性では［B］cm以上、女性では［C］cm以上の場合であり、この基準は、男女とも［A］脂肪面積が［D］cm²以上に相当する。」

	A	B	C	D
(1)	内臓	85	90	100
(2)	内臓	85	90	200
(3)	内臓	90	85	100
(4)	皮下	90	85	200
(5)	皮下	100	90	200

問題 3 【平成22年前期】

1回目 2回目 3回目

事務室における必要換気量Q(m^3/h)を算出する式として、正しいものは(1)～(5)のうちどれか。ただし、AからDは次のとおりとする。

A　外気の二酸化炭素濃度
B　室内二酸化炭素基準濃度
C　室内二酸化炭素濃度の測定値
D　在室者全員が呼出する二酸化炭素量(m^3/h)

(1) $Q=\dfrac{D}{B-A}$　(2) $Q=\dfrac{D}{C-A}$　(3) $Q=\dfrac{D}{C-B}$

(4) $Q=D\times\dfrac{B}{A}$　(5) $Q=D\times\dfrac{C}{B}$

A　正解は(2)

身長175㎝と出題されているが、身長の単位はメートルなので「1.75」で計算する。BMI値の算出に腹囲は必要ない。

BMI＝80÷(1.75)^2＝80÷1.75÷1.75＝**26.1224**…

A　正解は(1)

メタボリックシンドロームの一つの原因である腹部肥満とは、**内臓に脂肪がたまり過ぎた状態**をいう。同じ肥満でも、**皮下**に脂肪がたまる**皮下脂肪型**とは区別される。男性は、40～74歳で2人に1人、女性は5人に1人が該当する、という統計もある。

さて、問題の解き方だが、メタボリックシンドロームは**内臓脂肪**の問題であることをおさえると、(1)(2)(3)が残る。あとは**85㎝**と**90㎝**で、これは内臓脂肪面積が**100㎠以上**に相当する。

A　正解は(1)

問題1は、計算が入るので、少し面倒だが、この問題は式を記憶していれば、**正解できる**。しかも、ありがたいことに式もそんなに難しいものではない。

<式の覚え方>　**単語カード**の表の面に、「必要換気量」と書きます。裏の面に、次の式を書きます。

$$必要換気量Q(m^3/h) = \frac{D\ 在室者全員が呼出する二酸化炭素量(m^3/h)}{B\ 室内二酸化炭素基準濃度 - A\ 外気の二酸化炭素濃度}$$

この表の面、裏の面を何回もひっくり返して、覚えきるまでやります。

小さな単語カードをポケットに潜ませておけば、ちょっとした待ち時間に何回でも勉強できます。

得点力をもっとUPする ワンポイント知識

WBGT（湿球黒球温度）は、要マーク

WBGT（湿球黒球温度）は、第2種の公表問題で、1問（5肢）まるまる出題されたことがあります。

式は屋内と屋外で計算の方法が違います。

- **屋外で太陽照射のある場合：**
  WBGT＝0.7×自然湿球温度＋0.2×黒球温度＋0.1×乾球温度
- **屋内の場合または屋外で太陽照射のない場合：**
  WBGT＝0.7×自然湿球温度＋0.3×黒球温度

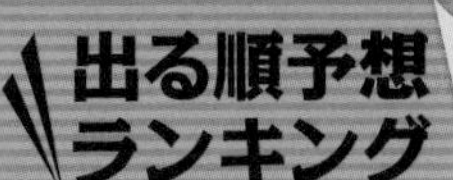

要点はくり返し学習、
試験に備えましょう!

脳および心臓疾患

脳と心臓の疾患は、過労死と結びついて社会問題になっています。今後も出題の可能性は大です。一方、健康測定は、個人単位ではなく、職場単位での健康対策です。

1 どこが出るか、どんな形で出るか

日本人の死亡原因は、1位のがんに続いて、脳および心臓疾患が2〜4位に。条件の悪い労働が続けば、これらの疾患を発症し、過労死が問題になります。事業場の衛生管理も、脳と心臓の疾患には、敏感に対応しなければなりません。

こう書くと、さも難問が出そうに感じるかもしれませんが、意外に1問だけ、簡単な問題が出ます。

「**門脈**(もんみゃく)」という血管のことは、労働生理で勉強したはずです。大きな臓器で、門脈と続いているのは、1つしかありません。そう、**肝臓**でしたね(もう忘れましたか。それはイカンゾウ、なんちゃって)。

それなのに、問題は「虚血性心疾患(きょけつせいしんしっかん)は、門脈による心筋(しんきん)への血液の供給が不足し・・・起こる」と、出るのです。これはすぐ、誤りの肢とわかります(ちなみに、正しくは「**冠動脈(かんどうみゃく)による血液の供給**」が不足して起こります)。脳と心臓疾患については、10回のうち6〜7回も出題されています。

虚血性心疾患の問題では、心筋梗塞と狭心症の違いについてのものも頻出しています。**心筋梗塞**は冠(状)動脈が完全に詰まり**不可逆的虚血症状**にいたるもの。**狭心症**は冠(状)動脈が細くなる(狭窄)などして、心筋が一時的に酸素不足に陥るもの(**可逆的虚血症状**)。この心筋梗塞と狭心症の説明が逆になっていて「誤っているものはどれか」と問うものがよく出題されています。

7割ゲットできるポイント集！

●脳疾患の種類

病状		概要
出血性病変	脳出血	脳実質内で動脈が破れ、脳内に血液が漏れ出る。漏れ出た血液が血腫になってダメージを与え、手足の麻痺やしびれ、言語障害などを起こす。
	くも膜下出血	くも膜下腔の出血。脳を圧迫し、猛烈な頭痛と嘔吐の発作を伴う。脳の表面近くのくも膜下と内側の軟膜の間の動脈が破れるもの。バットで殴られたような激烈な痛みや吐き気・嘔吐を生じる。突然死の原因ともなる。
虚血性病変	脳梗塞	血栓により血流が止まる。身体の一部の不随、しびれ、視力低下、言語障害、めまい等の症状がある。 脳塞栓症…心臓や動脈壁など、脳ではない部位の血栓が剥がれ、血管を通って脳にたどりつき、脳動脈の血流を止める。 脳血栓症…脳動脈の硬化により血栓ができ、脳血管を閉塞して血流を止める。
	高血圧性脳症	急激な血圧上昇により、頭痛、嘔吐、痙攣や意識障害などの症状を呈する症候群。

●心臓疾患の種類

病状	概要
心筋梗塞	心臓血管の一部が完全に詰まり、心臓の動きが悪くなる。激しい胸の痛みや呼吸困難、冷や汗、吐き気などがあり、15分以上続く。不可逆的虚血症状
狭心症	心臓血管の一部の血流が一時的に悪くなる。痛み、圧迫感等は、数分で収まる。
心停止	心臓のポンプ機能が停止する。体内に血液が送れずに、酸素不足になる。
解離性大動脈瘤	大動脈が縦に裂けて起こる。致死率が高い重篤な疾患。

●脳塞栓症と脳血栓症の違い

脳疾患（脳血管障害…一般的に脳卒中と呼ぶことも多い）では、脳塞栓症と脳血栓症の違いについて問う出題がよくあります。

脳塞栓症は脳ではない別の部位で作られた血栓が動脈を詰まらせて起きるもの。脳血栓症は脳の動脈硬化性病変によって血液の通り道が細くなり、その部分の血流がよどんで作られた血栓が血管を詰まらせるもの。この脳塞栓症と脳血栓症の説明が逆になっていて「誤っているものはどれか」と問うものが出題されています。

問題 1 【令和6年前期】

1回目 2回目 3回目

脳血管障害及び虚血性心疾患に関する次の記述のうち、誤っているものはどれか。

(1) 脳血管障害は、脳の血管の病変が原因で生じ、出血性病変、虚血性病変などに分類される。

(2) 出血性の脳血管障害は、脳表面のくも膜下腔(くう)に出血するくも膜下出血、脳実質内に出血する脳出血などに分類される。

(3) くも膜下出血は、通常、脳動脈瘤(りゅう)が破れて数日後に発症し、激しい頭痛を伴う。

(4) 虚血性心疾患は、心筋の一部分に可逆的な虚血が起こる狭心症と、不可逆的な心筋壊(え)死が起こる心筋梗塞とに大別される。

(5) 心筋梗塞では、突然激しい胸痛が起こり、「締め付けられるように痛い」、「胸が苦しい」などの症状が、1時間以上続くこともある。

問題 2 【令和4年前期】

1回目 2回目 3回目

虚血性心疾患に関する次の記述のうち、誤っているものはどれか。

(1) 虚血性心疾患は、門脈による心筋への血液の供給が不足したり途絶えたりすることにより起こる心筋障害である。

(2) 虚血性心疾患発症の危険因子には、高血圧、喫煙、脂質異常症などがある。

(3) 虚血性心疾患は、心筋の一部分に可逆的な虚血が起こる狭心症と、不可逆的な心筋壊(え)死が起こる心筋梗塞とに大別される。

(4) 心筋梗塞では、突然激しい胸痛が起こり、「締め付けられるように痛い」、「胸が苦しい」などの症状が長時間続き、1時間以上になることもある。

(5) 狭心症の痛みの場所は、心筋梗塞とほぼ同じであるが、その発作が続く時間は、通常数分程度で、長くても15分以内におさまることが多い。

A 正解は(3)

(1) ○ 脳血管障害は、脳の**血管の病変**で障害が起きる。出血性病変と虚血性病変（脳梗塞）がある。

(2) ○ 出血性の脳血管障害は、**出血の起きた場所**によって分類される。脳表面のくも膜下腔に出血するくも膜下出血と、脳実質内に出血する脳出血（脳溢血（のういっけつ））がある。

(3) × くも膜下出血は、脳動脈瘤が破れた**直後**に発症する。

(4) ○ 虚血性心疾患には、心筋の一部分に**可逆的**な**虚血**が起こる狭心症と、**不可逆的**な**心筋壊死**が起こる心筋梗塞がある。

(5) ○ 心筋梗塞では突然に強い痛みが**長い時間続き**、安静にしていても短時間では回復しない。

A 正解は(1)

今回も心臓疾患について似たような問題が出題された。ここまで毎回のように出題されると、もう**定番**といってもいいかも。

(1) × 虚血性心疾患は冠動脈による**血液の供給が不足**して起こる。門脈があるのは肝臓で、心臓には門脈はない。

(2) ○ **虚血性心疾患**は生活習慣病の危険因子をもつ人が発症しやすい。この内容が虚血性心疾患についての正しい肢としてよく出題される。

(3) ○ **可逆的**とは**元に戻る**こと（つまり治る＝軽い）、不可逆的とは元に戻らないこと。不可逆的な心筋壊死が起こる**心筋梗塞**は、狭心症より**重い**心疾患だといえる。

(4) ○ **激しい胸の痛みや圧迫感**は、心臓のある左前胸部を中心として発症する。

(5) ○ 狭心症は、**重いものを持ったり**動いたりしたときに発作が起きることが多い。症状が**15分以上続く**場合は心筋梗塞が疑われる場合も。一刻も早く救急車を呼ぶことが望まれる。なお、心筋梗塞の症状は、長時間続くこともある。

要点はくり返し学習、試験に備えましょう!

一次救命処置

人工呼吸等の一次救命処置からの出題です。この項目で重要なのは、「数字」ですのでしっかり覚えましょう。ただし、新型コロナの影響で一部変更があります。

1 どこが出るか、どんな形で出るか

一次救命処置は、衛生管理者にとって、必須の知識です。生命が危険に瀕したとき、ただ茫然としているだけでは、衛生管理者とはいえません。

この一次救命処置では、数字に注目して勉強しましょう。長文の中に、さりげなく埋め込まれていますが、その数字の正誤が、答えに直結するからです。

2 解答のコツ!

「10秒間観察」⇒「1回の吹込みは約1秒」⇒「人工呼吸2回に胸骨圧迫30回」⇒「約5cm圧迫」⇒「1分100回〜120回のペース」。

何が何でも、この数字は覚えてください。それだけで、約8割の確率で、1問ゲットできます。というのは、過去10回では一次救命処置が7回出題され、そのうちの大部分が、これらの数字の正誤を問う肢だからです。

正解肢の見つけ方は、**真っ先に、問題文のなかに、上の数字が正しく表記されているかどうかを確認**すること。設問が、「誤っているものはどれか」であって、数字が間違っていれば、即この肢が正解肢です! 逆も、成り立ちます。

なお、この数字の覚え方ですが、「**1、1、2、3。4を飛ばして5、100回**」と覚えるのも1つの方法。「**10秒間**」=**1**、「**約1秒**」=**1**、「**2回に30回**」=**2、3**、「**約5cm沈む強さで圧迫**」=**5**、「**1分100回(〜120回)**」=**100回**というわけです(回はリズムをとるため。なお、120回は100回に含めて覚えます)。お試しあれ。

ところで、以上は基本なのですが、新型コロナの影響はここにも及んでいます。**口対口の人工呼吸**は感染症がうつる可能性もあって極めて**危険**なので、現在は、これは実施しないことになっています。取り除いて考えてください。

7割ゲットできるポイント集！

一次救命処置の手順

❶まず、何をおいても、意識の有無を確認

●肩を叩いて、声をかけます。

↓ ※反応がない場合、119番通報とAEDの手配を周りに頼む。

❷気道の確保と呼吸の確認

(1)片手を事故者の額にあてて、もう片方の手の人さし指と中指を顎先にあてて、下顎（かがく）を上げます。
(2)気道を確保し、10秒以内に胸などの動きを確認します。
(3)普段通りの呼吸がある場合、回復体位にします。

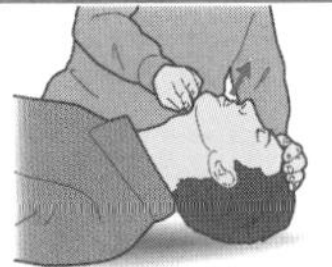

↓ ※呼吸停止または不十分な場合、❸へ。

❸人工呼吸 ← 新型コロナの影響で現在は行っていません

(1)戸外なら平坦な木陰、室内なら窓を開けて空気の通りを良くし、衣服をゆるめます。
(2)気道を確保したまま、口に息を吹き込む。約1秒かけ事故者の胸の盛り上がりが確認できる量の息を2回吹き込み、呼吸音や胸の動きなどを観察します。

↓ ※循環のサインがない場合、心停止とみなし、ただちに胸骨圧迫を実施。判断に迷う場合も同じ。

❹胸骨圧迫（心臓マッサージ）

(1)下の**硬い場所**に仰向けに寝かせます。
(2)救助者は、片手の付け根を事故者の両乳頭を結ぶ線上の**胸の中央部**に置きます。**その手の上に、もう片方の手のひら**を重ねます。
(3)**体重をかけるように**して、胸が約5cm沈む程度に強く圧迫し、すぐにゆるめます。圧迫は、脊柱（せきちゅう）に向かって垂直になるようにします。
(4)圧迫と弛緩を1分間に100～120回程度のリズムで、リズミカルに繰り返します。
(5)胸骨圧迫を30回行ったら、次に人工呼吸を2回行い、これを1サイクルとして、心拍動が再開するまで、あるいは救急隊員が到着するまで繰り返します。

↓ AEDが到着したら、心電図解析を行う。

❺AEDの使用

(1)ショックが必要な場合、AEDの指示に従い、ショックを1回行います。
→ショック後、ただちに❸❹を再開します。
(2)ショックが不要と示された場合でも、ただちに❸❹を実施します。

問題 1 【令和3年前期(第2種)】

1回目 2回目 3回目

一次救命処置に関する次の記述のうち、誤っているものはどれか。

(1) 傷病者に反応がある場合は、回復体位をとらせて安静にして、経過を観察する。

(2) 一次救命処置は、できる限り単独で行うことは避ける。

(3) 口対口人工呼吸は、傷病者の鼻をつまみ、1回の吹き込みに3秒以上かけて傷病者の胸の盛り上がりが見える程度まで吹き込む。

(4) 胸骨圧迫は、胸が約5cm沈む強さで、1分間に100～120回のテンポで行う。

(5) AED（自動体外式除細動器）による心電図の自動解析の結果、「ショックは不要です」などのメッセージが流れた場合には、すぐに胸骨圧迫を再開し心肺蘇(そ)生を続ける。

問題 2 【令和2年後期】

1回目 2回目 3回目

一次救命処置に関する次の記述のうち、正しいものはどれか。

(1) 呼吸を確認して普段どおりの息(正常な呼吸)がない場合や約1分間観察しても判断できない場合は、心肺停止とみなし、心肺蘇(そ)生を開始する。

(2) 心肺蘇生は、胸骨圧迫のみではなく、必ず胸骨圧迫と人工呼吸を組み合わせて行う。

(3) 胸骨圧迫は、胸が約5cm沈む強さで胸骨の下半分を圧迫し、1分間に少なくとも60回のテンポで行う。

(4) 気道が確保されていない状態で人工呼吸を行うと、吹き込んだ息が胃に流入し、胃が膨張して内容物が口の方に逆流し気道閉塞を招くことがある。

(5) 口対口人工呼吸は、傷病者の鼻をつまみ、1回の吹き込みに3秒以上かけて行う。

JRC蘇生ガイドラインについて

衛生管理者試験の一次救命措置は、JRC（日本蘇生協議会）の蘇生ガイドラインに依拠して作成されると思われます。 JRC蘇生ガイドラインは、国際蘇生連絡協議会が作成した心臓救急に関する国際コンセンサスをベースに策定されますが、このガイドラインは5年ごとに更新されます。最新版の2020年版は令和3年3月に公開されました。

A 正解は(3)

(1) ○ 回復体位とは、いわゆる横向き寝だが、頭をやや後ろに反らせて、ひざは軽く曲げ、下側の腕を体の前方に投げ出し上側の腕でつっかえ棒をする形が望ましい。こうして窒息を防ぐ。

(2) ○ 救命措置にあたる協力者は多いほどよい。

(3) × **1回の吹き込みには、約1秒かけて**、胸の盛り上がりが見える程度まで吹き込む。約3秒が誤り。ただし、これも現在は行なわれていない。

(4) ○ 胸骨圧迫は、効果的に圧迫できるように、下が硬い場所に仰向けに寝かせ、**胸が約5㎝沈む強さ**で、**1分間に100～120回のリズム**で、リズミカルに繰り返す。

(5) ○ AEDが電気ショックの判断をし、それを音声で発する。**胸骨圧迫とAEDは併用**される。

A 正解は(4)

一次救命処置の設問は、内容がほとんど**同一**である。それだけに、取りこぼしのないよう、限られた数少ない知識を身につけたい。くどいようだが、この分野は毎回、サービス問題とさえ言っていい。

現実に、この事態が起こったら、大変な緊急事態なので、出題者サイドとしては、これだけは確実に身につけてほしい、という狙いと思われる。

(1) × 1分間ではなく、**10秒**である。

(2) × **必ずしも**セットでなくても**よい**。例えば、救助者が人工呼吸の**訓練を受けていない**場合や、**感染のリスク**があるなどの理由で、救助者が躊躇する場合は、**人工呼吸**を省略し、**胸部圧迫**のみを行うのでもよい。

(3) × テンポは、**1分間に100～120回**程度がいい。胸は、**約5㎝沈む**強さで正しい。

(4) ○ 気道をきちんと確保しないまま吹き込むと、吹き込んだ空気が胃に流入し、胃が膨張して**胃の内容物**が口の方に**逆流**する。このため、口や喉が窒息して**気道閉鎖**を起こす危険があるので、注意が必要である。もっとも、前に記述した通り、現在は人工呼吸は行われていない。

(5) × 一回の吹き込みに掛ける時間は、**約1秒**である。そして、事故者の胸の盛り上がりが確認できる量の息を**2回**吹き込む。

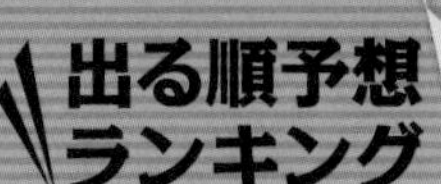

要点はくり返し学習、
試験に備えましょう!

熱傷/骨折

「熱傷」も「骨折」も、その傷害の種類や重傷度、
それらに関係する応急処置について問われます。
得点の稼ぎどころですから、落としてはいけません。

1 どこが出るか、どんな形で出るか(1)

熱傷も、**骨折**も、衛生管理者が心得ておくべき応急手当の1つです。“待ったなし”の状況を、最小限の被害で済ますには、正しい知識が欠かせません。出題頻度は、骨折の方が多いです。

熱傷で多いのは、**水疱ができたときの対処法**。「破って清潔なガーゼや布で軽く覆う」のは、正しいか。答えは×ですが、これは常識でもわかりますね。

水疱ができる程度の熱傷の重症度は何度か？　これもよく出ます。答えは**Ⅱ度**で、中間です。最重症は、**Ⅰ度**でなく**Ⅲ度**であることも覚えてしまいましょう。

その他では、「**熱傷の範囲が広い場合、全体を冷却し続けることは低体温となるおそれがある**」が○の肢として、また「熱傷部位が広くショックに陥ったときは、寝かせて、頭部を高くする」が、×の肢として出題。後者は、心臓に血液を送るために「**足を高くし、頭部を低くする**」のが正しい知識です。

2 どこが出るか、どんな形で出るか(2)

熱傷と骨折が、同じ回にダブって出題されることは、ほとんどありません。ただ、注目すべきことは、特定の知識が○の肢として出題され、これが正解肢になっているのです。

試しに、ちょっと、あなたの知識をチェックしてみましょう。「**複雑骨折とは開放骨折のことをいう**」○ or ×？　答えは、○です。

これだけのことを知っていれば、1問取れたのですからラッキーですね。いや、これからも、この肢の出題は、十分可能性が高いので、ここでぜひ覚え込んでください。

7割ゲットできるポイント集！

- 熱傷とは、熱によって皮膚や皮下組織が損傷されることをいい、局所性熱傷と全身性熱傷に分類されます(参考：かつては火傷(やけど)と呼ばれていた)。
- **局所性熱傷**は、熱傷の範囲と損傷した深さによって重症度が決まり、皮膚損傷が、成人で30%、小児で15%以上になると重症です。

Ⅰ度	皮膚表面の損傷。皮膚に紅斑(こうはん)が出て、ヒリヒリと痛む状態。
Ⅱ度	表皮の下の真皮(しんぴ)層まで熱傷の損傷がおよび、水疱ができる状態。強い痛みと灼熱感を伴う。
Ⅲ度	熱傷が皮膚の深部まで及んだ状態。皮膚がただれて弾力を失い、組織が壊死して剥離(はくり)する。

熱傷の救急処置

❶患部をできるだけ早く水道水で冷やす。このとき、衣服が付着していても、無理にはがさない。
❷十分に冷えたら、消毒ガーゼを当てて包帯をゆるく巻く。水疱があるときは、破らないように注意する。

- 骨折は、傷害の程度によって「完全骨折」と「不完全骨折」、骨折部の皮膚の損傷の有無によって「単純骨折」と「複雑骨折」に分けます。

傷害の程度	完全骨折	骨が完全に折れているもの。
	不完全骨折	骨にひびが入り、骨折端が部分的に接続している状態。
皮膚の損傷の有無	単純骨折	皮膚に損傷が無く、皮膚の下で骨折している状態。皮下骨折、閉鎖骨折ともいう。
	複雑骨折	皮膚、皮下組織等が損傷して、骨端が外に出ている状態。開放骨折ともいう。問題として頻出する。

- 外傷を伴っている場合は、創傷(そうしょう)の治療をしてから、骨折を処置します。できるだけ動かさず、骨折部位のずれが大きくならないよう副子(ふくし)を当てて固定します。

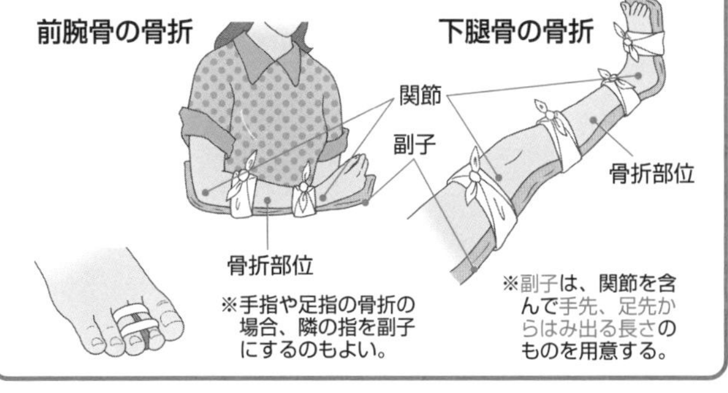

問題 1 【令和元年後期（第2種）】

1回目 2回目 3回目

骨折及びその救急処置に関する次の記述のうち、正しいものはどれか。

(1) 骨にひびが入った状態は、単純骨折である。

(2) 複雑骨折とは、骨が多数の骨片に破砕された状態をいう。

(3) 開放骨折では、感染を防ぐため、骨折部を皮膚の下に戻してから副子で固定する。

(4) 不完全骨折では、変形や骨折端どうしが擦れ合う軋轢（あつれき）音が認められる。

(5) 脊髄損傷が疑われる負傷者を搬送するときには、柔らかいマットの上に乗せるようにする。

問題 2 【平成29年前期】

1回目 2回目 3回目

熱傷の救急処置などに関する次の記述のうち、誤っているものはどれか。

(1) 熱傷は、Ⅰ～Ⅲ度に分類され、水疱（ほう）ができる程度の熱傷は、Ⅱ度に分類される。

(2) 水疱ができたときは、周囲に広がらないように水疱を破って清潔なガーゼや布で軽く覆う。

(3) 熱傷面は、すぐに水をかけて十分冷やすことが応急手当のポイントであるが、熱傷の範囲が広い場合、全体を冷却し続けることは低体温となるおそれがあるので注意が必要である。

(4) 衣類を脱がすときは、熱傷面に付着している衣類は残して、その周囲の部分だけを切りとる。

(5) 45℃程度の熱源への長時間接触による低温熱傷は、一見、軽症にみえても熱傷深度は深く難治性の場合が多い。

A 正解は(1)

(1) ○ 骨にひびが入った状態は**単純骨折**の不完全骨折。

(2) × 複雑骨折とは**皮膚の損傷**がある骨折（外から骨が見える）。

(3) × 突出した骨を**皮下に戻して**はいけない（細菌などが入ることがある）。

(4) × 不完全骨折は、ひびが入っていたり、はくり骨折のことをいう。骨の切端どうしが擦れ合うのは、**完全骨折**の場合。

(5) × 可能な限り動かしてはいけないので、搬送する場合は**硬い板**の上に乗せる。

A 正解は(2)

(1) ○ **Ⅱ度**は、**傷が真皮層の中間まで**のもので、**水疱**ができて**赤く腫れる**程度。なお、**Ⅲ度**は皮膚が乾いて硬くなり、**傷が皮下組織まで達する**程度である。**Ⅰ度**は、**傷が表皮層に限定**したもので、皮膚が赤くなる程度。Ⅰ度が最も軽く、Ⅲ度がいちばん重い。

(2) × **水疱は破らない**ようにし、**きれいなガーゼ**で覆い、医療機関で受診する。とにかく水疱を破るのは厳禁。

(3) ○ 冷却の目的は、鎮痛と腫れの軽減だが、**水道水による冷却**が最もよい。時間は**10分前後**がよいとされるが、**幼少児**や**高齢者**の**広い範囲の熱傷**は、**冷却**しすぎると、**低体温**になるので、注意が必要。

(4) ○ 着衣の上から熱傷をしたときは、無理に**着衣を脱がさず**、そのまま水をかけて冷却する。着衣が皮膚に付着した場合、熱傷面に**付着している部分は残して**、取れる部分だけをはさみで切り取る。

(5) ○ 通常45℃の**低温熱傷**では、**1時間で組織が破壊**される。この場合、一見軽傷に見えても、**熱傷深度は深く**なかなか**治りにくい**。

労働衛生統計

このところ出題がありませんが、過去には「疾病休業日数率」と「病休強度率」の数式を問う問題が目立ちました。この2つの式を覚えれば正解可能性が8割はあります。

1 どこが出るか、どんな形で出るか

約半分が数式の形で出題されますが、何もかも覚える必要はありません。的を絞ることが大切。出題率が高いのは、**疾病（しっぺい）休業日数率**、**病休件数年千人率**です。

この2つを中心に覚えるのが賢明でしょう（勉強する上での最大のタブーは、何もかも覚えてしまおうという完全主義です。公表問題では、ここのところ出題頻度は少なくなっていますが、そろそろ出番かもしれません。

2 勉強のコツ！　解答のコツ！

カード学習が最適です。英語の**単語カード**などを使って、**表面にテーマを書き**、**裏面に式**を記します。まず、表面を見て、裏の式を思い浮かべます。最初は、うまくいきません。ただ、何回もやっているうちに、少しずつ覚えていくものです。

なお、式でない、統計の関連知識から出題されることもあります。出題の可能性は約5割ですが、例えば、**負傷が原因で引き続き発生した疾病は、疾病休業件数には含めないか？**　など。答えは、常識どおり「**含める**」です。また、273ページのワンポイント知識に出てくる**有所見率**、**発生率**も、重要な知識ですので、要マークです。

統計データで使用される語句の説明も出題されます。「計数データと計量データ」、「静態データと動態データ」の違いを理解しておくことが求められます。

7割ゲットできるポイント集！

疾病休業日数率

在籍労働者の延べ所定労働日数100日当たり何日の疾病休業があったかを示す数値。

$$疾病休業日数率 = \frac{疾病休業延日数}{在籍労働者の延所定労働日数} \times 100（日）$$

病休件数年千人率

実労働時間数にかかわらず労働者1,000人当たりの休業疾病発生件数を示す数値。

$$病休件数年千人率 = \frac{疾病休業件数}{在籍労働者数} \times 1{,}000（人）$$

スクリーニング検査

集団の中で特定の疾患を持つ人を発見するために行われる一斉検査。

・偽陽性…検査において陽性でないものを、誤って陽性と判断したもの。
・偽陰性…検査において陰性でないものを、誤って陰性と判断したもの。

$$偽陽性率 = \frac{偽陽性}{偽陽性 + 真陰性}$$

$$偽陰性率 = \frac{偽陰性}{真陽性 + 偽陰性}$$

統計データの違い

- 計数データ…個数や枚数のように数えられるもの。人数、本数など。
- 計量データ…数えることができない連続的なもの。身長、体重、面積など。
- 静態データ…特定の時点におけるデータ（例：2023年4月1日の疾病者数）。
- 動態データ…特定の期間におけるデータ（例：2022年度の疾病発生件数）。

問題 1 【令和6年前期】

1回目 2回目 3回目

1,000人を対象としたある疾病のスクリーニング検査の結果と精密検査結果によるその疾病の有無は下表のとおりであった。このスクリーニング検査の偽陽性率及び偽陰性率の近似値の組合せとして、適切なものは(1)～(5)のうちどれか。

ただし、偽陽性率とは、疾病無しの者を陽性と判定する率をいい、偽陰性率とは、疾病有りの者を陰性と判定する率をいうものとする。

精密検査結果による疾病の有無	スクリーニング検査結果（人）	
	陽性	陰性
疾病有り	20	5
疾病無し	200	775

	偽陽性率(%)	偽陰性率(%)
(1)	20.0	0.5
(2)	20.5	20.0
(3)	22.0	25.0
(4)	25.8	0.5
(5)	28.2	20.0

問題 2 【令和3年後期】

1回目 2回目 3回目

労働衛生管理に用いられる統計に関する次の記述のうち、誤っているものはどれか。

(1) 生体から得られたある指標が正規分布である場合、そのバラツキの程度は、平均値や最頻値によって表される。
(2) 集団を比較する場合、調査の対象とした項目のデータの平均値が等しくても分散が異なっていれば、異なった特徴をもつ集団であると評価される。
(3) 健康管理統計において、ある時点での検査における有所見者の割合を有所見率といい、このようなデータを静態データという。
(4) 健康診断において、対象人数、受診者数などのデータを計数データといい、身長、体重などのデータを計量データという。
(5) ある事象と健康事象との間に、統計上、一方が多いと他方も多いというような相関関係が認められても、それらの間に因果関係がないこともある。

A 正解は(2)

$$偽陽性率 = \frac{200}{200+775} \times 100 = 20.5128\cdots \fallingdotseq \mathbf{20.5\%}$$

$$偽陰性率 = \frac{5}{20+5} \times 100 = \mathbf{20.0\%}$$

A 正解は(1)

労働衛生管理統計について、計算式ではなく一般知識を問う問題が文章問題として出題された。久しぶりである。

(1) × **正規分布のバラツキの程度**は、平均値や最頻値ではなく、**分散**やその**平方根**の標準偏差で表される。

(2) ○ 集団を比較して、平均値が**等しいだけ**では同じ特徴をもつとはいえない。

(3) ○ 記述の通りで正しい。ある時点における状態を表すデータを**静態**データといい、週ごとや月ごとなど時間的な変動をとらえるために作成するデータを**動態**データという。

(4) ○ 数を数えるのが**計数**、長さや重さの分量を量るのが**計量**。

(5) ○ ふたつの事象の**因果関係を判断**するには、相関関係だけでなく、関係の普遍性・**強さ**・特異性・**一致性**や、時間的先行性などの条件が必要となる。

得点力をもっとUPする ワンポイント知識

理解しておきたい基礎用語

- **有所見率**　ある時点における人員総数に占める所見のある人の割合（例：健康診断を受けた労働者のうち何人に肝障害があるかの率）。
- **発生率**　一定期間に有所見者が発生した率（例：昨年10人だった肝障害者が本年度同日に15人になった。5人÷労働者数×100）。
- **正規分布**　平均値の付近に集積するようなデータの分布をいう（富士山のような形）。生体から得られる指標は、この型が多い。

試験前夜に目を通したい必須重要ポイント

確認したら☑しよう!!

□書類上およびキーボード上の照度は、300ルクス以上にする。

□メンタルヘルスケアは、本人重視の姿勢が大切。そこからすべてを考えること。

□50人以上の事業場は、労働者のストレスチェックを行うよう義務づけられた(50人未満は努力義務)。

□心肺蘇生は、10秒間以内で判断し、次に胸骨圧迫30回を行う。胸骨圧迫は、胸が5cm沈む強さで、1分100回～120回のリズムで行う(**高島式1、2、3。4を飛ばして5**(ここで一拍おき)、**100回** の記憶法が有効)。

□AED(自動体外式除細動器)使用でも、人工呼吸、胸骨圧迫を指示される場合がある。

□病休強度率＝$\frac{\text{疾病休業延日数}}{\text{在籍労働者の延実労働時間数}}\times 1{,}000$

□疾病休業日数率＝$\frac{\text{疾病休業延日数}}{\text{在籍労働者の延所定労働日数}}\times 100$

□負傷が原因で引き続き発生した疾病は、疾病休業件数に含める。

□WBGTは、気温、湿度、気流、ふく射熱を総合的に評価する指標で、①屋外で太陽照射がある場合と②屋内または屋外でも太陽照射がない場合の2つの式がある。

□至適温度とは、人が最適と感じる温度だが、個人差や環境による差がある。

□水泡ができる程度の熱傷は、Ⅱ度である(Ⅰ度が軽症、Ⅲ度が重症)。

□熱傷により水疱ができたときは、破ってはならない。ガーゼや布で軽く覆う。

□複雑骨折は、開放骨折ともいう。骨折した骨端が皮膚の外部に出ている状態。

□虚血性心疾患は、冠動脈による心筋への血液供給が不足して起こる。「門脈」による供給不足ではない。「門脈」は肝臓にある血管で、心臓にはない。

□脳塞栓症は、主に心臓など脳の外の血栓が飛んできて、脳血管をふさぐもの(例・長島監督の心臓の不整脈)。「ソク(塞)ソトから」と覚えよう。脳血栓症は、脳の血管自体(ウチ)の病変だが、どちらか一つさえ覚えればもう一方は類推できる。

□健康測定は、質の高い職場生活を行うための総合的施策。その結果で、運動指導、メンタルヘルスケア、栄養指導、保健指導なども行われる。

□感染型食中毒には魚介類が原因の腸炎ビブリオ菌、食肉・鶏卵からのサルモネラ菌があり、毒素型には比較的軽いブドウ球菌、致死率の高いボツリヌス菌がある。

□動脈からの出血でも、まずは間接圧迫法を用い、止血帯法は最後の手段である。

第6章

第1種衛生管理者 模擬試験問題

第1種衛生管理者 模擬試験問題

◘第1種衛生管理者の本番試験を想定した予想問題です。制限時間は、3時間です。
◘解答は、290ページにあります。

関係法令（有害業務に係るもの）

問1 常時800人の労働者を使用する製造業の事業場における衛生管理体制に関する(1)～(5)の記述のうち、法令上、誤っているものはどれか。
ただし、800人中には、製造工程において次の業務に常時従事する者が含まれているが、他に有害業務に従事している者はいないものとし、衛生管理者及び産業医の選任の特例はないものとする。

鉛、クロム及び一酸化炭素の粉じん又は
ガスを発散する場所における業務 ………………………… 30人
深夜業を含む業務 ……………………………………………… 300人

（1）衛生管理者は、3人以上選任しなければならない。
（2）衛生管理者のうち1人については、この事業場に専属ではない労働衛生コンサルタントのうちから選任することができる。
（3）衛生管理者のうち1人を、衛生工学衛生管理者免許を有する者のうちから選任しなければならない。
（4）衛生管理者のうち少なくとも1人を、専任の衛生管理者として選任しなければならない。
（5）産業医は、この事業場に専属の者を選任しなければならない。

問2 特定化学物質障害予防規則による特別管理物質を製造する事業者が事業を廃止しようとするとき、法令に基づき実施した措置等に関する次のAからEまでの記録等について、特別管理物質等関係記録等報告書に添えて、所轄労働基準監督署長に提出することが、法令上、義務付けられているものの組合せは(1)～(5)のうちどれか。

A 特別管理物質を製造する作業場所に設けられた局所排気装置の定期自主検査の記録又はその写し
B 特別管理物質の粉じんを含有する気体を排出する製造設備の排気筒に設けられた除じん装置の定期自主検査の記録又はその写し
C 特別管理物質を製造する作業場において常時作業に従事した労働者の氏名、作業の概要及び当該作業に従事した期間等の記録又はその写し
D 特別管理物質を製造する屋内作業場について行った作業環境測定の記録又はその写し

E　特別管理物質を製造する業務に常時従事する労働者に対し行った特定化学物質健康診断の結果に基づく特定化学物質健康診断個人票又はその写し

（1）A，B，D（2）A，B，E（3）A，C，E（4）B，C，D（5）C，D，E

問3

女性については、労働基準法により下の表の左欄の年齢に応じ、右欄の重量以上の重量物を取り扱う業務に就かせてはならないとされているが、同表に入れるAからCの数値の組合せとして正しいものは(1)～(5)のうちどれか。

	A	B	C
（1）	8	12	8
（2）	10	20	15
（3）	12	25	15
（4）	15	30	20
（5）	20	30	20

年齢	重量(kg)	
	断続作業	継続作業
満16歳未満	12	8
満16歳以上満18歳未満	25	A
満18歳以上	B	C

問4

有害業務を行う作業場について定期に行う作業環境測定と測定頻度との組合せとして、法令上、誤っているものは次のうちどれか。

（1）鉛ライニングの業務を行う屋内作業場における空気中の鉛の濃度の測定……………1年以内ごとに1回

（2）特定粉じん作業を常時行う屋内作業場における空気中の粉じんの濃度の測定……………6月以内ごとに1回

（3）著しい騒音を発する屋内作業場における等価騒音レベルの測定…6月以内ごとに1回

（4）暑熱、寒冷又は多湿の屋内作業場における気温及び湿度の測定…2月以内ごとに1回

（5）放射性物質取扱作業室における空気中の放射性物質の濃度の測定………1月以内ごとに1回

問5

設備または装置に関する次の記述のうち、法令上、定期自主検査の実施義務が規定されていないものはどれか。

（1）屋内の、フライアッシュを袋詰めする箇所に設けたプッシュプル型換気装置

（2）アセトンを用いて洗浄業務を行う屋内の作業場所に設けた局所排気装置

（3）透過写真撮影用ガンマ線照射装置

（4）フェノールを取り扱う特定化学設備

（5）アンモニアを使用する屋内の作業場所に設けたプッシュプル型換気装置

問6

酸素欠乏症等防止規則に関する次の記述のうち、誤っているものはどれか。

（1）し尿を入れたことのあるポンプを修理する場合で、これを分解する作業に労働者を従事させるときは、指揮者を選任し、作業を指揮させなければならない。

（2）汚水を入れたことのあるピットの内部における清掃作業の業務に労働者を就かせるときは、第一種酸素欠乏危険作業に係る特別の教育を行わなければならない。

（3）爆発、酸化等を防止するため、酸素欠乏危険作業を行う場所の換気を行うことができない場合には、空気呼吸器、酸素呼吸器又は送気マスクを備え、労働者に使用させなければならない。

（4）タンクの内部その他通風が不十分な場所において、アルゴン等を使用して行う溶接の作業に労働者を従事させるときは、作業を行う場所の空気中の酸素の濃度を18%以上に保つように換気し、又は労働者に空気呼吸器、酸素呼吸器若しくは送気マスクを使用させなければならない。

（5）第一種酸素欠乏危険作業を行う作業場については、その日の作業を開始する前に、当該作業場における空気中の酸素濃度を測定しなければならない。

問7

有機溶剤中毒予防規則に関する次の記述のうち、誤っているものはどれか。ただし、消費する有機溶剤等が一定量を超えない場合や、臨時又は短時間の有機溶剤業務を行う場合などの同規則に定める適用除外及び設備の特例はない。

（1）有機溶剤含有物とは、有機溶剤と有機溶剤以外の物との混合物で、有機溶剤を当該混合物の重量の10%を超えて含有するものをいう。

（2）第一種有機溶剤等であるトリクロロエチレンを総重量の4%、第二種有機溶剤等であるキシレンを総重量の8%含有し、残りは有機溶剤以外の物から成る混合物は、第二種有機溶剤等に区分される。

（3）有機溶剤等の区分を色分けにより表示するとき、第二種有機溶剤等については、黄色で行わなければならない。

（4）有機溶剤等を入れてあった空容器で有機溶剤の蒸気が発散するおそれのあるものについては、密閉するか、又は屋外の一定の場所に集積する。

（5）有機溶剤等を入れたことのあるタンクで有機溶剤の蒸気が発散するおそれのあるものの内部における業務に労働者を従事させるときは、当該労働者に送気マスクを使用させなければならない。

問8

次の有害業務に従事した者のうち、離職の際に又は離職の後に、法令に基づく健康管理手帳の交付対象とならないものはどれか。

（1）クロム酸を製造する業務に4年以上従事した者

（2）粉じん作業に従事したことがあり、じん肺管理区分が管理二または三の者

（3）ベンジジンを取り扱う業務に3月以上従事した者

（4）石綿が吹き付けられた建築物の解体作業に1年以上従事し、初めて石綿の粉じんにばく露した日から10年以上経過している者

（5）水銀を取り扱う業務に5年以上従事した者

問9

次の業務に労働者を就かせるとき、法令に基づく安全又は衛生のための特別の教育を行わなければならないものに該当しないものはどれか。

（1）ガンマ線照射装置を用いて行う透過写真の撮影の業務

（2）チェーンソーを用いて行う造材の業務

（3）第二種有機溶剤等を取り扱う業務

（4）高圧室内作業に係る業務
（5）石綿等が使用されている建築物の解体等の作業に係る業務

問10 粉じん障害防止規則に基づく措置に関する次の記述のうち、誤っているものはどれか。ただし、同規則に定める適用除外及び特例はないものとする。

（1）屋内の特定粉じん発生源については、その区分に応じて密閉する設備、局所排気装置、プッシュプル型換気装置若しくは湿潤な状態に保つための設備の設置又はこれらと同等以上の措置を講じなければならない。
（2）常時特定粉じん作業を行う屋内作業場については、6か月以内ごとに1回、定期に、空気中の粉じんの濃度の測定を行い、測定結果等を記録して、これを7年間保存しなければならない。
（3）特定粉じん発生源の局所排気装置に、法令に基づき設ける除じん装置は、粉じんの種類がヒュームとヒューム以外の場合に応じて、除じん方式が定められている。
（4）特定粉じん作業以外の粉じん作業を行う屋内作業場については、全体換気装置による換気の実施又はこれと同等以上の措置を講じなければならない。
（5）粉じん作業を行う屋内の作業場所については、特定粉じん作業の場合は毎日1回以上、特定粉じん作業以外の粉じん作業の場合は毎週1回以上、清掃を行わなければならない。

労働衛生（有害業務に係るもの）

問11 空気中の汚染物質の分類とその性状に関する次の記述のうち、誤っているものはどれか。

（1）気体物質のうち、常温、常圧の状態で気体であるものをガスという。
（2）常温、常圧で液体又は固体である物質が、蒸気圧に応じて揮発又は昇華して気体となっているものを蒸気という。
（3）固体に研磨、切削、粉砕等の機械的な作用を加えて発生した固体微粒子で空気中に浮遊しているものを粉じん（ダスト）という。
（4）粉じんがさらに微細な固体の粒子となり、半ば融解した状態で、空気中に浮遊しているものをヒュームという。
（5）液体の微細な粒子で空気中に浮遊しているものをミストという。

問12 厚生労働省の「作業環境測定基準」及び「作業環境評価基準」に基づく作業環境測定及びその結果の評価に関する次の記述のうち、誤っているものはどれか。

（1）管理濃度は、有害物質に関する作業環境の状態を単位作業場所の作業環境測定結果から評価するための指標として設定されたものである。
（2）A測定は、単位作業場所における有害物質の気中濃度の平均的な分布を知るために行う測定である。

（3）B測定は、単位作業場所中の有害物質の発散源に近接する場所で作業が行われる場合、有害物質の気中濃度の最高濃度を知るために行う測定である。
（4）A測定の第二評価値が管理濃度を超えている単位作業場所の管理区分は、B測定の結果に関係なく第三管理区分となる。
（5）B測定の測定値が管理濃度を超えている単位作業場所の管理区分は、A測定の結果に関係なく第三管理区分となる。

問13 作業環境における有害因子による健康障害に関する次の記述のうち、正しいものはどれか。

（1）空気中の酸素濃度が15～16%程度の酸素欠乏症では、一般に頭痛、吐き気などの症状がみられる。
（2）金属熱は、鉄、アルミニウムなどの金属を溶融する作業などに長時間従事した際に、高温により体温調節機能が障害を受けることにより発生する。
（3）潜水業務における減圧症は、浮上による減圧に伴い、血液中に溶け込んでいた酸素が気泡となり、血管を閉塞したり組織を圧迫することにより発生する。
（4）レイノー現象は、振動障害に特有の末梢神経障害で、夏期に発生しやすい。
（5）凍瘡は、皮膚組織の凍結壊死を伴うしもやけのことで、0℃以下の寒冷にばく露することによって発生する。

問14 有機溶剤に関する次の記述のうち、正しいものはどれか。

（1）有機溶剤は、水溶性と脂溶性をともに有し、その蒸気は空気より軽い。
（2）有機溶剤は、揮発性が高いため呼吸器から吸収されやすいが、皮膚から吸収されることはない。
（3）トルエンのばく露の生物学的モニタリングの指標としての尿中代謝物は、馬尿酸である。
（4）メタノールによる健康障害として顕著なものは、網膜細動脈瘤を伴う脳血管障害である。
（5）二硫化炭素による中毒では、メトヘモグロビン形成によるチアノーゼがみられる。

問15 化学物質による健康障害に関する次の記述のうち、正しいものはどれか。

（1）弗（ふっ）化水素による中毒では、ヘモグロビン合成の障害による貧血や溶血などがみられる。
（2）二酸化窒素による慢性中毒では、骨の硬化や斑（はん）状歯などがみられる。
（3）シアン化水素による中毒では、細胞内の酸素の利用の障害による呼吸困難や意識喪失などがみられる。
（4）一酸化炭素による中毒では、脳神経細胞が侵され、幻覚、錯乱等の精神障害などがみられる。
（5）塩素による中毒では、再生不良性貧血や溶血などの造血機能の障害がみられる。

問16 金属などによる健康障害に関する次の記述のうち、誤っているものはどれか。

（1）金属水銀中毒では、感情不安定、幻覚などの精神障害や手指の震えなどの症状・障害がみられる。
（2）鉛中毒では、骨の硬化、斑状歯などの症状・障害がみられる。
（3）マンガン中毒では、筋のこわばり、震え、歩行困難などのパーキンソン病に似た症状・障害がみられる。
（4）カドミウム中毒では、上気道炎、肺炎、腎障害などの症状・障害がみられる。
（5）砒素中毒では、角化症、黒皮症などの皮膚障害、末梢神経障害などがみられる。

問17 電離放射線に関する次の記述のうち、誤っているものはどれか。

（1）電離放射線を放出する元素には、ウラン、ラジウムなど天然に存在するものと、コバルト60、イリジウム192など人工的に作られたものがある。
（2）エックス線は、通常エックス線装置を用いて発生させる人工の電離放射線であるが、放射性物質から放出されるガンマ線と同様に電磁波である。
（3）電離放射線の被ばくによる白内障は、早期障害に分類され、被ばく後1～2月後に現れる。
（4）電離放射線の被ばくによる発がんは、晩発障害に分類され、被ばく後10年以上たってから現れることもある。
（5）電離放射線の被ばくによる発がんと遺伝的影響は確率的影響に分類され、発生する確率が被ばく線量の増加に応じて増加する。

問18 特殊健康診断に関する次の文中の［　　］内に入れるAからCの語句の組合せとして、正しいものは（1）～（5）のうちどれか。

「特殊健康診断における有害物の体内摂取量を把握する検査として、代表的なものが［ A ］的モニタリングである。有機溶剤の場合は生物学的半減期が短いので、有機溶剤等健康診断における［ B ］の量の検査においては、［ C ］の時刻を厳重にチェックする必要がある。」

	A	B	C
（1）	機械的	尿中蛋白	採尿
（2）	生物学	有機溶剤代謝物	採尿
（3）	環境的	血清トリグリセライド	採血
（4）	生物学	尿中蛋白	採尿
（5）	機械的	有機溶剤代謝物	採血

問19 局所排気装置に関する次の記述のうち、正しいものはどれか。

（1）ダクトの形状には円形、角形などがあるが、その断面積を大きくするほど、ダクトの圧力損失が増大する。

（２）フード開口部の周囲にフランジがあると、フランジがないときに比べ、気流の整流作用が増し、大きな排風量が必要となる。
（３）グローブボックス型フードは、発生源からの飛散速度を利用して捕捉するもので、外付け式フードに分類される。
（４）ドラフトチェンバー型フードは、作業面を除き周りが覆われているもので、囲い式フードに分類される。
（５）空気清浄装置を付設する局所排気装置を設置する場合、排風機は、一般にフードに接続した吸引ダクトと空気清浄装置の間に設ける。

問20　呼吸用保護具に関する次の記述のうち、正しいものはどれか。

（１）一酸化炭素用の防毒マスクの吸収缶の色は、赤色である。
（２）トルエン等の有機ガス用の防毒マスクの吸収缶の色は、黄色である。
（３）型式検定合格標章のある防じんマスクでも、ヒュームに対しては無効である。
（４）防じんマスクの手入れの際、ろ過材に付着した粉じんは圧縮空気で吹き飛ばすか、ろ過材を強くたたいて払い落として除去する。
（５）防じんマスクや防毒マスクの使用にあたっては、面体と顔面の間にタオルなどを当てて、密着度を高めるとよい。

関係法令（有害業務に係るもの以外のもの）

問21　衛生管理者が、その職務として行うべき業務として、法令上、誤っているものは次のうちどれか。

（１）安全衛生に関する方針の表明に関する業務のうち、衛生に係る技術的事項を管理すること。
（２）健康診断の実施その他健康の保持増進のための措置に関する業務のうち、衛生に係る技術的事項を管理すること。
（３）労働者の安全又は衛生のための教育の実施に関する業務のうち、衛生に係る技術的事項を管理すること。
（４）労働災害の原因の調査及び再発防止対策に関する業務のうち、衛生に係る技術的事項を管理すること。
（５）少なくとも毎月1回、作業場等を巡視し、労働者の健康障害を防止するため必要な措置を講じること。

問22　衛生委員会に関する次の記述のうち、法令上、正しいものはどれか。

（１）衛生委員会の議長は、衛生管理者である委員のうちから、事業者が指名しなければならない。

（2）衛生委員会の議長を除く全委員は、事業場に労働者の過半数で組織する労働組合がないときは、労働者の過半数を代表する者の推薦に基づき指名しなければならない。
（3）衛生管理者として選任しているが事業場に専属ではない労働衛生コンサルタントを、衛生委員会の委員として指名することはできない。
（4）事業場の規模にかかわらず、事業場に専属でない産業医を、衛生委員会の委員として指名することはできない。
（5）衛生委員会の付議事項には、長時間にわたる労働による労働者の健康障害の防止を図るための対策の樹立に関することが含まれる。

問23 労働安全衛生規則に基づく医師による定期健康診断に関する次の記述のうち、誤っているものはどれか。

（1）定期健康診断の項目のうち自覚症状及び他覚症状の有無の検査については、医師が必要でないと認めるときは、省略することができる。
（2）定期健康診断の項目のうち、聴力の検査は、35歳及び40歳の者並びに45歳以上の者に対しては、1000ヘルツ及び4000ヘルツの音について行わなければならないが、その他の年令の者に対しては、医師が適当と認める方法により行うことができる。
（3）定期健康診断の項目に異常の所見があると診断された労働者については、その結果に基づき、健康を保持するために必要な措置について、健康診断が行われた日から3月以内に、医師の意見を聴かなければならない。
（4）定期健康診断の結果に基づき、健康診断個人票を作成して、5年間保存しなければならない。
（5）常時50人以上の労働者を使用する事業場で定期健康診断を行ったときは、遅滞なく、定期健康診断結果報告書を所轄労働基準監督署長に提出しなければならない。

問24 労働時間の状況等が一定の要件に該当する労働者に対する措置に関する次の文中の［　　］内に入れるAからCの数字または語句の組合せとして、法令上、正しいものは(1)～(5)のうちどれか。

「事業者は、休憩時間を除き1週間当たり40時間を超えて労働させた場合におけるその超えた時間が1［ A ］当たり80時間を超え、かつ、［ B ］が認められる労働者から申出があったときは、医師による［ C ］を行わなければならない。」

	A	B	C
（1）	年	疲労の蓄積	面接指導
（2）	月	疲労の蓄積	面接指導
（3）	週	継続的な深夜労働	特殊健康診断
（4）	月	継続的な深夜労働	特殊健康診断
（5）	週	メンタルヘルスの不調	メンタルヘルスケア

問25 事業場の建物、施設等に関する措置について、労働安全衛生規則の衛生基準に違反していないものは次のうちどれか。

（1）常時80人の労働者を就業させている屋内作業場の気積が、設備の占める容積及び床面から4mを超える高さにある空間を除き、600m³となっている

（2）ねずみ、昆虫等の発生場所、生息場所及び侵入経路並びにねずみ、昆虫等による被害の状況について、1年以内ごとに1回、定期に統一的に調査を実施し、その調査結果に基づき、必要な措置を講じている。
（3）有害業務を行っていない屋内作業場において、直接外気に向かって開放することのできる窓の面積が、常時床面積の1/15であるものに、換気設備を設けていない。
（4）事業場に附属する食堂の炊事従業員について、専用の便所を設けているほか、一般従業員と共用の休憩室を設けている。
（5）常時、男性5人、女性30人の労働者を使用している事業場で、休憩の設備を設けているが、労働者が臥床することのできる休養室または休養所を男女別に設けていない。

問26 労働基準法に定める育児時間に関する次の記述のうち、誤っているものはどれか。

（1）生後満1年を超え、満2年に達しない生児を育てる女性労働者は、育児時間を請求することができる。
（2）育児時間は、必ずしも有給としなくてもよい。
（3）育児時間は、1日2回、1回当たり少なくとも30分の時間を請求することができる。
（4）育児時間を請求しない女性労働者に対しては、育児時間を与えなくてもよい。
（5）育児時間は、育児時間を請求できる女性労働者が請求する時間に与えなければならない。

問27 労働安全衛生法に基づく心理的な負担の程度を把握するための検査（以下「ストレスチェック」という。）及びその結果等に応じて実施される医師による面接指導に関する次の記述のうち、法令上、正しいものはどれか。

（1）すべての事業者は、常時使用する労働者に対し、1年以内ごとに1回、定期に、ストレスチェックを行わなければならない。
（2）事業者は、ストレスチェックの結果が、衛生管理者及びストレスチェックを受けた労働者に通知されるようにしなければならない。
（3）労働者に対するストレスチェックの事項は、「当該労働者の心理的な負担の原因」、「当該労働者の心理的な負担による心身の自覚症状」及び「他の労働者による当該労働者への支援」に関する項目である。
（4）事業者は、ストレスチェックの結果、心理的な負担の程度が高い労働者全員に対し、医師による面接指導を行わなければならない。
（5）事業者は、医師による面接指導の結果に基づき、当該面接指導の結果の記録を作成し、これを3年間保存しなければならない。

労働衛生（有害業務に係るもの以外のもの）

問28 厚生労働省の「情報機器作業における労働衛生管理のためのガイドライン」に基づく措置に関する次の記述のうち、誤っているものはどれか。

（1）情報機器作業については、一連続作業時間が1時間を超えないようにし、次の連続作業までの間に10～15分の作業休止時間を設け、かつ、一連続作業時間内において1～2回程度の小休止を設けるよう指導する。

（2）書類上及びキーボード上における照度は、300ルクス以下になるようにする。

（3）ディスプレイは、おおむね40cm以上の視距離が確保できるようにする。

（4）ディスプレイ画面の上端は、眼の高さと同じかやや下が望ましい。

（5）情報機器作業従事者に対する特殊健康診断の検査項目は、眼疲労を中心とする「自覚症状の有無の検査」及び視力、調節機能等の「眼科学的検査」などである。

問29 一次救命処置に関する次の記述のうち、誤っているものはどれか。

（1）胸骨圧迫を実施する場合には、胸骨圧迫30回を繰り返す。

（2）傷病者に反応がない場合は、気道を確保した後、約1分間呼吸の様子を観察し、普段どおりの正常な呼吸がない場合は、直ちに心肺蘇生の救命処置を実施する。

（3）救命処置を開始する際は、頭部後屈顎先挙上法によって気道の確保を行うのがよい。

（4）胸骨圧迫は、1分間に少なくとも100回のテンポで行うが、胸骨の下半分を少なくとも5cm沈む強さで圧迫する。

（5）AEDの使用を開始した後でも、人工呼吸や胸骨圧迫が必要になる場合もあり、専らAEDに任せきるのは、正しい対処法ではない。

問30 脳血管障害及び虚血性心疾患に関する次の記述のうち、誤っているものはどれか。

（1）脳血管障害は、脳の血管の病変が原因で生じ、出血性病変、虚血性病変などに分類される。

（2）出血性の脳血管障害は、脳表面のくも膜下腔に出血するくも膜下出血、脳実質内に出血する脳出血などに分類される。

（3）虚血性の脳血管障害である脳梗塞は、脳血管自体の動脈硬化性病変による脳血栓症と、心臓や動脈壁の血栓が剥がれて脳血管を閉塞する脳塞栓症に分類される。

（4）虚血性心疾患は、冠動脈による心筋への血液の供給が不足したり途絶えることにより起こる心筋障害である。

（5）虚血性心疾患は、心筋の一部に可逆的虚血が起こる心筋梗塞と、不可逆的な心筋壊死が起こる狭心症とに大別される。

問31 細菌性食中毒に関する次の記述のうち、誤っているものはどれか。

(1) ボツリヌス毒素は主に四肢の麻痺を引き起こし、重篤な場合は呼吸筋を麻痺させ死に至る。
(2) ウェルシュ菌、セレウス菌、カンピロバクターは、いずれも細菌性食中毒の原因菌である。
(3) 食中毒の予防の3原則は付けない(よく洗う、別々に使う、包む)、増やさない(早く調理し食べる。10℃以下の冷蔵·冷凍で保存する)、殺す(75℃以上で加熱する、消毒する)である。
(4) 腸炎ビブリオは、病原性好塩菌ともいわれる。
(5) サルモネラ菌による食中毒は、食品に付着した菌が食品中で増殖した際に生ずる毒素により発症する。

問32 熱傷の救急処置等に関する次の記述のうち、誤っているものはどれか。

(1) 水疱(ほう)ができたときは、周囲に広がらないように破って、清潔なガーゼや布で軽く覆う。
(2) 熱傷の救急措置において、熱傷の範囲が広い場合、全体を冷却し続けることは低体温となるおそれがある。
(3) Ⅰ度~Ⅲ度に分類される熱傷の重症度でいうと、水疱ができる程度の場合は、中等度のⅡ度とされる。
(4) 熱傷部位が広く、ショックに陥ったときは、寝かせて頭部を低くする。
(5) 比較的低い温度の熱源へ長時間接触すると、低温熱傷になる場合があるが、熱傷深度が深く、治りにくいことが多い。

問33 厚生労働省の「労働者の心の健康の保持増進のための指針」に基づくメンタルヘルスケアに関する次の記述のうち、誤っているものはどれか。

(1) メンタルヘルスケアを中長期的視点に立って継続的かつ計画的に行うため策定する「心の健康づくり計画」は、各事業場における労働安全衛生に関する計画の中に位置付ける。
(2) 「心の健康づくり計画」の策定は、衛生委員会又は安全衛生委員会において十分調査審議する。
(3) 事業者がメンタルヘルスケアを積極的に推進する旨を表明することは、「心の健康づくり計画」で定めるべき事項に含まれる。
(4) 「心の健康づくり計画」では、「セルフケア」、「家族によるケア」、「ラインによるケア」及び「事業場外資源によるケア」の四つのケアを効果的に推進する。
(5) 「セルフケア」とは、労働者自身がストレスや心の健康について理解し、自らのストレスを予防、軽減することである。

問34 労働者の健康保持増進のために行う健康測定における運動機能検査の項目とその測定種目との組合せとして、誤っているものは次のうちどれか。

(1) 筋力……………………握力

（2）柔軟性……………………上体起こし
（3）平衡性……………………閉眼（又は開眼）片足立ち
（4）敏しょう性………………全身反応時間
（5）全身持久力………………最大酸素摂取量

労働生理

問35　呼吸に関する次の記述のうち、正しいものはどれか。

（1）呼吸中枢がその興奮性を維持するためには、常に一定量以上の窒素が血液中に含まれていることが必要である。
（2）呼気とは、胸郭内容積が増し内圧が低くなるにつれ、鼻腔や気道を経て肺内へ流れ込む空気のことである。
（3）血液中に二酸化炭素が増加してくると、呼吸中枢が抑制されて呼吸数が減少するため、血液のpHは上昇する。
（4）呼吸中枢は延髄にあり、ここからの刺激によって呼吸に関与する筋肉は支配されている。
（5）呼吸に関与する筋肉は、間脳の視床下部にある呼吸中枢によって支配されている。

問36　心臓の働きと血液の循環に関する次の記述のうち、誤っているものはどれか。

（1）心臓は、自律神経の中枢で発生した刺激が刺激伝導系を介して心筋に伝わることにより、規則正しく収縮と拡張を繰り返す。
（2）体循環とは、左心室から大動脈に入り、静脈血となって右心房に戻ってくる血液の循環をいう。
（3）肺循環とは、右心室から肺動脈を経て肺の毛細血管に入り、肺静脈を通って左心房に戻る血液の循環をいう。
（4）大動脈及び肺静脈を流れる血液は、酸素に富む動脈血である。
（5）心臓自体は、大動脈の起始部より出る冠状動脈によって酸素や栄養素の供給を受けている。

問37　抗体に関する次の文中の［　　］内に入れるAからCの語句の組合せとして、適切なものは（1）～（5）のうちどれか。

「抗体とは、体内に入ってきた［ A ］に対して［ B ］免疫において作られる［ C ］と呼ばれる蛋白質のことで、［ A ］に特異的に結合し、［ A ］の働きを抑える働きがある。」

	A	B	C
（1）	化学物質	体液性	アルブミン
（2）	化学物質	細胞性	免疫グロブリン
（3）	抗原	体液性	アルブミン

（4）抗原　　　　　細胞性　　アルブミン
（5）抗原　　　　　体液性　　免疫グロブリン

問38 感覚又は感覚器に関する次の記述のうち、誤っているものはどれか。

（1）嗅覚と味覚は化学感覚ともいわれ、物質の化学的性質を認知する感覚である。
（2）内耳は、側頭骨内にあって、聴覚及び平衡感覚を司る器官である。
（3）眼球の網膜の錐状体は明暗を感じ、杆状体は色を感じる。
（4）眼球の長軸が長過ぎるために、平行光線が網膜の前方で像を結ぶものを近視眼という。
（5）皮膚の感覚器官のうち、痛覚点の密度は、他の感覚点に比べて大きい。

問39 腎臓又は尿に関する次のAからDまでの記述について、誤っているものの組合せは(1)～(5)のうちどれか。

A 腎臓の皮質にある腎小体では、糸球体から血液中の血球及び糖以外の成分がボウマン嚢（のう）に濾（こ）し出され、原尿が生成される。
B 腎臓の尿細管では、原尿に含まれる大部分の水分及び身体に必要な成分が血液中に再吸収され、残りが尿として生成される。
C 尿は淡黄色の液体で、固有の臭気を有し、通常、弱アルカリ性である。
D 尿の約95%は水分で、約5%が固形物であるが、その成分は全身の健康状態をよく反映するので、尿検査は健康診断などで広く行われている。

（1）A，B
（2）A，C
（3）A，D
（4）B，C
（5）C，D

問40 成人のヒトの肝臓の機能として、誤っているものは次のうちどれか。

（1）血液中の身体に有害な物質を分解する。
（2）脂肪酸の分解及びコレステロールの合成。
（3）脂肪を分解する酵素であるペプシンを分泌する。
（4）余分なアミノ酸を分解して尿素にする。
（5）門脈血に含まれるブドウ糖をグリコーゲンに変えて蓄え、血液中のブドウ糖が不足すると、グリコーゲンをブドウ糖に分解して血液中に送り出す。

問41 ホルモン、その内分泌器官及びそのはたらきの組合せとして、誤っているものは次のうちどれか。

	ホルモン	内分泌器官	はたらき
（1）	コルチゾール	副腎皮質	血糖量の増加
（2）	アルドステロン	副腎皮質	体液中の塩類バランスの調節

（3）パラソルモン　　副腎髄質　　血糖量の増加
（4）インスリン　　膵臓　　血糖量の減少
（5）グルカゴン　　膵臓　　血糖量の増加

問42

神経細胞に関する次の文中の［　］内に入れるAからCの語句の組合せとして、正しいものは(1)～(5)のうちどれか。

「神経系において情報を伝えたり処理する基本単位である神経細胞は［A］ともよばれ、細胞体から通常1本の［B］と複数の［C］が突き出した形をしている。神経細胞内を情報が伝わっていくことを伝導といい、情報は、［C］で受け取られ［B］を伝わって運ばれる。」

	A	B	C
（1）	ニューロン	軸　索	樹状突起
（2）	ニューロン	樹状突起	軸　索
（3）	シナプス	軸　索	樹状突起
（4）	シナプス	樹状突起	軸　索
（5）	ガングリオン	軸　索	樹状突起

問43

筋肉に関する次の記述のうち、誤っているものはどれか。

（1）筋肉は、神経から送られてくる刺激によって収縮するが、神経に比べて疲労しやすい。
（2）筋肉は、収縮しようとする瞬間に最も大きい力を出す。
（3）筋肉中のグリコーゲンは、酸素が十分に供給されると完全に分解され、最後に乳酸になる。
（4）筋肉の収縮様式のうち、筋肉の長さは変わらないが、筋力の発生があるものを等尺性収縮という。
（5）運動することによって筋肉が太くなることを筋肉の活動性肥大という。

問44

睡眠などに関する次の記述のうち、誤っているものはどれか。

（1）夜間に働いた後の昼間に睡眠する場合は、一般に、就寝から入眠までの時間が長くなり、睡眠時間が短縮し、睡眠の質も低下する。
（2）睡眠と食事は深く関係しているため、就寝直前の過食は、肥満のほか不眠を招くことになる。
（3）松果体から分泌されるメラトニンとは、夜間に分泌が上昇するホルモンで、睡眠と覚醒のリズムの調節に関与している。
（4）体内時計の周期は、一般に、約25時間であり、外界の24時間周期に同調して、約1時間のずれが修正される。
（5）基礎代謝量は、生命活動を維持するために必要な最小限のエネルギー量で、睡眠中の測定値で表される。

1回目

第1種衛生管理者 模擬試験問題

解答&解説

関係法令（有害業務に係るもの）

問1 解答（5） 衛生管理体制

（1）○ 81ページの表にあるとおり、**常時501人から1,000人まで**の労働者を使用する事業場では、**3人以上の衛生管理者**を選任しなければならない。

（2）○ **2人以上の衛生管理者**を選任する場合、そのうちの**1人は専属でない労働衛生コンサルタント**を選任できるので、正しい。

（3）○ 衛生管理者のうち1人を、**衛生工学衛生管理者**免許を有する者のうちから選任しなければならないのは、**①常時500人を超える労働者を使用し、②そのうち一定の有害業務に常時30人以上従事させる事業場**である。設問の事業場は、これに該当するので、正しい。

（4）○ 衛生管理者のうち少なくとも1人を、**専任の衛生管理者**として選任しなければならないのは、**①常時1000人を超える労働者を使用**するか、**②常時500人を超える労働者を使用**し、そのうち**一定の有害業務に常時30人以上**従事させる事業場である。設問の事業場は、これに該当するので、正しい。

（5）× 産業医は、専属の者でなくともいいので、法令上誤りである。**産業医が専属である必要**があるのは、**①常時1,000人以上の労働者を使用**する場合か、**②一定の有害業務に常時500人以上使用する事業場**の場合だが、設問の事業場は、全体の労働者も1,000人以下で、有害業務も500人以下なので、専属である必要はない。
なお、この場合、**深夜業が有害業務に該当するかどうか**が問題になるが、**産業医の場合は該当**するので注意のこと。

問2 解答（5） 特定化学物質

テーマになった「**特別管理物質**」とは、人体に対する発がん性が明らかで、**長期間経過後**に、**治癒が困難な疾病**（しっぺい）を引き起こす化学物質として指定されたものである。

これを製造する事業者が**廃業**するときは、長期間経過後に起こる事態に備える**記録等を提出**しなければ、廃業できない。

新傾向の問題だけに、ほかのテキストでも全く触れていないか、最大3行程度書いてあるだけだ。当然、初見の受験者がほとんどだったろうが、こうした問題は、**出題の意図**を考えてみるといい。

すると、廃業の際に添付するわけだから、〝**晩発障害**（ばんぱつ）〟に備えるためだとわかる。その視点で問題を読むと、**C**と**E**は必須だ。

それを含む肢は、(3)と(5)だが、では、(3)のAと(5)のDはどちらがふさわしいかを考えてみる。

Aは、局所排気装置の定期自主検査の記録である。廃業すれば装置は廃棄する訳だから、労働者の健康とはほとんど関係ない。

Dはどうか。作業環境測定の記録だから、労働者がどういう環境のもとで働いていたかがわかり、健康障害と大きく関係する。

したがって、選ぶならこちら、とわかる。なお、石綿関連の業務についても、同様の問題が出されている。

問3　解答(4)　就業制限

(1)、(2)、(3)、(5)は × 。正解の○は(4)。

これは、数字を覚えることが、最良の受験対策である。残念ながら、これ以上の対策はないが、数字の覚え方に工夫をこらすようにしよう。この問題の元になった表は、満16歳以上の場合、上下5kgの違いになっていることに注目して覚えると、覚えやすい。また、重量は下にいくほど大きくなる。(なお、16歳未満からの出題は考えられない)

問4　解答(4)　作業環境測定

(1)　○ 空気中の鉛(なまり)の濃度の測定は、1年以内ごとに1回行わなければならない。

(2)　○ 空気中の粉(ふん)じんの濃度の測定は、6か月以内ごとに1回である。

(3)　○ 等価騒音レベルの測定は、6か月以内ごとに1回行わなければならない。

(4)　× 気温および湿度の測定は、半月以内ごとに1回行わなければならない。

(5)　○ 放射性物質の濃度の測定は、1か月以内ごとに1回である。

測定頻度で標準的なものは、6ヵ月以内である。そこで、標準以外のもの(鉛業務の1年、放射性物質の1ヵ月、気温・湿度の半月、酸素欠乏のその日など)の方を覚えるようにするのが、記憶のコツだ。

問5　解答(5)　定期自主検査

プッシュプル型換気装置と局所排気装置の設置義務がある対象物質は、有機溶剤(第1種および第2種。第3種はタンク内部に限られる)と特定化学物質(第1類および第2類。第3類は含まれない)。アンモニアは第3類なので、装置の設置が義務付けられていないため、定期自主検査の実施義務もない。

問6　解答(2)　酸素欠乏症等防止規則

(1) ○ 記述の通り。指揮者とは、一般に作業主任者と解される。

(2) × 汚水を入れたことのあるピットの内部は、第2種酸素欠乏危険場所であるから、特別の教育も、第2種に係るものでなければならない。第1種とあるのが誤り。

(3) ○ 記述の通り。また、これらの保護具は、作業開始前に点検する必要があることも、あわせて記憶しよう。

(4) ○ 「タンクの内部その他通風が不十分な場所」は、第2種かどうかが問題になる。やや迷うだろうが、(2)が誤りということのほうが正解しやすいので、ここは正しいと判断しよう。

(5) ○ これは当然であるので、正しい。第1種であっても、この業務は当然課せられる。

問7 解答(1) 有機溶剤中毒予防規則

(1) × 有機溶剤含有物とは、有機溶剤と有機溶剤以外のものを混合したもので、有機溶剤をその混合物の重量の10%ではなく5%を超えて含有するものをいう(ホラ、出ましたね。正解は、簡単にわかります)。

(2) ○ 安衛法(あんえいほう)規則では、有機溶剤を第1種有機溶剤等から第3種有機溶剤等まで3つに分類しているが、該当する単一物質が重量の5%を超えていれば、他の種類との混合物であっても第1種や第2種に区分される。

(3) ○ 第1種～第3種の種別は、色分けするか、その他の方法で一目でわかるように表示しなければならない。色分けする場合、第1種は赤色、第2種は黄色、第3種は青色で表示するように決められている(色分け以外の方法もある。見落としがちなので注意)。

(4) ○ 密閉(みっぺい)装置か、換気のための局所排気装置を設置しなければならない。

(5) ○ 記述の通り。その他一定の場合には、送気用マスクの他に、有機ガス用防毒マスクを使用する場合もある。

ともあれ、正解はすぐわかるので、私たち「合格が第一」と考えるものには、ありがたい問題である。

問8 解答(5) 健康管理手帳

水銀というと、水俣病の原因物質として社会問題化した有害物質。金属水銀中毒、有機水銀中毒、無機水銀中毒などが、神経系ほかの損傷をもたらす。現在日本では、生産されておらず、廃棄物等からの回収のみとなっている。ただ、体温計、蛍光灯等の発光体、電池等で使用されている。

この有害物、健康管理手帳の設問では、しばしば交付対象にならない業務として、出題されている。

(1)、(2)、(3)、(4)の対象となる業務には、一通り目を通しておこう。特に(2)については、管理区分1と4は、対象外であることに注意(理由を、自分で考えてみよう)。

問9 解答（3） 特別教育

この問題での頻出業務は、118ページに赤字で示した6業務である。かりに該当しないものを選ばせる問題であっても、6業務をしっかり覚えていれば、6業務は除外し、残ったものが「該当しない」業務になる。

もっとも、今後出題の方針が変わり、6業務以外から出されるとすれば、119ページに追加で紹介した業務あたりが臭い。事実、この問題では（4）の「高圧室内作業に係る業務」が出題された。

時間に余裕のある方、完璧を望む方は、ここまで手を延ばしてもいいが、コストパフォーマンス面からいえば、疑問がつくと思う。

問10 解答（5） 粉じんによる健康被害

これはなかなかの難問である。この問題で正解を得られなくても、悲観する必要はないだろう。

（1）○ 特定粉じん発生源には、密閉する設備、局所排気装置、プッシュプル型換気装置を設置するか、湿潤な状態に保つための設備を設置する。

（2）○ 6か月以内ごとに1回、定期に、粉じんの濃度を測定する。結果の記録は7年間保存しなければならない。

（3）○ ヒュームのときは、ろ過除じん方式または電気除じん方式、ヒューム以外なら、除じん力がやや劣るサイクロン方式やスクラバ方式でもよい。

（4）○ 粉じんの健康障害が比較的少ない作業場なので、全体換気装置でもよい。

（5）× 特定粉じん作業以外の粉じん作業でも同様で、両者の差はない。毎日1回以上、定期に、真空掃除機を用いる等の清掃を行う。

労働衛生（有害業務に係るもの）

問11 解答（4） 有害物質の空気中の状態

「汚染物質の分類とその性情」に関する復習をする意味で取りあげてみた。

（1）○ 常温、常圧の状態で気体であるものを、ガスという。

（2）○ 蒸気圧に応じて揮発または昇華して気体となっているものを、蒸気という。

（3）○ これを、粉じん（ダスト）という。

（4）× 金属の蒸気が、固体の微粒子となり、空気中に浮遊しているものをヒュームという。粉じんは粉じんで、ヒュームにはならない。

（5）○ これをミストという。

問12 解答（5） 作業環境測定・結果の評価

（1）○ 管理濃度は、作業環境の状態を評価するための指標として、行政が設置した基準であり、これ以上有害物質の濃度を高くしてほしくない、というラインである。なお、個々の労働者についてのばく露限界は、許容濃度というが、この2つを取り違えさせるような出題があるので、間違わないこと。
（2）○ A測定は、平均的な分布を知るために行う測定である（A測定＝平均濃度）。
（3）○ B測定は、発散源に近接する場所で作業が行われる場合、有害物質の気中濃度の最高濃度を知るために行う測定である（B測定＝最高濃度）。
（4）○ A測定（平均）の第2評価値（平均）が管理濃度を超えている単位作業場所の管理区分は、B測定の結果にかかわらず第3管理区分（ダメ評価）となる。
（5）× B測定の測定値が、管理濃度を単に超えているだけでは、第3管理区分とはならない。1.5倍を超えると"ダメ評価"になる。

問13 解答（1） 有害因子による健康障害

（1）○ 空気中の酸素濃度が18%未満の状態を酸素欠乏といい、16%以下になると頭痛や吐き気などの症状が現れる。なお、10%以下では意識消失や誤嚥による窒息が生じ、6%以下になると死亡することが多い。
（2）× 金属熱とは、アーク溶接や鉄、アルミニウムなどの金属を溶融する作業で発生したヒュームを吸入して生じる健康障害で、悪寒、発熱、関節痛などの症状を引き起こす。
（3）× 減圧症は、浮上による減圧に伴い、血液中に溶け込んでいた窒素が気泡となり、血管を閉塞したり組織を圧迫することで起こる。問題文の酸素が誤り。予防対策は、減圧をゆっくり均一に行うこと。
（4）× 前段は正しいが、夏期より冬期に発生しやすい。機械的な振動に寒冷が加わると、血管が強く収縮し、健康障害を起こす。したがって保温などが大切である。
（5）× 凍瘡とは、いわゆるしもやけのことで、0℃以上の寒冷と湿気により日常生活内でも発生する。0℃以下の寒冷ではない。0℃以下の場合は、凍傷が問題。0℃以上と以下に注意しよう。

問14 解答（3） 有機溶剤による健康障害

（1）× 何よりも、その蒸気は「空気より軽い」というのが、明らかな誤り。正しくは「空気より重い」。水溶性と脂溶性については、共に有する物質もあるが、すべてではない（たとえばアセトン）。
（2）× 皮膚から吸収されるものも多い。
（3）○ トルエンの場合、尿中代謝物として馬尿酸の濃度を測量する。ついでに言えば、キシレンはメチル馬尿酸でありメチルが付くことに注意。
（4）× 視神経障害が顕著である。場合により、失明も少なくない。
（5）× 二硫化炭素による障害は、精神障害、動脈硬化、微細動脈瘤である。

問15　解答（3）　化学物質による健康障害

（1）× 弗化水素による慢性中毒で、肺水腫、気管支炎、腎障害がみられる。
（2）× 二酸化窒素による慢性中毒では、呼吸器が侵される。
（3）○ シアン化水素による中毒では、呼吸困難や意識喪失などがみられる。
（4）× 一酸化炭素による中毒は、酸欠状態、頭痛から虚脱や意識混濁がみられる。
（5）× 塩素による中毒では、呼吸器が侵される。

問16　解答（2）　金属による健康障害

（1）○ 金属水銀は、常温で液体である唯一の金属。蒸発しやすく中毒を起こしやすい。脳に作用して、手指のふるえや幻覚などの精神障害などの症状がみられる。
（2）× 鉛中毒は、貧血、末梢神経障害、腹部の疝痛、腎障害などがみられる。骨の硬化、斑状歯などは、**弗化水素**による中毒で起こる。なお、鉛中毒は、急性はめったに起こらず、長期にわたって粉じんやヒューム（気体が化学変化した固体の微粒子）を吸入することで発症する。
（3）○ マンガンは、慢性中毒にかかると脳が侵され、精神症状、筋のこわばり、ふるえ、歩行困難、発語障害など、パーキンソン病に似た症状がみられるようになる。
（4）○ カドミウムは、肝臓や腎臓に蓄積され、急性中毒では肺炎や上気道炎がみられ、慢性中毒では腎障害、肺気腫、歯の黄色環などの症状が出る。
（5）○ 砒素による急性中毒では、消化器症状、不整脈、呼吸障害、意識障害などがみられ、慢性中毒では、色素沈着症、黒皮症、角化症、溶血性貧血、末梢神経障害、皮膚がん、肺がんなどの健康障害が生じる。

問17　解答（3）　電離放射線による健康被害

（1）○ 記述のとおり。発生源は、放射線装置、原子炉、放射性同位元素などである。
（2）○ 電離放射線には、電磁波と粒子線があり、電磁波の代表的なものはガンマ線、エックス線。粒子線の代表的なものとして、電子線、陽子線、中性子線などがある。
（3）× 被ばくによる白内障は、潜伏期が長く、晩発障害に分類される。一方、ある一定のばく露以上で症状が発現する早期障害には、皮膚障害、造血器障害、消化管障害、中枢神経系障害などがある。
（4）○ 晩発的な健康障害には、発がん、白内障、寿命短縮、胎児障害などがあるほか、染色体などを障害するため、遺伝的影響も及ぼす。
（5）○ ばく露量が多いほど健康障害を起こしやすい。ただし、ばく露量が少なくても起こらないとは限らない。

問18 解答（2） 特殊健康診断

文章を正しくつづれば以下のようになる。

「特殊健康診断における有害物の体内摂取量を把握する検査として、代表的なものが[生物学]的モニタリングである。有機溶剤の場合は生物学的半減期が短いので、有機溶剤等健康診断における[有機溶剤代謝物]の量の検査においては、[採尿]の時刻を厳重にチェックする必要がある。」これを何回も読んで覚えよう。

問19 解答（4） 局所排気装置

（1）× ダクトは、その**断面積を小さくする**ほど**圧力損失が増大**する。圧力損失は、**ダクトの長さが長い**ほど、また**ベンド（曲がり）が多い**ほど**大きく**なり、角形のダクトは、円形のダクトより圧力損失が大きくなる。

（2）× **フランジ**とは、**フード開口部の周囲にとりつけたつば**のこと。フランジを付けることにより、フランジがないときに比べて、少ない排風量で効果を上げることができる。

（3）× **グローブボックス型フード**は、**囲い式フード**に分類され、両手が差し込める孔のついた囲いで発生源を囲む。**最も大きなフード効果**が得られ、アイソトープや毒性ガスなどを取り扱う場合に使用する。

（4）○ **ドラフトチェンバー型フード**は、**囲い式フード**に分類され、作業口を除いて周りが覆われているもの。袋詰め、分析、調合、研磨（けんま）などの作業に使用する。

（5）× 局所排気装置の基本的な構造は、**発生源→フード→ダクト→空気清浄装置→排風機（はいふうき）（ファン）→排気ダクト→排気口**である。空気清浄装置を付設する場合、排風機は**清浄後の空気**が通る位置に設置する。

問20 解答（1） 呼吸用保護具

（1）○ 防毒マスクの吸収缶の色は、**一酸化炭素用は赤色**、**有機ガス用は黒色**と定められている（この2つが重要！）。

ほかに、**硫化水素（りゅうかすいそ）用は黄色**、**シアン化水素（青酸）用は青**、**アンモニア用は緑**、**臭化メチル用は茶色**に決められている。

（2）× 有機ガス用は、前述のように黒色である。

（3）× 防じんマスクは、粉じん、**ミスト（液体）**、**ヒューム（固体）**などの**粒子状物質**を、**ろ過材によって除去**するので、問題文の「無効」は誤り。ただし、防じんマスクは、**気体状物質**の有害ガスに対しては**効果がなく**、このことが出題される場合もあるので、一緒に記憶しよう。

（4）× 防じんマスクの使用済みのろ過材や、使い捨て式防じんマスクは、付着した粉じん等が**再飛散（ひさん）しないよう**、**容器**または**袋に詰めた状態**で**破棄**する。

（5）× 防毒マスクは、顔面と面体との密着性を保つため、しめ紐（ひも）は耳にかけず、**後頭部で固定する**のが、正しい装着方法である。面体と顔面の間にタオルを当てれば、密着度はかえって薄れる。

問21 解答（5） 衛生管理者

少し“受験ずれ”した解説になるが、お許しください。衛生管理者は、1週間に1回は、定期に作業場等を巡視しなければならない。それなのに、1か月に1回というのでは、とても許されない。したがって、誤りの肢は(5)。ほとんどの人が選べたのではなかろうか。

ただ、これは、出題者側から、受験者へのサービス問題ともいえる。なぜなら、“意地の悪い資格試験”では、この(5)に正解はもってこない。その理由だが、(1)～(4)の問題をよくみてほしい。どの肢も、微妙な違いはあるが、文末は、「に係る技術的事項を管理すること」で統一されている。

宅建など、多くの試験は、こうした紛らわしい肢から正解を選ばせるのが普通。それは、1つだけ様相の違った肢に正解をもってくると、一際目立って、正解しやすくなるからだ。それでは、知識の差が計れない、というわけ。

その点、衛生管理者試験は、受験者に対してやさしい試験といえるだろう。

問22 解答（5） 衛生委員会

（1）× 衛生委員会の議長は、総括安全衛生管理者または事業の実施を統括管理する者もしくはこれに準じた者のうちから事業者が指名する。衛生管理者である必要はない。

（2）× この規定は、衛生委員会の議長を除く委員の半数についてのもので、全委員についてのものではない。

（3）× 衛生委員会の委員については、労働衛生コンサルタントについての規定はないため、指名ができる。

（4）× 産業医は、事業者の指名があれば衛生委員会の委員となれる。事業場に専属であるかないかは、問わない。

（5）○ 衛生委員会の付議事項は、①労働者の健康障害を防止するための基本となるべき対策、②労働者の健康の保持増進を図るための基本となるべき対策ほかがあるが、当然、長時間にわたる労働による労働者の健康障害の防止を図るための対策の樹立に関することも含まれる（ちなみに、いわゆるブラック企業の衛生委員会は、本当に開かれていたのだろうか？　試験とは関係ないが、気になるところだ）。

問23 解答（1） 健康診断

（1）× 定期健康診断の項目のうち、自覚症状、および他覚症状の有無の検査については省略することができないので、この肢は誤り。常識で考えても「どこがおかしいのですか」と、自覚症状を尋ねない医師がいたら、それだけで医師失格だ。

（2）○ その他の年齢の者に対しては、医師が適当と認める方法により行うことができるので、この肢は正しい。

（3）○ 事業者は、健康診断が行われた日から3か月以内に、医師の意見を聴かなければならないので、この肢は正しい。ただ、聴くのは、事業者であることに注意。衛生管理者などではない。

（4）○ **健康診断個人票**を作成して、**5年間**保存しなければならないので、この肢は正しい。「**健診個人票は5年**」と口に出して50回ほど唱えれば、まず間違わなくなる。

（5）○ **遅滞なく**、**定期健康診断結果報告書**を**所轄労働基準監督署長に提出**しなければならないので、この肢は正しい。50人未満は提出の要なし。

問24 解答（2） 医師による面接指導

以下が正しい文である。

「事業者は、休憩時間を除き1週間当たり40時間を超えて労働させた場合におけるその超えた時間が1 月 当たり80時間を超え、かつ、 疲労の蓄積 が認められる労働者から申出があったときは、医師による 面接指導 を行わなければならない。」

キーワードは、**月**、**疲労の蓄積**、**面接指導**の他に、**40時間**、**80時間**、**申出**も重要。なので、この文を口に出して数回読んでみること。それと、**規定が制定された理由**を、よく理解すること。

問25 解答（3） 事務所衛生基準

（1）× 労働者1人につき**10m^{3}以上**でなければならないが、600÷80ではこれに達しない。

（2）× **ねずみ**、**昆虫等の防除**は、**6か月以内**ごとに1回、定期に、統一的に行わなければならない。

（3）○ 窓などの開口部など、直接外気に向かって開放することができる部分の面積は、常時、**床面積の20分の1以上**になるようにしなければならない。20分の1未満の場合は、換気設備を取り付けなければならない。15分の1であれば問題ない。**15分の1は20分の1より大**である。

（4）× **炊事従業員**については、**専用の休憩室**および**便所**を設けなければならない。

（5）× 常時使用労働者数が**50人以上**か**女性のみ**の常時使用労働者数が**30人以上**のときは、休養室または休養所を**男女別**に区別して設けなければならない。

問26 解答（1） 育児時間

女性や妊産婦のことが話題になることが多いこの頃、育児時間の問題も、しばしば出題される。この規定は、労働基準法の**本則で決められている義務**なのに、意外と知られていない。中には、採否も含め、使用者が勝手に決めていいと誤解している場合さえある。

ここで、女性労働者が請求すれば、必ず与えなければならない**使用者の義務**であることをしっかり確認しておこう。

対象は、**満1年に達しない生児**である。**（1）**は、これを「生後満1年を超え、満2年に達しない生児」としている点が誤りである。

（2）また、この時間分の賃金は、有給でなくてもよい。

（3）育児時間は、1日2回、1回当たり少なくとも30分の時間を請求できる。

(4)ただし、女性労働者が請求しない場合は、使用者は与えなくてもよく、法律違反にはならない。
(5)は、記述の通りである。請求する時間が始業時や終業時に連続する場合でも認められる。

問27　解答(3)　ストレスチェック

(1) × 引っかかるとすれば、「すべての事業者」という点である。なぜか。ここから外れる事業者はいなかったか、考えてみる。すると、これを行うことが、かなり負担になる事業者がいることに気づく。そう、中小の、しかも零細な企業である。したがって、50人未満の事業場では、当分の間は、努力義務とされている。
(2) × メンタルな状態は、微妙である。事業者には知られたくない、という労働者も多い。ましてや衛生管理者においておやである。通知は、本人に通知するのが基本である。
(3) ○ このように、法令上定められている。これを覚えている受験者は、少ないだろうが、他の4肢が明らかに間違いなので、消去法でこの肢を選べるのではなかろうか。
(4) × メンタルな面は、微妙である。本人が望んでもいないのに、面接指導を受けさせるのは、事業者の横暴となる。全員でなく、本人から申し出があった場合には、行わせることが義務となる。
(5) × 3年間は、間違い。5年間保存しなければならない。

労働衛生（有害業務に係るもの以外のもの）

問28　解答(2)　情報機器作業ガイドライン

(1) ○ 情報機器作業については、一連続作業時間が1時間を超えないようにし、次の連続作業までの間に10～15分程度の作業休止時間を設けるようにする。
(2) × 書類上およびキーボード上における照度は、300ルクス以上になるようにする。またまた、出てきましたね。しかも、今度は正解肢！　この知識で1問ゲットとは、何ともありがたい。
(3) ○ ディスプレイは、おおむね40㎝以上の視距離が確保できるようにする。
(4) ○ ディスプレイ画面の上端は、眼の高さと同じか、やや下になるようにする。
(5) ○ 情報機器作業従事者に対する特殊健康診断の検査項目には、眼疲労中心の「自覚症状の有無の検査」、視力、調節機能等の「眼科学的検査」、上肢の運動機能等の「筋骨格系に関する検査」があり、2項目だけではない。この肢は、細かい設問だが、すべてを覚えていなくてもよい。(2)の実に簡単な知識で、すでに正解はわかっているのだから。

問29　解答(2)　一次救命処置

(1) ○ 人工呼吸を行う間隔は、胸骨(きょうこつ)圧迫30回毎に2回が目安である。
(2) × 正常な呼吸をしているかが判別不能であったり、正常状態を10秒以内に確認できなければ呼吸なしの扱いとして、直ちに心肺蘇生の救命処置を実施する。1分では遅い！

(3) ○ 仰向けに寝かせた状態で片方の手で額を押さえ、もう片方の人差し指と中指で顎を上に持ち上げて行う（頭部後屈顎先挙上法）。なお、口の中に異物があれば、除去する。

(4) ○ 胸の真ん中に手の付け根を置き両手を重ねて、肘を真っ直ぐ伸ばし、少なくとも100回/分以上の速さで、継続出来る範囲で強く（少なくとも5cm）圧迫を繰り返す。

(5) ○ AEDに任せきりにするのは、誤った対処法。正しい対処法とはいえない。

問30 解答（5） 脳血管障害・虚血性心疾患

(1) ○ 脳血管障害のうち、出血性病変は、血管が破れて出血するもの、虚血性病変は血管が詰まって血液が流れなくなるもの、である。今回は、正しく記述されているが、説明を逆にして、誤った肢として出題されることも多いので、注意したい。

(2) ○ 出血性の脳血管障害は、くも膜下出血と脳実質内出血に分かれるが、いずれも説明の通りである。

(3) ○ 虚血性の脳血管障害は、脳血栓症と脳塞栓症に分かれる。内容は、問題文の記述の通りである。

(4) ○ 虚血性心疾患の原因と症状についての説明である。原因＝冠動脈による心筋への血液の供給が不足したり、途絶える。症状＝心筋障害。

(5) × まず、「可逆的」と「不可逆的」という言葉の意味を知っておこう。可逆的とは、「元に戻ることが可能⇒治る」という意味、不可逆的とは、「元に戻ることが不可能、（その部分は）治らない」という意味である。狭心症は可逆的で、心筋梗塞は不可逆的であるが、問題文ではその説明が逆になっている。

問31 解答（5） 食中毒

(1) ○ ボツリヌス菌は、神経症状を呈し、致死率が高い神経毒である。

(2) ○ ウェルシュ菌、セレウス菌、カンピロバクターは、いずれも細菌性食中毒の原因菌である。

(3) ○ 食中毒の予防の3原則は、付けない（よく洗う、別々に使う、包む）、増やさない（早く調理し食べる。10℃以下の冷蔵・冷凍で保存する）、殺す（75℃以上に加熱する、消毒する）である。

(4) ○ 腸炎（ちょうえん）ビブリオは、病原性好塩（こうえん）菌ともいわれ、海水等を好む。

(5) × サルモネラ菌や腸炎ビブリオは、食物に付着した細菌そのものの感染により発症する感染型である。食品に付着した菌が、食品中で増殖した際に生ずる毒素により発症する毒素型は、ブドウ球菌やボツリヌス菌の特徴である。

問32 解答（1） 熱傷

（1）× 破ってはならない。水疱は、水疱内の液体が治癒を促進する可能性があるため、破ってはならない、というのが初歩の知識である。
（2）○ 広い範囲の熱傷（ねっしょう）は、全身の冷却を続けると体温が低下するので、数回水をかけた後は、清潔なシーツ、タオルなどで全身を覆い、保温する。
（3）○ Ⅱ度は、障害が真皮に及び、水疱を形成する。Ⅰ度は表皮レベル、Ⅲ度は皮下脂肪まで達する。
（4）○ 熱傷では、足を高くし、心臓への血液を増やす体位をとる。頭部は低くする。
（5）○ 低温熱傷は極端に熱源の接触時間が長いため、仮に発赤や水疱形成だけに見えても、深部に深い損傷を負っていることが多く、治りにくいことが多い。

問33 解答（4） メンタルヘルスケア

（1）○「心の健康づくり計画」は、中長期的視野に立って、継続的かつ計画的に行われるもので、各事業場での労働安全衛生に関する計画のなかに位置付けられている。
（2）○ 衛生委員会等で、十分調査審議を行うよう、「指針4」に定められている。
（3）○ これも、「心の健康づくり計画」に盛り込むよう、指針で定められている。
（4）× 一見すると、正しい肢に思えるかもしれないが、大切なケアが抜けている。それは「事業場内産業保健スタッフ等によるケア」である。「事業場内産業保健スタッフ等」とは、産業医、衛生管理者等、保健師等、心の健康づくり専門スタッフ、人事労務管理スタッフ、事業場内メンタルヘルス推進担当者である。
なお、「家族によるケア」は、とくに定められていない。
（5）○ まず、自分自身の努力も大切な要素である。

問34 解答（2） 健康保持増進対策（健康測定における運動機能検査）

健康測定において実施される運動機能検査の項目とその測定種目の組み合わせの問題。実際に行っている企業・団体は少ないと思われるが、なぜか衛生管理者試験の公表問題ではよく掲載されている。

（1）○ 筋力は握力で測定する。
（2）× 柔軟性は上体起こしではなく、座位体前屈で測定する。上体起こしは筋持久力の測定種目。
（3）○ 平衡性は閉眼片足立ちで測定する。
（4）○ 敏しょう性は全身反応時間で測定する。
（5）○ 全身持久力は（間接法による）最大酸素摂取量で測定する。

問35 解答（4） 呼吸

（1）× 常に一定量以上の**二酸化炭素**が血液中に含まれていることが必要である。窒素ではない。
（2）× 鼻腔(びくう)や気道を経て肺内へ流れ込む空気は、呼気ではなく**吸気**である。
（3）× 血液中の**二酸化炭素が増加すると**、**呼吸中枢は活性化**される。呼吸数は増え、血液のpHは低下する。
（4）○ 呼吸の調節は、中枢神経系で行われ、**延髄の呼吸中枢**が重要な働きをする（**エンコ**と覚えるとよい）。
（5）× **間脳(かんのう)の視床下部(ししょうかぶ)**にあるのは、**体温調節中枢(ちゅうすう)**で、呼吸中枢は延髄(えんずい)にある。

問36 解答（1） 心臓と血液循環

難問かもしれない。ただ、これまでの過去問の勉強で(2)～(4)が正しいことはほぼわかるので、**消去法**で正解にたどりつけるのではなかろうか。
（1）× 心臓が規則正しく**収縮と拡張**を繰り返すのは、心臓中枢(ちゅうすう)に支配される**洞結節(どうけっせつ)**という心筋によってである。自律神経の中枢ではない。
（2）（3）（4）は○で、勉強した人にとっては、基礎知識であり、いずれも正しい。
（5）○ 心臓自体は、大動脈の起始部より出る**冠状動脈(かんじょうどうみゃく)**によって、酸素や栄養素の供給を受けている。これについては、書いてないテキストも多いので、この際に記憶してしまおう。また、冠状動脈を門脈と言い換えて、誤りとする出題もあるので、注意しよう。

問37 解答（5） 免疫

新しい問題形式で、しかも問いかけられている知識も、ほぼ新しい。この分野は、今後も、形を変えたりして出題されると思うので、しっかり学習しておこう。

全体は、**免疫反応**に関わることで、「**抗体**」とは、体内に入ってきた異物（たとえば、ウイルスやがん細胞など）に対抗して、**異物を体から追い出す**ためにできる対抗物質のこと。（たんぱく質の一種）。そして**抗体を作り出す原因**となる物質を「**抗原**」という。

Bの体液性免疫と細胞性免疫の違いだが、これはかなり専門的になるので、深入りする必要はないだろう。**免疫グロブリン**は、**体液性免疫**であると丸暗記することをおすすめしたい。

なお、今までは血液中にはグロブリンやアルブミンという蛋白質が含まれるという程度の出題が多かった。もちろん答えは○だが、**アルブミン**は**免疫とはかかわらない**ので、間違わないようにしたい。アルブミンは**浸透圧の維持**という役割がよく出題される。

問38　解答（3）　感覚器

（1）○ 化学物質が刺激となって生じる感覚なので、こう呼ばれる。
（2）○ 内耳は側頭骨内にある。内耳のうち、蝸牛が聴覚を担い、前庭、半規管が平衡感覚を担っている。
（3）× とにかくよく出る問題なので、絶対に覚えきろう。覚えるには、高島式九九記憶術が絶対！つまり、「スイ（錐）シキ（色）カン（杆）メイ（明）」などと、何度も口に出して言い、九九のように覚え込むのだ。これを縮めて「スシカメ」でもよい。
（4）○ 近視眼は眼球の長軸が長過ぎるもの。遠視眼はその逆である。
（5）○ 触覚、痛覚、温覚、冷覚は、皮膚上にある感覚点によって感じられるが、痛覚点の数は、他の感覚点と比べ格段に多い。つまり、密度が大きい。

問39　解答（2）　腎臓・尿

A × ボウマン嚢に濾し出されないのは、血球と大部分の蛋白質である。糖は、濾し出されるので誤り。
B ○ 尿細管では、大部分の水分と身体に必要な成分が、血液中に再び吸収される。
C × 弱アルカリ性ではなく、弱酸性である。
D ○ 健康診断では、尿の検査は必須であって、医師の判断では省略できない。他の記述も正しい。

したがって、AとCが誤っており、（2）が正解肢である。

問40　解答（3）　肝臓

（1）○ 有害物質の多くは腸から吸収され肝臓に集まり、肝臓の解毒作用で無毒化して、排出される。
（2）○ 脂肪酸は、肝臓から分泌される胆汁と膵臓から分泌される膵酵素によって、遊離脂肪酸とグリセロール（グリセリン）に分解され、小腸で吸収される。また、コレステロールの合成も行う。
（3）× ペプシンは、胃ではたらく蛋白質（たんぱくしつ）を分解する酵素である。肝臓からは分泌されない。
（4）○ 蛋白質は、胃や小腸でアミノ酸に分解されてから吸収され、肝臓に運ばれる。肝臓は、アミノ酸からさまざまな蛋白質を合成し、不要なアミノ酸は尿素となり、尿中に排泄される。
（5）○ 糖質は、ブドウ糖に分解された後、小腸から吸収され、門脈（もんみゃく）を通って肝臓に運ばれる。肝臓内でグリコーゲンに変えられて貯蔵され、必要に応じて再びブドウ糖がつくり出される。

問41 解答（3） 内分泌

（1）○ 正しい。
（2）○ 正しい。
（3）× パラソルモンは副甲状腺で産生され、体内のカルシウムバランスの調節の作用がある。
（4）○ 正しい。
（5）○ 正しい。

問42 解答（1） 神経系

問題文の空所に正しい語句を入れると、次のようになる。

「神経系において情報を伝えたり処理する基本単位である神経細胞は［ニューロン］ともよばれ、細胞体から通常1本の［軸索］と複数の［樹状突起］が突き出した形をしている。神経細胞内を情報が伝わっていくことを伝導といい、情報は、［樹状突起］で受け取られ［軸索］を伝わって運ばれる。」

なお、選択肢**（3）（4）**にあるシナプスとは、神経細胞（ニューロン）と神経細胞の接合部のこと。

（5）にある**ガングリオン**とは、**結節腫**（けっせつしゅ）ともいい、手足などの関節にできる腫瘍のこと（これは覚える必要なし）。

問43 解答（3） 筋肉・運動

（1）○ 筋肉と神経を比べると、筋肉の方が疲労しやすい。
（2）○ 筋肉は、収縮しようとする瞬間に最も大きい力を出す。
（3）× 酸素が十分に供給されていると、筋肉中のグリコーゲンは、水と二酸化炭素に分解される。酸素の供給が不足しているときは、乳酸になる。
（4）○ すでに述べたように、筋肉の長さは変わらないが、筋力の発生があるものを等尺性収縮という。
（5）○ 運動することによって筋肉が太くなることを筋肉の活動性肥大という。

問44 解答（5） 睡眠など

（1）○「就寝から入眠までの時間が長くなり」とは、寝つきにくいということ。また、睡眠時間も短く、睡眠の質も低下する。夜昼逆転しているのだから、これは常識でもわかるだろう。
（2）○ 就寝直前には、食事はしないのが望ましいという知識は、常識である。
（3）○ 記述の通りで、最近出版が多い睡眠関係の本は、必ずメラトニンを説明している。なお、松果体は脳の視床下部の近くにある器官。

（4）○ **体内時計**は、なぜか約25時間だが、**日々これが24時間周期に修正される**ので、**体内時計と実時計の差はなく**、日々が進行する。

（5）× **基礎代謝量**は、生命活動を維持するために必要な最小限のエネルギー量のことだが、これには**3つの条件**がある。つまり、「**安静、横臥、覚醒**」である。覚醒であるから、睡眠時はこれに当たらない。

第1種衛生管理者 模擬試験問題

◘第1種衛生管理者の本番試験を想定した予想問題です。制限時間は、3時間です。
◘解答は、320ページにあります。

関係法令（有害業務に係るもの）

問1 有害業務を有する事業場の衛生管理体制に関する次の記述のうち、法令上、正しいものはどれか。

（1）常時600人の労働者を使用し、そのうち強烈な騒音を発する場所における業務に常時50人の労働者を従事させている事業場では、衛生管理者はすべて専任の衛生管理者としなければならない。
（2）常時600人の労働者を使用し、そのうち多量の高熱物体を取り扱う業務に常時30人の労働者を従事させている製造業の事業場では、衛生管理者は、すべて第一種衛生管理者免許を有する者のうちから選任しなければならない。
（3）法定の作業環境測定の対象となる作業場を有する事業場では、作業環境測定を委託している作業環境測定機関の作業環境測定士を、衛生委員会の委員として指名することができる。
（4）常時400人の労働者を使用し、そのうち塩酸、硝酸等の有害物を取り扱う業務に常時100人の労働者を従事させている事業場では、その事業場に専属の者でなくても、法定の要件を満たす医師であれば産業医として選任することができる。
（5）常時60人の労働者を使用する清掃業の事業場では、第一種衛生管理者免許、第二種衛生管理者免許又は衛生工学衛生管理者免許のいずれかの免許を有する者のうちから、衛生管理者を選任することができる。

問2 次の業務に労働者を就かせるとき、法令に基づく安全又は衛生のための特別の教育を行わなければならないものはどれか。

（1）赤外線又は紫外線にさらされる業務
（2）水深10m以上の場所における潜水業務
（3）特定化学物質のうち第一類物質を製造する業務
（4）エックス線装置を用いて行う透過写真撮影の業務
（5）削岩機、チッピングハンマー等チェーンソー以外の振動工具を取り扱う業務

問3 有機溶剤中毒予防規則に関する次の記述のうち、誤っているものはどれか。ただし、同規則に定める少量消費による適用除外はないものとする。

（1）有機溶剤等を入れてあった空容器で有機溶剤の蒸気が発散するおそれのあるものにつ

いては、密閉しなければならない。したがって屋外の一定の場所に集積しておくことは認められない。

（2）第一種有機溶剤等であるトリクロルエチレンを総重量の4%、第二種有機溶剤等であるキシレンを総重量の8%含有し、それ以外は有機溶剤以外の物から成る混合物は、第二種有機溶剤等に区分される。

（3）有機溶剤等を入れたことのあるタンクで有機溶剤の蒸気が発散するおそれのあるものの内部における業務に労働者を従事させるときは、当該労働者に送気マスクを使用させなければならない。

（4）有機溶剤含有物とは、有機溶剤と有機溶剤以外の物との混合物で、有機溶剤を当該混合物の重量の5%を超えて含有するものをいう。

（5）第一種有機溶剤等を取り扱う業務においては、有機溶剤の蒸気の発散源を密閉する設備または局所排気装置の設備を設置しなければならない。

問4 次の有害業務に従事した者のうち、離職の際に又は離職の後に、法令に基づく健康管理手帳の文付対象となるものはどれか。

（1）水銀を取り扱う業務に1年以上従事した者

（2）シアン化水素を取り扱う業務に3年以上従事した者

（3）ベンゼンを取り扱う業務に5年間従事した者

（4）粉じん作業に従事したことがあり、じん肺管理区分が管理一の者

（5）ベンジジンを取り扱う業務に1年以上従事した者

問5 特定化学物質障害予防規則による特別管理物質を製造する事業者が事業を廃止しようとするとき、法令に基づき実施した措置等に関する次のAからEまでの記録等について、特別管理物質等関係記録等報告書に添えて、所轄労働基準監督署長に提出することが、法令上、義務付けられているものの組合せは(1)～(5)のうちどれか。

A　特別管理物質を製造する作業場所に設けられた局所排気装置の定期自主検査の記録又はその写し

B　特別管理物質の粉じんを含有する気体を排出する製造設備の排気筒に設けられた除じん装置の定期自主検査の記録又はその写し

C　特別管理物質を製造する作業場において常時作業に従事した労働者の氏名、作業の概要及び当該作業に従事した期間等の記録又はその写し

D　特別管理物質を製造する屋内作業場について行った作業環境測定の記録又はその写し

E　特別管理物質を製造する業務に常時従事する労働者に対し行った特定化学物質健康診断の結果に基づく特定化学物質健康診断個人票又はその写し

（1）A，B，D　（2）A，B，E　（3）A，C，E

（4）B，C，D　（5）C，D，E

問6 酸素欠乏症等防止規則に関する次の記述のうち、法令上、誤っているものはどれか。

（1）第一種酸素欠乏危険作業を行う作業場については、その日の作業を開始する前に、当

該作業場における空気中の酸素の濃度を測定しなければならない。

（2）第二種酸素欠乏危険作業を行う作業場については、その日の作業を開始する前に、当該作業場における空気中の酸素及び硫化水素の濃度を測定しなければならない。

（3）硫化水素中毒とは、硫化水素の濃度が1ppmを超える空気を吸入することにより生ずる症状が認められる状態をいう。

（4）酸素欠乏危険作業を行う場所の換気を行うときは、純酸素を使用してはならない。

（5）爆発や酸化等を防止するため、酸素欠乏危険作業を行う場所の換気を行うことができない場合には、空気呼吸器、酸素呼吸器又は送気マスクを備え、労働者に使用させなければならない。

問7

厚生労働大臣が定める規格を具備しなければ、譲渡し、貸与し、又は設置してはならない機械等に該当するものは次のうちどれか。

（1）送気マスク

（2）防音保護具

（3）放射線測定器

（4）電動ファン付き呼吸用保護具

（5）検知管方式による一酸化炭素検定器

問8

次の粉じん発生源のうち、法令上、特定粉じん発生源に該当するものはどれか。

（1）屋内のガラスを製造する工程において、原料を溶解炉に投げ入れる箇所

（2）耐火物を用いた炉を解体する箇所

（3）屋内において、研磨材を用いて手持式動力工具により金属を研磨する箇所

（4）屋内において、フライアッシュを袋詰めする箇所

（5）タンクの内部において、金属をアーク溶接する箇所

問9

有害業務を行う作業場について、法令に基づき、定期に行う作業環境測定とその測定頻度との組合せとして、誤っているものは次のうちどれか。

（1）非密封の放射性物質を取り扱う作業室における空気中の放射性物質の濃度の測定
……………………………………………………6か月以内ごとに1回

（2）チッパーによりチップする業務を行う屋内作業場における等価騒音レベルの測定
……………………………………………………6か月以内ごとに1回

（3）通気設備が設けられている坑内の作業場における通気量の測定
……………………………………………………半月以内ごとに1回

（4）鉛蓄電池の解体工程において鉛等を切断する業務を行う屋内作業場における空気中の鉛の濃度の測定…………………………………………… 1年以内ごとに1回

（5）多量のドライアイスを取り扱う業務を行う屋内作業場における気温及び湿度の測定
……………………………………………………半月以内ごとに1回

次のAからDの業務について、労働基準法に基づく時間外労働に関する協定を締結し、これを所轄労働基準監督署長に届け出る場合においても、労働時間の延長が1日2時間を超えてはならないものの組合せは(1)～(5)のうちどれか。

A　多量の低温物体を取り扱う業務
B　鉛、水銀、一酸化炭素、その他これらに準ずる有害物の粉じん、蒸気又はガスを発散する場所における業務
C　病原体によって汚染された物を取り扱う業務
D　情報機器作業における受注、予約等の拘束型の業務

(1)　A，B　(2)　A，C　(3)　B，C　(4)　B，D　(5)　C，D

労働衛生(有害業務に係るもの)

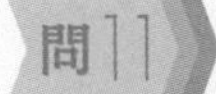

有機溶剤の一般的性質等に関する次の記述のうち、正しいものはどれか。

(1) 有機溶剤は脂溶性で、皮膚や粘膜から吸収されやすいが、アセトンなど水溶性と脂溶性を併せ持つものは、吸収されにくい。
(2) 肝臓障害や腎臓障害を起こすものがある。
(3) 有機溶剤には、揮発性と引火性があり、ハロゲン化炭化水素は特に燃えやすい。
(4) 有機溶剤の蒸気は、空気より軽い。
(5) 人体には呼吸器から吸収されることが多い。

次の化学物質のうち、常温・常圧(25℃、1気圧)の空気中で蒸気として存在するものはどれか。ただし、蒸気とは、常温・常圧で液体又は固体の物質が蒸気圧に応じて揮発又は昇華して気体となっているものをいうものとする。

(1) 塩素
(2) ジクロルベンジジン
(3) アンモニア
(4) クロム酸
(5) アセトン

厚生労働省の「作業環境測定基準」及び「作業環境評価基準」に基づく作業環境測定及びその結果の評価に関する次の記述のうち、誤っているものはどれか。

(1) 作業環境測定を実施する場合の単位作業場所は、労働者の作業中の行動範囲、有害物の分布の状況などに基づいて設定する。

（2）管理濃度は、有害物質に係る作業環境の状態を、単位作業場所ごとにその作業環境測定結果から評価するための指標として定められている。
（3）原材料の反応槽への投入など間けつ的に有害物の発散を伴う作業の場合の労働者のばく露状況は、A測定の実施結果により適正に評価することができる。
（4）B測定は、単位作業場所中の有害物質の発散源に近接する場所で作業が行われる場合において、空気中の有害物質の最高濃度を知るために行う測定である。
（5）A測定とB測定を併せて行う場合は、A測定の測定値を用いて求めた第一評価及び第二評価値とB測定の測定値に基づき、単位作業場所を第一管理区分から第三管理区分までのいずれかに区分する。

問14

化学物質とそれにより発症するがん（悪性腫瘍（しゅよう））との組合せとして、誤っているものは次のうちどれか。

（1）ベンゼン…………膀胱（ぼうこう）がん
（2）三酸化砒（ひ）素………肺がん
（3）塩化ビニル………肝血管肉腫（しゅ）
（4）コールタール……皮膚がん
（5）石　綿……………胸膜中皮腫

問15

作業環境における有害因子による健康障害に関する次の記述のうち、正しいものはどれか。

（1）電離放射線の被ばくによる発がんと遺伝的影響は、確率的影響に分類され、発生する確率が被ばく線量の増加に応じて増加する。
（2）熱虚脱は、暑熱環境下で脳へ供給される血液量が増加したとき、代償的に心拍数が減少することにより生じ、発熱、徐脈、めまいなどの症状がみられる。
（3）金属熱は、金属の溶融作業において、高温環境により体温調節中枢が麻することにより発生し、長期間にわたる発熱、関節痛などの症状がみられる。
（4）凍瘡は、皮膚組織の凍結死を伴うしもやけのことで、0℃以下の寒冷にばく露することによって発生する。
（5）潜水業務における減圧症は、浮上による減圧に伴い、血液中に溶け込んでいた酸素が気泡となり、血管を閉塞したり組織を圧迫することにより発生する。

問16

一酸化炭素中毒に関する次の記述のうち、誤っているものはどれか。

（1）一酸化炭素は、空気より重い無色の気体で、刺激性が強く、極めて毒性が高い。
（2）一酸化炭素中毒は、一酸化炭素が血液中の赤血球に含まれるヘモグロビンの酸素運搬能力を低下させ、体内の各組織に酸素欠乏状態を引き起こすことにより発生する。
（3）一酸化炭素とヘモグロビンの親和性は、酸素とヘモグロビンの親和性の200倍以上にも及ぶ。
（4）一酸化炭素中毒では、息切れ、頭痛から始まり、虚脱や意識混濁がみられる。
（5）喫煙者の血液中のヘモグロビンは、非喫煙者と比べて一酸化炭素と結合しているものの割合が高い。

問17 化学物質等のリスクアセスメントに関する次の記述のうち、誤っているものはどれか。

（1）リスクアセスメントの基本的手順のうち最初に実施するのは、労働者の就業に係る化学物質等による危険性又は有害性を特定することである。
（2）ハザードは、労働災害発生の可能性と負傷又は疾病の重大性（重篤度）の組合せであると定義される。
（3）化学物質等による疾病のリスク低減措置の検討では、化学物質等の有害性に応じた有効な保護具の使用よりも局所排気装置の設置等の工学的対策を優先する。
（4）化学物質等による疾病のリスク低減措置の検討では、法令に定められた事項を除けば、危険性又は有害性のより低い物質への代替等を最優先する。
（5）新たに化学物質等の譲渡又は提供を受ける場合には、その化学物質を譲渡し、又は提供する者から、その化学物質等のSDS（安全データシート）を入手する。

問18 労働衛生保護具に関する次の記述のうち、誤っているものはどれか。

（1）防毒マスクの吸収缶の色は、一酸化炭素用は赤色で、有機ガス用は黒色である。
（2）防じんマスクの手入れの際、ろ過材に付着した粉じんは圧縮空気で吹き飛ばすか、ろ過材を強くたたいて払い落として除去する。
（3）ガス又は蒸気状の有害物質が粉じんと混在している作業環境中で防毒マスクを使用するときは、防じん機能を有する防毒マスクを選択する。
（4）遮光保護具には、遮光度番号が定められており、溶接作業などの作業の種類に応じて適切な遮光度番号のものを使用する。
（5）騒音作業における防音保護具として、耳覆い（イヤーマフ）と耳栓のどちらを選ぶかは、作業の性質や騒音の特性で決まるが、非常に強烈な騒音に対しては両者の併用も有効である。

問19 特殊健康診断に関する次の文中の［　　　］内に入れるAからCの語句の組合せとして、正しいものは（1）～（5）のうちどれか。

「特殊健康診断における有害物の体内摂取量を把握する検査として、代表的なものが生物学的モニタリングである。有機溶剤の場合は生物学的半減期が［　A　］ので、有機溶剤等健康診断における［　B　］の量の検査においては、［　C　］の時刻を厳重にチェックする必要がある。」

	A	B	C
（1）	短い	有機溶剤代謝物	採尿
（2）	長い	有機溶剤代謝物	採血
（3）	短い	尿中蛋白（たん）	採血
（4）	長い	尿中蛋白	採尿
（5）	短い	血清トリグリセライド	採尿

問20　局所排気装置に関する次の記述のうち、誤っているものはどれか。

（1）空気清浄装置を設けた局所排気装置を設置する場合、排風機は、清浄後の空気が通る位置に設ける。
（2）ダクトの圧力損失は、その断面積を細くすると増大する。
（3）外付け式フードのうち、上方吸引型は、発散源からの上昇気流の有無にかかわらず、側方吸引型や下方吸引型よりも吸引効果が小さい。
（4）ドラフトチェンバー型フードは、作業面を除き、周りが覆われているもので、囲い式フードに分類される。
（5）外付け式スロット型とはフードの開口面を太くし吸引風速を高めたものである。

関係法令（有害業務に係るもの以外のもの）

問21　総括安全衛生管理者に関する次の記述のうち、法令上、誤っているものはどれか。

（1）総括安全衛生責任者は、事業場においてその事業の実施を総括管理する者に準ずる者を充てることができる。
（2）都道府県労働局長は、労働災害を防止するため必要があると認めるときは、総括安全衛生管理者の業務の執行について事業者に勧告することができる。
（3）総括安全衛生管理者は、選任すべき事由が発生した日から14日以内に選任しなければならない。
（4）総括安全衛生管理者を選任したときは、遅滞なく、選任報告書を、所轄労働基準監督署に提出しなければならない。
（5）総括安全衛生管理者が旅行、疾病、事故その他やむを得ない事由によって職務を行うことができないときは、代理者を選任しなければならない。

問22　衛生委員会に関する次の記述のうち、法令上、正しいものはどれか。

（1）衛生委員会の議事録は、5年間保存する必要がある。
（2）衛生委員会の委員として指名する産業医は、事業場の規模にかかわらずその事業場に専属の者でなければならない。
（3）衛生委員会は、工業的業種の事業場では常時50人以上、非工業的業種の事業場では常時100人以上の労働者を使用する事業場において設置しなければならない。
（4）事業場で選任している衛生管理者は、すべて衛生委員会の委員としなければならない。
（5）衛生委員会は、毎月1回以上開催するようにしなければならない。

労働安全衛生規則に基づく次の定期健康診断項目のうち、厚生労働大臣が定める基準に基づき、医師が必要でないと認めるときは省略することができる項目に該当しないものはどれか。

(1) 腹囲の検査
(2) 心電図検査
(3) 肝機能検査
(4) 血中脂質検査
(5) 自覚症状及び他覚症状の有無の検査

労働時間の状況等が一定の要件に該当する労働者に対して、法令により実施することが義務付けられている医師による面接指導に関する次の記述のうち、正しいものはどれか。

(1) 面接指導の対象となる労働者の要件は、休憩時間を除き1週間当たり40時間を超えて労働させた場合におけるその超えた時間が1か月当たり120時間を超え、かつ、疲労の蓄積が認められることである。
(2) 事業者は、面接指導の対象となる要件に該当する労働者から申出があったときは、遅滞なく面接指導を行わなければならない。
(3) 面接指導を行う医師として事業者が指定することのできる医師は、当該事業場の産業医に限られる。
(4) 事業者は、面接指導の結果に基づき、労働者の健康を保持するため必要な措置について、面接指導実施日から3か月以内に、医師の意見を聴かなければならない。
(5) 事業者は、面接指導の結果に基づき、その記録を作成し、3年間保存しなければならない。

問25

労働安全衛生規則に基づく事業場の施設等の衛生基準に関する次の文中の[　　]内に入れるAからCの語句の組合せとして、正しいものは(1)～(5)のうちどれか。

「事業者は、[A]の発生場所、生息場所及び侵入経路並びに[A]による被害の状況について、[B]に1回、定期に、統一的に[C]を実施し、当該[C]の結果に基づき、[A]の発生を防止するため必要な措置を講じなければならない。」

	A	B	C
(1)	ダニ、菌類等	6月以内ごと	衛生診断
(2)	ダニ、菌類等	夏　季	衛生診断
(3)	ねずみ、昆虫等	6月以内ごと	調　査
(4)	外来生物等	冬　季	調　査
(5)	ねずみ、昆虫等	夏　季	衛生診断

問26 労働基準法に基づく1箇月単位の変形労働時間制に関する次の記述のうち、誤っているものはどれか。ただし、常時使用する労働者数が10人以上の事業場の場合とし、本問において「労使協定」とは、「労働者の過半数で組織する労働組合（その労働組合がない場合は労働者の過半数を代表する者）と使用者との書面による協定」をいう。

（1）この制度を採用する場合には、労使協定または就業規則により、各日、各週の労働時間を具体的に定めておく必要がある。したがって、使用者が業務の都合によって任意に労働時間を変更するようなことはできない。

（2）変形期間は1箇月以内であり、1箇月単位のほか4週間単位、20日単位などにすることも可能である。なお、変形期間の長さとともに、その起算日も明らかになるよう定めなくてはならない。

（3）この制度で労働させる場合には、育児を行う者等特別の配慮を要する者に対して、これらの者が育児等に必要な時間を確保できるような配慮をしなければならない。

（4）この制度を採用した場合であっても、妊娠中または産後1年を経過しない女性が請求した場合には、監督または管理の地位にある者等労働時間に関する規定の適用除外者の場合を除き、当該女性に対して法定労働時間を超えて労働させることはできない。

（5）この制度に関する定めをした労使協定は、所轄労働基準監督署長に届け出る必要はないが、就業規則は届け出る必要がある。

問27 労働安全衛生法に基づく心理的な負担の程度を把握するための検査について、医師及び保健師以外の検査の実施者として、次のAからDの者のうち正しいものの組合せは（1）～（5）のうちどれか。ただし、実施者は、法定の研修を修了した者とする。

A　労働衛生コンサルタント
B　看護師
C　衛生管理者
D　精神保健福祉士

（1）A，C　（2）A，D　（3）B，C　（4）B，D　（5）C，D

労働衛生（有害業務に係るもの以外のもの）

問28 厚生労働省の「労働者の心の健康の保持増進のための指針」に基づくメンタルヘルスケアに関する次の記述のうち、誤っているものはどれか。

（1）メンタルヘルスケアを中長期的視点に立って継続的かつ計画的に行うため策定する「心の健康づくり計画」は、各事業場における労働安全衛生に関する計画の中に位置付ける。

（2）「心の健康づくり計画」の策定は、衛生委員会又は安全衛生委員会において十分調査審議する。

(３) 事業者がメンタルヘルスケアを積極的に推進する旨を表明することは、「心の健康づくり計画」で定めるべき事項に含まれる。
(４) 「心の健康づくり計画」では、「セルフケア」、「家族によるケア」、「ラインによるケア」及び「事業場外資源によるケア」の四つのケアを効果的に推進する。
(５) 「セルフケア」とは、労働者自身がストレスや心の健康について理解し、自らのストレスを予防、軽減することである。

問29 一次救命処置に関する次の記述のうち、正しいものはどれか。

(１) 気道を確保するためには、仰向けにした傷病者のそばにしゃがみ、後頭部を軽く上げ、あごを下方に押さえる。
(２) 呼吸を確認して普段どおりの息(正常な呼吸)がない場合や約1分間観察しても判断できない場合は、心肺停止とみなし、心肺蘇生を開始する。
(３) コロナ禍の情勢では、人工呼吸が可能な場合でも、心肺蘇生は、胸骨圧迫のみについて行い、人工呼吸は行わない。
(４) 胸骨圧迫は、胸が約5㎝沈む強さで胸骨の下半分を圧迫し、1分間に少なくとも60回のテンポで行う。
(５) AED(自動体外式除細動器)を用いて救命処置を行う場合には、人工呼吸や胸骨圧迫は、一切行う必要がない。

問30 出血及び止血法に関する次の記述のうち、誤っているものはどれか。

(１) 止血帯法で使用する止血帯は、ゴム紐などのできるだけ幅の細いものを使用する。
(２) 焼灼止血法は傷口を焼いて止血する方法だが、現在では一般人や救急隊員が行う応急処置としては認められておらず、医師が薬剤や電気メスなどの機器を使用して行う止血法となっている。
(３) 直接圧迫法は、出血部を直接圧迫する方法であって、最も簡単で効果的な方法である。
(４) 間接圧迫法は、出血部より心臓に近い部位の動脈を圧迫する方法である。
(５) 止血処置を行うときは、感染防止のため、ゴム手袋を着用したりプラスチック袋を活用したりして、血液に直接触れないようにする。

問31 脳血管障害及び虚血性心疾患に関する次の記述のうち、誤っているものはどれか。

(１) 脳血管障害は、脳の血管の病変が原因で生じ、出血性病変、虚血性病変などに分類される。
(２) 出血性の脳血管障害は、脳表面のくも膜下腔に出血するくも膜下出血、脳実質内に出血する脳出血などに分類される。
(３) 虚血性の脳血管障害である脳梗塞は、脳血管自体の動脈硬化性病変による脳血栓症と、心臓や動脈壁の血栓が剥がれて脳血管を閉塞する脳塞栓症に分類される。
(４) 虚血性心疾患は、門脈による心筋への血液の供給が不足したり途絶えることにより起こる心筋障害である。

（5）虚血性心疾患は、心筋の一部に可逆的虚血が起こる狭心症と、不可逆的な心筋壊死が起こる心筋梗塞とに大別される。

問32 骨折及びその救急処置に関する次の記述のうち、正しいものはどれか。

（1）骨にひびが入った状態は、単純骨折である。
（2）複雑骨折とは、骨が多数の骨片に破砕された状態をいう。
（3）開放骨折では、感染を防ぐため、骨折部を皮膚の下に戻してから副子で固定する。
（4）不完全骨折では、変形や骨折端どうしが擦れ合う軋轢音が認められる。
（5）脊髄損傷が疑われる負傷者を搬送するときには、柔らかいマットの上に乗せるようにする。

問33 メタボリックシンドロームの診断基準に関する次の文中の［　　］内に入れるAからCの語句の組合せとして、正しいものは（1）～（5）のうちどれか。

「日本では、内臓脂肪の蓄積があり、かつ、 血中脂質（中性脂肪、HDLコレステロール）、［ A ］、［ B ］の三つのうち［ C ］が基準値から外れている場合にメタボリックシンドロームと診断される。」

	A	B	C
（1）	血圧	空腹時血糖	いずれか一つ
（2）	血圧	空腹時血糖	二つ以上
（3）	γ－GTP	空腹時血糖	二つ以上
（4）	γ－GTP	尿蛋白	いずれか一つ
（5）	γ－GTP	尿蛋白	二つ以上

問34 食中毒に関する次の記述のうち、誤っているものはどれか。

（1）毒素型食中毒は、食物に付着した細菌が増殖する際に産生した毒素によって起こる食中毒で、黄色ブドウ球菌によるものなどがある。
（2）感染型食中毒は、食物に付着した細菌そのものの感染によって起こる食中毒で、サルモネラ菌によるものなどがある。
（3）O-157やO-111による食中毒は、ベロ毒素を産生する大腸菌による食中毒で、腹痛、出血を伴う水様性の下痢などの症状を呈する。
（4）ボツリヌス菌は、缶詰、真空パック食品など、酸素のない食品中で増殖し、毒性の強い神経毒を産生する。
（5）ノロウイルスは、手指や食品などを介して、経口で感染し、ヒトの腸管で増殖して、嘔吐、下痢、腹痛などの急性胃腸炎を起こすもので、夏季に集団食中毒として発生することが多い。

労働生理

問35 呼吸に関する次の記述のうち、誤っているものはどれか。

（1）呼吸運動は、主として肋間筋と横隔膜の協調運動によって胸郭内容積を周期的に増減し、それに伴って肺を伸縮させることにより行われる。
（2）胸郭内容積が増し、内圧が低くなるにつれ、鼻腔や気管などの気道を経て肺内へ流れ込む空気が吸気である。
（3）肺胞内の空気と肺胞を取り巻く毛細血管中の血液との間で、酸素と二酸化炭素のガス交換を行う呼吸を肺呼吸又は外呼吸という。
（4）呼吸に関与する筋肉は、延髄にある呼吸中枢によって支配されている。
（5）呼吸中枢がその興奮性を維持するためには、常に一定量以上の窒素が血液中に含まれていることが必要である。

問36 神経細胞に関する次の文中の［　　］内に入れるAからCの語句の組合せとして、正しいものは(1)～(5)のうちどれか。

「神経系において情報を伝えたり処理する基本単位である神経細胞は［ A ］ともよばれ、細胞体から通常1本の［ B ］と複数の［ C ］が突き出した形をしている。神経細胞内を情報が伝わっていくことを伝導といい、情報は、［ C ］で受け取られ［ B ］を伝わって運ばれる。」

	A	B	C
（1）	ニューロン	軸　索	樹状突起
（2）	ニューロン	樹状突起	軸　索
（3）	シナプス	軸　索	樹状突起
（4）	シナプス	樹状突起	軸　索
（5）	ガングリオン	軸　索	樹状突起

問37 血液中の各成分とその働きに関する次の記述のうち、誤っているものはどれか。

（1）血漿(しょう)中の蛋(たん)白質のうち、アルブミンは、免疫物質の抗体を含んでいる。
（2）赤血球中のヘモグロビンは、酸素を運搬する。
（3）血小板は、止血作用をもち、血管が損傷し血液が血管外に出ると、血液凝固を促進させる物質を放出する。
（4）白血球は、体内に侵入してきた細菌、ウイルス、有害物などを取り込んで食べてしまう。
（5）血液は、体重の約8%を占め、日本人成人の血液量は、個人差はあるものの平均して体重1kgにつき約80mlである。

問38 栄養素の消化及び吸収に関する次の記述のうち、誤っているものはどれか。

（1）食物中の糖質、蛋白質、脂肪は、消化管を通過する間に分解され、吸収可能な形に変えられる。
（2）食物中の糖質は、酵素によりブドウ糖などに分解され、腸壁から吸収される。
（3）食物中の蛋白質は、酵素によりアミノ酸に分解され、腸壁から吸収される。
（4）食物中の脂肪は、十二指腸で胆汁と混合して乳化された後、酵素により脂肪酸とグリセリンに分解され、腸壁から吸収される。
（5）無機塩、ビタミン類は、酵素により分解されて、吸収可能な形になり、腸壁から吸収される。

問39 筋肉に関する次の記述のうち、正しいものはどれか。

（1）横紋筋は、骨に付着して身体の運動の原動力となる筋肉で意志によって動かすことができるが、平滑筋は、心筋などの内臓に存在する筋肉で意志によって動かすことができない。
（2）筋肉の縮む速さが速ければ速いほど、仕事の効率は大きい。
（3）荷物を持ち上げたり、屈伸運動を行うときは、筋肉が長さを変えずに外力に抵抗して筋力を発生させる等尺性収縮が生じている。
（4）強い力を必要とする運動を続けていても、筋肉を構成する個々の筋線維の太さは変わらないが、その数が増えることによって筋肉が太くなり筋力が増強する。
（5）筋肉は、収縮しようとする瞬間に最も大きい力を出す。

問40 ホルモン、その内分泌器官及びそのはたらきの組合せとして、誤っているものは次のうちどれか。

	ホルモン	内分泌器官	はたらき
（1）	コルチゾール	副甲状腺	血糖量の減少
（2）	アルドステロン	副腎皮質	体液中の塩類バランスの調節
（3）	パラソルモン	副甲状腺	体内のカルシウムバランスの調節
（4）	インスリン	膵(すい)臓	血糖量の減少
（5）	グルカゴン	膵臓	血糖量の増加

問41 視覚に関する次の記述のうち、誤っているものはどれか。

（1）網膜には、錐(すい)状体と杆(かん)状体の2種類の視細胞がある。
（2）遠距離視力検査は、一般に、5mの距離で実施する。
（3）角膜が歪(ゆが)んでいたり、表面に凹凸があるために、眼軸などに異常がなくても、物体の像が網膜上に正しく結ばないものを乱視という。
（4）視作業の継続により、前額部の圧迫感、頭痛、視痛、吐き気、嘔(おう)吐などの眼精疲労を生じ、作業の継続が困難になることがある。

（5）ヒトの眼は、硝子体の厚さを変えることにより焦点距離を調節して網膜の上に像を結ぶようにしている。

問42 腎臓又は尿に関する次の記述について、正しいものはどれか。

（1）尿の95％は水分で、残りの5％が固形物であるが、その成分は全身の健康状態を良く反映するので、尿検査は健康診断などで広く行われている。
（2）尿は淡黄色の液体で、固有の臭気を有し、通常、強い酸性を示す。
（3）腎機能が正常な場合、大部分の蛋(たん)白質はボウマン嚢(のう)中に濾(こ)し出されるが、尿細管で。ほぼ100％再吸収されるので尿中にはほとんど排出されない。
（4）腎機能が正常な場合、糖はボウマン嚢中に濾し出されないので尿中には排出されない。
（5）腎小体は、糸球体と尿細管から成っている。

問43 体温調節に関する次の記述のうち、誤っているものはどれか。

（1）寒冷にばく露されると、皮膚の血管は収縮し、その血流量が減少する。
（2）体温調節にみられるように、外部環境などが変化しても身体内部の状態を一定に保とうとする性質を恒常性（ホメオスタシス）という。
（3）体温調節中枢は、間脳の視床下部にあり、産熱と放熱とのバランスを維持し、体温を一定に保つよう機能している。
（4）発汗量が著しく多いときは、体内の水分が減少し血液中の塩分濃度が増加するため、痙攣(けいれん)を起こすことがある。
（5）計算上、100ｇの汗が体重70kgの人の体表面から蒸発すると、気化熱が奪われ、体温を約1℃下げることができる。

問44 ストレスと睡眠に関する次の記述のうち、誤っているものはどれか。

（1）睡眠中には、副交感神経の働きが活発になり、心身の安定を図るように調節が行われる。
（2）外部からの刺激すなわちストレッサーは、その強弱にかかわらず、自律神経系と内分泌系を介して、心身の活動を抑圧することになる。
（3）典型的なストレス反応として、副腎皮質ホルモンや副腎髄質ホルモンであるアドレナリンの分泌の増加がみられる 。
（4）ストレッサーには、物理的な要因、化学的な要因、生物的要因があるが、そのほかに精神的要因もあり、これも無視できない。例えば、昇進や昇格、転勤、配置替えが原因となることがある。
（5）睡眠が不足すると、感覚機能や集中力が低下し、作業能率が落ち、周囲の刺激に対する反応も鈍り、業務災害が起こりやすい。

2回目

第1種衛生管理者 模擬試験問題

解答&解説

関係法令(有害業務に係るもの)

問1 解答(4) 安全衛生管理体制

(1) × 常時500人を超える労働者を使用し、特定の有害な業務に30人以上を従事させる場合は、衛生管理者のうち少なくとも1人を専任の衛生管理者としなければならないが、「すべて」である必要はない。

(2) × 衛生管理者のうち1人を、衛生工学衛生管理者免許を受けた者のうちから選任しなければならない。すべてが第1種衛生管理者ではない。

(3) × 事業場に専属ではない外部の作業環境測定士は、衛生委員会の委員として指名する対象とならない。産業医の場合は外部でもいい。

(4) ○ 400人の場合、産業医が専属でなければならない規定に該当しないので、専属の者でなくても、選任することができる。

(5) × 清掃業の場合、第1種衛生管理者、衛生工学衛生管理者、医師、歯科医師、労働衛生コンサルタントなどの免許を有する者のうちから、衛生管理者を選任しなければならない。第2種とあるのが×である。

問2 解答(4) 特別教育

いかにも、危険性や有害度が大きそうな業務が並んでいるが、(4)の「エックス線装置を用いて行う透過写真撮影の業務」が該当する。「チェ・エックス・ハイ・イシ・サン・セン」を口ずさんで覚えていれば、すぐわかるはずである。しかし、仮に覚えていなくても、正解は選べるだろう。エックス線のように放射能に被爆することが、他の何よりも危険であることは、最近の原子力をめぐる報道に接している人は、ピンと来るはずだから。

問3 解答(1) 有機溶剤中毒予防規則

(1) × 密閉は○。ただし、屋外の一定の場所に集積することを禁じたのが誤り。

(2) ○ キシレンは第2種有機溶剤なので、これを5%超含有していれば、第2種有機溶剤である。

(3) ○ この場合、作業に従事する労働者には送気マスクを使用させなければならない。

(4) ○ 最も基本の知識。くり返して読み返そう。

(5) ○ 毒性の強い第1種有機溶剤等を取り扱う業務についての規定で、その通りである。

問4　解答（5）　健康管理手帳

「健康管理手帳？　それ何だっけ」という方のために、復習しておこう。がんその他の重度の健康障害のおそれがある業務に従事していた者が、失職後も入れて、健康診断を国費で受信できるよう、国が手帳を交付する制度。よく出題されるのは粉じん作業(管理一を除く)、ベンジジン、ベリリウム等だが、水銀は対象でないことに注意！

問5　解答（5）　特定化学物質障害予防規則

テーマになった「特別管理物質」とは、人体に対する発がん性が明らかで、長期間経過後に、治癒が困難な疾病を引き起こす化学物質として指定されたものである。

これを製造する事業者が廃業するときは、長期間経過後に起こる事態に備える記録等を提出しなければ、廃業できない。

こうした問題は、出題の意図を考えてみるといい。

すると、廃業の際に添付するわけだから、“晩発障害”に備えるためだとわかる。その視点で問題を読むと、CとEは必須だ。

それを含む肢は、(3)と(5)だが、では、(3)のAと(5)のDはどちらがふさわしいかを考えてみる。

Aは、局所排気装置の定期自主検査の記録である。廃業すれば装置は廃棄する訳だから、労働者の健康とはほとんど関係ない。

Dはどうか。作業環境測定の記録だから、労働者がどういう環境のもとで働いていたかがわかり、健康障害と大きく関係する。

したがって、選ぶならこちら、とわかる。なお、石綿関連の業務についても、同様の問題が出されているので、勉強してみるのもいいと思う。

問6　解答（3）　酸素欠乏症等防止規則

(1) ○ 空気中の酸素の濃度が18%未満の状態を酸素欠乏という。酸素欠乏危険作業を行う場所における作業環境測定は、その日の作業開始前に行うよう法令により強制されている。

(2) ○ ちなみに、酸素そのものが欠乏する危険のある作業を第1種酸素欠乏危険作業、酸素欠乏に加えて、硫化水素が発生する危険のある作業を第2種酸素欠乏危険作業という。

(3) × 硫化水素中毒とは、空気中の硫化水素の濃度が10ppmを超えた空気を吸入することにより生じる症状がみられる状態をいう。よく出題されるが、1ppmではない。具体的な症状としては、頭痛、吐き気、意識混濁、呼吸困難などが生じる。

(4) ○ 爆発や火災の危険があるため、換気には、純酸素を使用してはならない。

(5) ○ 問題文にあるように、空気呼吸器等を使用させなければならない。また、酸素欠乏症に陥ると、意識混濁をおこし転落のおそれがあるため、命綱などの安全帯も使用させなければならない。

問7 解答（4） 機械の譲渡制限

頻出の問題だが、平成26年6月の**安衛法改正**で、これまで**規制の対象外であった機械等が、一転して規制の対象になったものがあった**。それが、ここで正解になった**電動ファン付き呼吸用保護具**である。

改正直後には、おおむね改正箇所の出題はないものだが、数年経ってようやく出題された（古いテキストを使っていると、これが反映されていないので、書籍の奥付をよく確認してから購入するようにしたい）。

問8 解答（4） 粉じん障害防止規則

（1）× 規則では、粉じん作業の中で、指定された特定発生源を扱う作業を特定粉じん作業と定めているが、⑴は**特定粉じん作業**ではない。
（2）× 耐火物を用いた炉を解体する作業は、特定粉じん作業ではない。
（3）× これも、特定粉じん作業に該当しない。
（4）○ 屋内において、**セメント、フライアッシュ、粉状の鉱石**等を**袋詰め**する箇所での作業は、**特定粉じん作業**に該当する。ここをしっかり覚えよう。（3回読み直そう。口に出して朗読すればなお効果的）
（5）× これも、特定粉じん作業ではない。

問9 解答（1） 作業環境

極めて似ている問題が頻出している。これが衛生管理者試験の特徴で、過去問で勉強しておくとかなり有利である、というゆえんだ。さて、

誤りは⑴で、他の肢は正しい。**放射性物質を取り扱う作業室**における空気中の放射性物質の濃度の測定は、**1か月以内**ごとに**1回**行わなければならない。

ところで、一度測定しても、すぐまた測定時期が来るということは、それだけ有害度が大きいともいえる。そうした観点から、問題1に出てくる作業場を並べ替えてみた。

寒冷または**多湿**の屋内作業場、また**坑内**の作業場は半月⇨**放射性物質**は1か月⇨チッパー**騒音**は6か月、**鉛等を切断する業務**の屋内作業場は1年、となる。

問10 解答（1） 労働基準法（時間制限）

ある程度勉強した人なら、**CとDの肢**は、労働安全衛生法関係でしばしば出てくる**危険有害な業務ではない**ことに、気づくに違いない。

まず、情報機器作業は、事務的作業だから1日2時間という厳しい規制はないと気づく。

強いて悩むとすれば、Cの病原体関連の業務で、これは満18歳未満の**年少者**の場合は、就業させてはならない**危険有害な業務**とされているものと似ている。

ただ、他のA，Bは、読むからに危険性、有害性が感じられるので、こちらを2時間を超えてはならない業務とするだろう。

これは、勉強時間が少なかった人でも、頭の使い方で、正解にたどり着ける可能性のある問題といえよう。

労働衛生（有害業務に係るもの）

問11　解答（2）　有機溶剤

（1）× アセトンなど水溶性と脂溶性を併せ持つものは、細胞膜の透過性が高い。つまり吸収されやすい。
（2）○ 肝臓障害や腎臓障害を起こすものがある。
（3）× ハロゲン化炭化水素には、引火性や爆発性がない。
（4）× 有機溶剤の蒸気は、空気より重い。
（5）× 人体には、皮膚からも吸収される。呼吸器だけではない。

問12　解答（5）　有害物質の空気中の状態

答えは、すべて205ページの表にある。
中でも、アセトンはよく出題されるので、蒸気とわかった人は多いだろう。これが正解である。
なお、ついでにその他の4物質についても記しておくと、次のようになる。
塩素…気体…ガス
ジクロルベンジジン…固体……粉じん
アンモニア……………気体……ガス
クロム酸………………液体……ミスト

問13　解答（3）　作業環境測定基準と作業環境評価基準

（1）○ 問題文の記述の通りである。なお、設定するのは、作業環境測定士である。
（2）○ 管理濃度は、行政が定めた基準である。
（3）× A測定は、平均的な分布を知るために行う測定（A測定＝平均濃度）なので、間けつ的に有害物の発散を伴う場合は、最高濃度を測定するB測定でなければ適正な評価にはならない。
（4）○ B測定は、発散源に近接する場所で作業が行われる場合、有害物質の気中濃度の最高濃度を知るために行う測定である（B測定＝最高濃度）。
（5）○ 問題文の記述通りである。

問14　解答（1）　化学物質による健康障害

（1）× ベンゼンは、貧血や白血病（血液のがん）を生じるおそれがある。膀胱（ぼうこう）がんを発症するのはベンジジンで、この2つは用語が似ているが別な物質である。

（２）○ 三酸化砒素は、粉じんやミストとして鼻や口から吸収される。

（３）○ 塩化ビニルは、高濃度の急性ばく露によって脳に麻酔作用が生じ、低濃度の長期間ばく露では、レイノー症状や指端骨溶解、肝障害などが。

（４）○ コールタールは、安衛法で第2類の特定化学物質に指定されている。長期間のばく露で長い潜伏期間を経たあと、皮膚がんを発症することがある。

（５）○ 石綿は、アスベストともいい、肺がんや中皮腫の原因である。

問15 解答（１） 有害因子による健康障害

（１）○ 電離放射線は、確率的な影響で、被ばく量が多いほど健康障害が起きやすい。染色体などを障害するため、突然変異や悪性腫瘍を起こす。

（２）× 熱虚脱は、脳へ供給する血液量が不足して起こる。脈は速くなるが、発熱はない。めまいや失神、顔面蒼白が起こる。

（３）× 金属熱は、吸入して数時間後に悪寒、発熱、関節痛などの症状がみられる。ただし、数時間後に発汗とともに解熱し、発熱が長期間にわたることはない。、銅その他の金属の溶融金属から発生するヒュームを吸入したあとに生じる疾病である。

（４）× 凍瘡はしもやけであり、0℃以上でも発生する。皮膚組織の凍結壊死を伴うとは異なり、日常生活内での軽度の寒冷でも発生する。

（５）× 潜水業務における減圧症は、浮上による減圧に伴い、血液中に溶け込んでいた空気の中の窒素が気泡となり、血管を閉塞したり組織を圧迫することで発生する。酸素ではない。

問16 解答（１） 一酸化炭素中毒

（１）× 一酸化炭素は、空気とほぼ同じ重さの気体で、無色無臭であり、極めて毒性が高い。

（２）○ 一酸化炭素は、血液中の赤血球に含まれるヘモグロビンの酸素運搬能力を低下させる。そのため、体内の各組織に酸素欠乏状態を引き起こす。

（３）○ 一酸化炭素とヘモグロビンの親和性は、酸素とヘモグロビンの親和性より約250倍も大きい。したがって、酸素との結合を押しのけてしまうわけである。

（４）○ 一酸化炭素中毒では、息切れ、頭痛が初期症状。やがて虚脱や意識混濁に進み昏睡状態になる。

（５）○ たばこの煙には、微量ながら一酸化炭素が含まれている。したがって、喫煙者の血液中のヘモグロビンは、非喫煙者と比べて一酸化炭素と結合している割合が高い。

問17 解答（２） 化学物質等のリスクアセスメント

平成26年の安衛法改正で、リスクアセスメントが義務化され、公表問題にも登場するようになった。慣れないと、とまどいがちな難問だが、よく考えると理解できるのではなかろうか。正解の（２）を導き出すには、他の4肢は正しいので消去法がいいかもしれない。

（１）○ リスクアセスメントを進めるための基本的な手順の1に、危険性または有害性の特定が挙げられている。

(2) × ハザードとは、危険性または有害性のことで、労働者に負傷や疾病をもたらす物や状況のことである。言い換えれば、作業者が接近することにより危険な状態が発生することが想定されるものをいう。「負傷又は疾病の重大性」、つまり重篤度にかかわらず、危険・有害なものはすべてハザードとなる。

(3) ○ 保護具は、最後の手段であり、局所排気装置の設置などの工学的対策が先決である。

(4) ○ (3)の工学的対策より先に検討すべきなのは、危険性または有害性のより低い物質へ変えることができないか、という検討である。

(5) ○ 安衛法の改正では、SDS(安全データシート)の交付対象である化学物質すべてについてリスクアセスメントの対象になるのであるから、SDS(安全データシート)は、当然入手しなければならない。

問18　解答(2)　労働衛生保護具

(1) ○ 一酸化炭素用は赤色で、有機ガス用は黒色である。頻出する肢なので、ここでしっかり覚え切ろう。

(2) × これも頻出する問いだが誤りである。防じんマスクは、付着した粉じん等が再飛散しないよう、容器または袋に詰めた状態で破棄しなければならない。

(3) ○ 粉じんと混在しているときは、防じん機能がなければならない。

(4) ○ 例えば、アーク点火時には遮光度番号1.2～2.5程度というように。ただ、細かい点の出題なので、番号が存在することだけを知っておけばいい。

(5) ○ 併用も可である。この設問も、しばしば出題される。

問19　解答(1)　特殊健康診断・生物学的モニタリング

正しい語句を埋めれば、次の文章になる。

「特殊健康診断における有害物の体内摂取量を把握する検査として、代表的なものが生物学的モニタリングである。有機溶剤の場合は生物学的半減期が[短い]ので、有機溶剤等健康診断における[有機溶剤代謝物]の量の検査においては、[採尿]の時刻を厳重にチェックする必要がある。」

有機溶剤中毒予防規則の対象となる物質を常時使用する作業者に対しては、半年ごとに特殊健康診断を実施し、生物学的モニタリングとして有機溶剤の代謝物の測定を行うよう定められている。

なお、有機溶剤代謝物とは、個々の物質を総称した用語である。

問20　解答(5)　局所排気装置

(1) ○ 局所排気装置は、粉じんやガスなどの有害物質を局所排気フードから吸い込み、ダクトによって搬送させ、排気ファンにより作業場外へ排気する換気装置である。空気清浄装置を設けた局所排気装置を設置する場合、排風機(はいふうき)は、清浄後の空気が通る位置に設ける。

（2）○ ダクトが細すぎると、圧力損失が増大し、太すぎると、搬送速度が不足する。
（3）○ 外付け式フードのうち、側方吸引型や下方吸引型の方が、上方吸引型よりも吸引効果が大きい(「へぇー、そうですか」と思いましたが、みなさんはどう思いました？)。
（4）○ ドラフトチェンバー型フードは、作業面を除き、周りが覆われているもの。外付け式フードよりも、吸引効果が大きい囲い式フードに分類される。囲い式フードは、開口面積を小さくすると、吸引効果が大きくなる。
（5）× 外付け式スロット型とはフードの開口面を細くし吸引風速を高めたものである。なお、外付け式グリッド型とは、作業台そのものをフードとして利用したものである。

関係法令（有害業務に係るもの以外のもの）

問21　解答（1）　衛生管理者

（1）× 総括安全衛生管理者は、事業場ごとにその事業を総括管理する者から選任する。したがって、準ずる者では不可。
（2）○ 安全や衛生を二の次にする事業場の責任者がいた場合には、行政が民間の社長に勧告する。
（3）○ 問題文の通り。
（4）○ 問題文の通り。
（5）○ 総括安全衛生管理者の不在は許されない。したがって、管理者が旅行、疾病、事故などで職務を行うことができないときは、代理者を選任する。

問22　解答（5）　衛生委員会

（1）× 議事録は、3年間保存。
（2）× 衛生委員会の委員として指名する産業医は、事業場に専属の者でなくてもよい。ただし、事業場に選任する産業医は、労働者が1,000人以上（有害業務は500人以上）なら、専属の必要あり。
（3）× 衛生委員会は、業種にかかわらず、常時50人以上。
（4）×「すべて」が誤り。
（5）○ 衛生委員会は毎月1回以上開催。これも、基本事項である。

問23　解答（5）　定期健康診断

定期健康診断で省略することができないのは、既往歴（きおう）、業務歴、自覚症状及び他覚症状の有無の検査、体重、視力、聴力の検査、血圧の測定、尿検査である。

お医者さんに行くと、必ず「どこが、どう変なのですか」と聞かれる。これが自覚症状である。「では、その変な部分を見せてください」とか、「そこを検査してみましょう」というのが他覚症状である。この2つは、医療行為の基本だから、省略できる訳がない。

これだけの知識で十分正解できるが、もっと勉強したい方は、以下の知識を加えよう。

①20歳以上の**身長**は、医師の判断で省略できる、②40歳未満(35歳を除く)、妊婦、BMIが20未満の人などは、**腹囲の検査**を医師の判断で省略できる、③45歳未満(35歳・40歳を除く)の**聴力検査**は、医師の判断により他の方法でもよい、④40歳未満の者(一部を除く)の**胸部エックス線検査**は、医師の判断で省略できる、⑤**かく痰検査**は、胸部エックス線検査で所見のない場合などには、医師の判断で省略できる、⑥40歳未満(35歳を除く)の場合は、**貧血**検査、**肝機能**検査、**血中脂質**検査、**血糖**検査、**心電図**検査を、医師の判断で省略できる。なお、カッコ内で除くとされているのは、節目の年齢なので省略できない。

問24　解答(2)　医師による面接指導

(1) ×　面接指導の対象となる労働者は、1週40時間を超えて労働した時間が、**1ヵ月当たり80時間を超え**、かつ**疲労の蓄積**が認められる者である。120時間は誤った肢。

(2) ○　特定の期間は定められていないが、事業者は「**遅滞なく**」医師を選定し、面接指導を行わなければならない。「遅滞なく」は法律用語で、「**直ちに**」よりは弱いが、「**すみやかに**」よりは強いニュアンスである。

(3) ×　産業医でなくてもいい。さらに、労働者は、事業者の行う健康診断や面接指導を**拒否することはできない**が、**他の医師**による健康診断や面接指導の結果を証明する書面を提出することで、事業所の行う診断や指導に代えることができる。

(4) ×　「3ヵ月以内」が誤りで、事業者は、面接指導実施後、「**遅滞(ちたい)なく**」**医師の意見**を聴かなければならない。せっかく面接指導をしたのに、担当した医師の意見を聴くのに3ヵ月もかかったのでは、「遅滞アリ」もいいところだ。その後、必要があると認められる時は、**労働時間の短縮**や、**深夜業の回数の減少**などの措置を講じる。

(5) ×　事業者は、定期健康診断と同様、面接指導の**記録**を作成し、**5年間**保存しなければならない。なお、医師等の意見は、**衛生委員会**、**安全衛生委員会への報告が必要**。

問25　解答(3)　衛生基準

簡単な部類の設問である。正しい文は、次のようになる。

何回か読み返して、ポイントを、意識的に記憶するようにしよう。

「意識的に記憶する」とは、「そうか、頻度は6か月に一度か。ここは1年ではないな」などと、脳に働きかけ、記憶を強化することをいう。

「事業者は、[ねずみ、昆虫等]の発生場所、生息場所及び侵入経路並びに[ねずみ、昆虫等]による被害の状況について、[6月以内ごと]に1回、定期に、統一的に[調査]を実施し、当該[調査]の結果に基づき、[ねずみ、昆虫等]の発生を防止するため必要な措置を講じなければならない。」

なお、「衛生診断」という、もっともらしい用語でなく、「**調査**」という平凡な一般用語の方が正解である。ここは間違いやすいので、意識して覚えることにしよう。

問26 解答（5） 1か月単位の変形労働時間制

（1）○ 労使協定または就業規則により、各日、各週の労働時間を具体的に定めておくのだから、使用者が業務の都合によって任意に労働時間を変更するようなことはできない。

（2）○ 変形期間は1か月以内であり、1か月単位のほか**4週間単位、20日単位などにすることも可能**である。なお、その起算日も明らかになるよう定めなくてはならない。

（3）○ 記述の通り。

（4）○ この肢は要注意！　この制度を採用した場合であっても、妊娠中または産後1年を経過しない女性が**請求した場合**には、（法令で定める**適用除外者を除き**）法定労働時間を超えて労働させることは**できない**。適用除外者についても注意のこと。**請求がない場合**には、**変形労働時間制がそのまま適用**される。過去問で出題歴アリ。

（5）× **変形労働時間制**に関する定めをした労使協定は、**労働基準監督署長に届け出**なければならない。**就業規則を変更した場合**には就業規則の変更届も**届け出**なければならない。

問27 解答（4） ストレスチェック

新しい問題であるが、**常識**でも正解は見つけ出せるのではなかろうか。「心理的な負担の程度」というのだから、メンタル＝精神面の領域というのはわかる。それでまず、**精神保健福祉士**は該当する。

残りのA、B、Cの中で衛生管理者は、「検査を実施する」までの専門的技倆はないので除外。労働衛生コンサルタントも、そういう実務面の技倆はありそうもない。

そこで、医師の補助者である**看護師**が浮かびあがる。なお、看護師は、厚生労働大臣が定める研修を修了していなければ、検査の実施者にはなれない。

また、平成30年には一定の研修を修了した**歯科医師**と**公認心理士**も実施者として追加された。

労働衛生（有害業務に係るもの以外のもの）

問28 解答（4） メンタルヘルスケア

（1）○ 「**心の健康づくり計画**」は、**中長期的視野**に立って、**継続的**かつ**計画的**に行われるもので、各事業場での**労働安全衛生に関する計画**のなかに**位置付け**られている。

（2）○ **衛生委員会等**で、十分調査審議を行うよう、「指針４」に定められている。

（3）○ これも、「**心の健康づくり計画**」に盛り込むよう、指針で定められている。

（4）× 一見すると、正しい肢に思えるかもしれないが、大切なケアが抜けている。それは「**事業場内産業保健スタッフ等によるケア**」である。「事業場内産業保健スタッフ等」とは、**産業医、衛生管理者等、保健師等、心の健康づくり専門スタッフ、人事労務管理スタッフ、事業場内メンタルヘルス推進担当者**である。

なお、「家族によるケア」は、とくに定められていない。
(5) ○ まず、自分自身の努力も大切な要素である。

問29 解答(3) 一次救命処置

(1) × 後頭部を上げてはいけない。下顎を押し上げ、頭部を下方にする。
(2) × 観察は1分間ではなく、10秒。1分間では長すぎる。
(3) ○ 胸骨圧迫30回に人工呼吸2回が基本だが、コロナ禍の情勢では、人工呼吸は行わない。
(4) × 胸骨圧迫の回数は、1分間に100回〜120回のリズムで行う。60回ではない。
(5) × AEDを用いて救命処置を行う場合、電気ショックを行ったあと、メッセージに従って、すぐに胸骨圧迫を開始する。
「ショックは不要です」などのメッセージが流れた場合も、すぐに胸骨圧迫を開始する。

問30 解答(1) 止血

(1) × 止血帯法で使用する止血帯は、三角巾、手ぬぐい、ネクタイなど幅のあるものを利用する。細い紐などでは、圧迫が不十分である。
(2) ○ 焼灼止血法は、現在では、一般人や救急隊員が行う応急処置としては認められていない。
(3) ○ 直接圧迫法は、最も簡単で効果的な方法。出血の95%は、直接圧迫で止血できる。
(4) ○ 間接圧迫法は、出血部より心臓に近い部位の動脈を圧迫する方法である。
(5) ○ 感染防止のため、血液に直接触れないようにする。

問31 解答(4) 脳及び心臓疾患

(1) ○ 脳血管障害のうち、出血性病変は、血管が破れて出血するもの、虚血性病変は血管が詰まって血液が流れなくなるもの、である。今回は、正しく記述されているが、説明を逆にして、誤った肢として出題されることも多いので、注意したい。
(2) ○ 出血性の脳血管障害は、くも膜下出血と脳実質内出血に分かれるが、いずれも説明の通りである。
(3) ○ 虚血性の脳血管障害は、脳血栓症と脳塞栓症に分かれる。内容は、問題文の記述の通りである。
(4) × 虚血性心疾患の原因と症状についての説明である。原因は、冠動脈による心筋への血液の供給が不足であって、門脈ではない。
(5) ○ まず、「可逆的」と「不可逆的」という言葉の意味を知っておこう。可逆的とは、「元に戻ることが可能⇒治る」という意味、不可逆的とは、「元に戻ることが不可能、(その部分は)治らない」という意味である。狭心症は可逆的で、心筋梗塞は不可逆的である。

問32　解答（1）　骨折

これも、ほぼ基本的な知識を問う問題である。この種の問は、絶対に落としてはならない。

（1）○ 単純骨折とは、皮膚に損傷がなく、皮膚の下で骨折している状態のこと。骨にひびが入った状態も含む。

（2）× 複雑骨折とは、皮膚や皮下組織などが損傷して、骨折した骨の端が外に出ている状態のこと。骨が複雑に折れている状態をいうのではないことに、とくに注意！　複雑骨折は、開放骨折ともいい、細菌などに感染しやすく、治りにくい。

（3）× 開放骨折とは、前述のように、骨が外に出ている複雑骨折のことだが、骨折部を皮膚の下に戻したりしてはならない。骨折の処置は、骨折部を動かさないことが基本。できるだけ、そのままの状態で、あとは医師にまかせる。

（4）× 変形や骨折端どうしが擦れ合う音である軋轢（あつれき）音が聞こえるのは、完全骨折の場合である。

（5）× このような場合は、硬い板の上に載せて、脊柱が曲がらないようにして運ぶこと。損傷部位の脊柱の動きを最小限にして、安静位置を保つことが大切。

問33　解答（2）　メタボリックシンドロームの診断基準

メタボリックシンドロームと診断される基準は下記の通り。

必須	ウエスト周囲径（内臓脂肪の蓄積） 男性85㎝以上、女性90㎝以上　内臓脂肪面積が100㎠以上に相当
3項目のうち 2項目以上	①血中脂質（中性脂肪、低ＨＤＬコレステロール） 中性脂肪150㎎/dL以上　ＨＤＬ　40㎎/dL以上
	②血圧（収縮期・最大血圧、拡張期・最小血圧） 最大130㎜Hg以上　最小 85㎜Hg以上
	③空腹時高血糖　110㎎／dL以上

問34　解答（5）　食中毒

（1）○ 細菌性中毒は、毒素型と感染型に大別できるが、細菌が増殖する際に産生した毒素によって起こる食中毒が毒素型。毒素型食中毒の代表的なものは、黄色ブドウ球菌とボツリヌス菌（「ドク身の部屋に、一房のブドウがポツリ」などと覚えよう）。

（2）○ 感染型食中毒は、食物に付着した細菌そのものが中毒症状を起こすもの。感染型食中毒を起こす代表的な細菌は、サルモネラ菌と腸炎（ちょうえん）ビブリオである（「サル（猿）とチョウ（蝶）、カン字で書けるかナ」などと覚えてもよい）。

（3）○ 人間に食中毒を起こす大腸菌を病原性大腸菌といい、O-157やO-111のように、O抗原を持つものなどがある。そのうち、大腸に出血性の炎症を生じるベロ毒素を出すものを、腸管出血性大腸菌とよぶ。症状は問題文の通り。

（4）○ 問題文の通りだが、つけ加えれば極めて致死率が高いことで知られる。また、熱を加えると活性を失う。

（5）× 大きな誤りは、夏季ではなく冬季に集団中毒として多発すること。食中毒=夏季という先入観と逆なので覚えやすく、正解率も高いと思われる。

労働生理

問35 解答（5） 呼吸

（1）○ ポイントは、肺自体には運動能力がないということ。そのため、肋間筋と横隔膜の協調運動によって、肺を伸縮させているということである。

（2）○ 肋間筋と横隔膜の協調運動が、どうして吸気（空気を吸い込む活動）になるかは、問題文の説明の通り。反対に呼気（空気を吐き出す活動）は、胸郭内の容積が減り、内圧が高くなるにつれて起こる。

（3）○ 問題文の通りだが、ここで体の内部（各組織）でのガス交換を組織呼吸、内呼吸ということも、一緒に押さえておこう。

（4）○ 呼吸を支配するのは、延髄にある呼吸中枢である。「エンコ」などと頭文字をとって覚え込もう（よく混乱するのは、間脳（かんのう）の視床下部（ししょうかぶ）にある体温調節中枢や、小脳にある運動・平衡感覚のこと。要注意！）。

（5）× 呼吸においては、酸素の反対は、二酸化炭素である。窒素ではない。このことは、厳重に注意してほしい。

問36 解答（1） 神経系

問題文の空所に正しい語句を入れると、次のようになる。

「神経系において情報を伝えたり処理する基本単位である神経細胞はニューロンともよばれ、細胞体から通常1本の軸索と複数の樹状突起が突き出した形をしている。神経細胞内を情報が伝わっていくことを伝導といい、情報は、樹状突起で受け取られ軸索を伝わって運ばれる。」

なお、選択肢**（3）（4）**にあるシナプスとは、神経細胞（ニューロン）と神経細胞の接合部のこと。神経細胞そのもののことではない。

（5）にある**ガングリオン**とは、**結節腫**（けっせつしゅ）ともいい、手足などの関節にできる腫瘍のこと（これは覚える必要なし）。

問37 解答（1） 血液

（1）× 血漿（けっしょう）中の蛋白質（たんぱくしつ）のうち、グロブリンは、免疫物質の抗体を含んでいる。アルブミンも、血漿中に多く存在する蛋白質の一つだが、浸透圧保持の作用があり、不足するとむくみが生じる。抗体は含んでいない。

（2）○ 赤血球中のヘモグロビンは、酸素を運搬する。

（3）○ 血小板は、止血（しけつ）作用を持ち、血管が損傷し血液が血管外に出ると、血液凝固（ぎょうこ）を促進させる。

（4）○ 白血球は、細菌、ウイルス、有害物などを取り込んで食べてしまう貪食作用がある。
（5）○ 血液は、体重の約8%を占め、日本人成人の血液量は、個人差はあるものの平均して体重1kgにつき約80mlである。つまり体重60kgの場合、4～5ℓ弱の血液が流れている計算になる。

問38 解答（5） 栄養の消化及び吸収

（1）○ 糖質、蛋白質、脂肪は、消化管を通過する間に分解され、吸収可能な形に変えられる。
（2）○ 糖質は、酵素によりブドウ糖などに分解され、小腸の腸壁から吸収される（この問題文のように、「小腸の腸壁から」といわず、単に「腸壁から」や「小腸粘膜から」という形で表現されることもある）。
（3）○ 蛋白質は、酵素によりアミノ酸に分解され、腸壁から吸収される。
（4）○ 脂肪は、十二指腸で胆汁（たんじゅう）と混合して乳化されたあと、酵素により脂肪酸とグリセリンに分解され、腸壁から吸収される。
（5）× 無機塩やビタミン類は、分解されずに吸収される点が、3大栄養素と違う。3大栄養素と、その他の栄養素の違いに注目して、覚えよう。

問39 解答（5） 筋肉・運動

（1）× 横紋筋、平滑筋の説明は正しいが、誤りは心筋を平滑筋としていること。心筋は、たしかに意志によって動かすことはできない不随意筋だが、平滑筋でなく横紋筋なのだ。言ってみれば、心筋は筋肉の“鬼っ子”なのである。
（2）× 仕事の効率は、「筋肉の縮む速さが適当なとき」に、もっともよくなる。「速ければ速いほど」大きくなるわけでなく、速過ぎるとかえって効率が落ちる。
（3）× 荷物を持ち上げたり、屈伸運動をするときは、筋肉の長さは変わる。したがって、筋肉の長さが変わらない等尺性収縮ではない。こちらは、等張性収縮という。
（4）× 筋肉を鍛えると、筋繊維の太さは増大する。
（5）○ 筋肉の収縮は、収縮しようとする瞬間に、最大の作業能力を出すので、これが正解。

問40 解答（1） 内分泌

（1）× コルチゾールは副腎皮質で産生され、血糖量を増加させる。
（2）○ 正しい。
（3）○ 正しい。
（4）○ 正しい。
（5）○ 正しい。
※なお、試験対策面でいえば、これ以上詳しい内容は覚える必要はありません。

問41 解答（5） 感覚器

視覚の出題は、最近多いので、注意して勉強してほしい。

（1）○ 記述の通りである。たいていは、それぞれの働きも一緒に出題される。「スシカメ」と覚えていれば、万全だ。

（2）○ 検査のとき、距離など気にする人は少ないだろうが、一般に、5mの距離を取って行う。

（3）○ ①角膜が歪んでいる、②角膜の表面に凹凸がある、などが、乱視の原因である。その結果、物体の像が網膜上に正しく結ばない。

（4）○ 根を詰めて「視る」ことに熱中していて、こういう状態に陥ったことがある人は、少なからずいると思う。これを「眼精疲労」という。

（5）× よく出題される肢だが、思わず○を付けてしまう人が多いのではなかろうか。しかし、これは×だ。大きな硝子体ではなく、その前に小さく位置している水晶体が、その厚さを変えて焦点距離を調節し、網膜の上に像を結んでいる。

問42 解答（1） 腎臓・尿

難しそうに思えるが、簡単な解答術を活用すれば、難なく正解が見つけ出せる問題だ。そのための前提は、ごく簡単な基本知識を身につけること。

基本知識とは、「**尿の成分は、95%が水で、残りは固形物。弱酸性で、比重は約1である**」。

問43 解答（4） 体温調節

（1）○ 皮膚の血管が細くなるのだから、血流量も少なくなる（血圧は上昇する）。

（2）○ 恒常性＝ホメオスタシスは、生物にとって極めて重要な体のシステム。問題としても、よく出されるので、しっかり記憶しよう。

（3）○ 体温調節中枢は、間脳の視床下部にある。呼吸中枢や心臓中枢は、延髄（えんずい）にあるが、この両者をしっかり区別して覚えること。

（4）× 発汗量が著しく多いときは、体内の水分が減少する。すると、相対的に塩分濃度が高まりそうだが、じつは落とし穴がある。この場合、水分とともに塩分も放出されてしまうので、塩分濃度も減少し、その結果、痙攣（けいれん）を起こすことがあるのだ。
いわゆる熱痙攣で、この問題は「労働衛生（有害業務に係るもの）」の科目でもよく出題されるので覚えておきたい。

（5）○ これが、計算問題として出題されることはないので、「体重70kg、100gの発汗、体温1℃低下」だけを代表例として覚えておこう。

問44 解答（2） ストレス・睡眠

（1）○ 勉強した人には常識ともいえる知識だが、副交感神経と交感神経を間違えないようにしよう。両者は末梢神経系のうちの自律神経に属し、正反対の働きをする。

(2) × 外部からの刺激(**ストレッサー**)は、すべて心身に悪影響をもたらす有害なものと誤解されることがあるが、適度であれば心身の活性化をもたらす有益なものである。この問題は、よく出題されるだけに、注目しておきたい。

(3) ○ **副腎皮質ホルモン**には、**コルチゾール**があり、血管を収縮させたり、血糖値を上昇させる。**アドレナリン**は、**同じような働き**をするが、**副腎髄質**で分泌される。

(4) ○ 問題文の通りだが、精神的要因の影響は強く、**平成26年6月の安衛法改正**では、職場における**メンタルヘルス対策の充実・強化**が、法律として定められた。

(5) ○ **業務災害**とは業務上の災害のことで、**労働災害補償法の対象**になる。

著者略歴

高島徹治（たかしま てつじ）

1937年生まれ、2022年没。
資格コンサルタント、能力開発コンサルタント、資格情報研究センター代表、産業能率大学資格講習会講師、住宅新報社講師。
東京都生まれ。早稲田大学第一政経学部中退。週刊誌記者、経営評論家、編集・出版会社社長を経て現職。年間10個の資格を取り続けた実績で“資格取得スピード王”の異名がある。現在合格資格は、第1種・第2種衛生管理者のほか、社会保険労務士、中小企業診断士（1次)、行政書士、宅建士、英検準1級、危険物取扱者乙種（全類）など91に及ぶ。
「試験に合格する秘訣はすべて同じ。楽しく、やさしく勉強すること」が持論。その持論をまとめた勉強法の著書は、多くがベストセラーとなっている。その1つ、**『資格取得スピード王が教える衛生管理者第1種・第2種1ヵ月合格術』**は好評を呼び、次々と版を重ねている。

立石周志（たていし ちかし）

衛生管理者試験合格サポートルーム「ちあらぼ」主宰。
現場・技術系資格専門ＳＡＴ「衛生管理者講座」担当講師。

＜著書＞『超スピード合格！衛生管理者第１種＋第２種テキスト＆問題集』（翔泳社)、
『第一種衛生管理者試験』（一ツ橋書店）

＜連絡先＞ ちあらぼ　e-mail：cheerlabo@office.nethome.ne.jp

○編 集 担 当　山路和彦（ナツメ出版企画株式会社）
○編集協力·DTP　ｋｎｏｗｍ
○イ ラ ス ト　木村図芸社、酒井由香里
○デ ザ イ ン　松原卓（ドットテトラ）

本書に関するお問い合わせは、書名・発行日・該当ページを明記の上、下記のいずれかの方法にてお送りください。電話でのお問い合わせはお受けしておりません。

・ナツメ社webサイトの問い合わせフォーム
　https://www.natsume.co.jp/contact
・FAX（03-3291-1305）
・郵送（下記、ナツメ出版企画株式会社宛て）

なお、回答までに日にちをいただく場合があります。正誤のお問い合わせ以外の書籍内容に関する解説・受験指導 は、一切行っておりません。あらかじめご了承ください。

資格取得 スピード王の
【でる順】衛生管理者　第1種　過去問題徹底研究　2025年版

2025年 1 月 6 日　初版発行

著　者　高島徹治
　　　　立石周志

発行者　田村正隆

発行所　株式会社ナツメ社
東京都千代田区神田神保町1-52　ナツメ社ビル1F（〒101-0051）
電話　03（3291）1257（代表）　FAX　03（3291）5761
振替　00130-1-58661

制　作　ナツメ出版企画株式会社
東京都千代田区神田神保町1-52　ナツメ社ビル3F（〒101-0051）
電話　03（3295）3921（代表）

印刷所　株式会社リーブルテック

Printed in Japan

ISBN978-4-8163-7654-2
〈定価はカバーに表示してあります〉
〈落丁・乱丁本はお取り替えします〉